Esquisse d'une théorie de la pratique

Pierre Bourdieu

Esquisse d'une théorie de la pratique

précédé de

Trois études d'ethnologie kabyle

Éditions du Seuil

La première édition de cet ouvrage
a été publiée par la Librairie Droz, en 1972

ISBN 978-2-02-039266-2

pour Abdelmalek Sayad

Addu dusa'dhi, ataghedh disa'dh-is

Avertissement

Le Pierre Bourdieu qui publie, en 1972, *Esquisse d'une théorie de la pratique* n'en est pas à son premier livre. Déjà ont paru des ouvrages devenus classiques, notamment *Les Héritiers* (avec Jean-Claude Passeron) en 1964. Il reste que l'Algérie des années 1960 – celle de *Sociologie de l'Algérie*, de *Travail et Travailleurs* ou encore du *Déracinement* – fut, pour Pierre Bourdieu, beaucoup plus qu'une terre d'apprentissage ; elle fut la terre d'expérimentation et de maturation de sa pensée. Il suffit pour en prendre conscience de donner à relire *Esquisse* aujourd'hui, dont la première partie, les trois études d'ethnologie kabyle, a été rédigée au milieu des années 1960 et qui, avec toute la liberté et l'audace que peut donner la rupture avec l'institution ethnologique, soumet à une critique méthodique et empiriquement armée un structuralisme alors souverainement installé au cœur de la scène intellectuelle parisienne.

Un jeune homme qui a pris ses distances avec la « discipline du couronnement », la philosophie, se trouve projeté en plein conflit algérien. C'est là que s'enracine une « vocation » d'ethnologue, puis de sociologue. Il faut, en même temps que l'on soutient la cause de l'indépendance, à tout prix comprendre et, autant que faire se peut, faire comprendre le drame d'une société déchirée, qui mérite mieux que l'adhésion exaltée d'un soutien politique inconditionnel. Si, en politique, on entend encore les cris de la contestation, le débat intellectuel, lui, s'enferme, entre marxisme, phénoménologie et structuralisme, dans des exclusives infructueuses. C'est donc sur une terre bouleversée et dans un climat intellectuel polémique que Pierre Bourdieu va forger les principaux concepts de sa compréhension du monde social à l'occasion d'un travail sur la parenté, l'économie et les rituels kabyles. Progressivement se dégagera ce premier bilan méthodologique et problématique, encore marqué par l'effort pour s'arracher aux pensées établies, qu'est *Esquisse*, systématisé huit ans plus tard dans *Le Sens pratique*.

Mais la parution en 1980 du *Sens pratique* ne rend pas pour autant obsolète le texte de 1972. Sa réédition aujourd'hui ne vient pas rappeler seulement l'importance de l'Algérie dans le parcours d'une pensée, elle est rendue nécessaire par l'étendue qu'a prise l'œuvre de son auteur. Il ne s'agit pas d'en montrer la profonde unité (il n'en est nul besoin après les parutions les plus récentes, *Réponses*, *Raisons pratiques* et *Méditations pascaliennes* notamment), mais, plus profondément, de mettre à disposition de chacun un texte qui nous semble fondateur d'une attitude critique, d'une révolution du regard jeté sur les sociétés humaines ; un texte encore qui peut jouer pleinement aujourd'hui, à l'égard des plus jeunes, son rôle d'introduction à une démarche ; un texte enfin qui « s'explique » avec lui-même et dessine son chemin parmi, contre, avec les autres. En somme, c'est une façon de ne pas tomber dans « l'amnésie de la genèse », thème cher au sociologue.

A l'heure où la discipline historique s'oriente vers une théorie de l'action, où les anthropologues redécouvrent les rituels et les mythes comme expérience pragmatique du monde, où les économistes ressentent l'impérieux besoin de renouer avec l'anthropologie, relire *Esquisse*, c'est prendre conscience du travail souterrain d'une œuvre qui tient désormais une place centrale dans les sciences humaines et sociales.

Richard Figuier

PREMIÈRE PARTIE

Trois études d'ethnologie kabyle

SENS (*sanss' ; san* jusqu'au XIXe s.). *n. m.* (XIe s. ROL. ; empr. lat. *sensus*, « action, manière de sentir ; sentiment ; pensée ; signification »).

3° *Par anal.* « Faculté de connaître d'une manière immédiate et intuitive (comme celle que paraissent manifester les sensations proprement dites) » Lalande. *Le sens de l'orientation, de l'équilibre* (cf. Raccrocher, cit. 7). *Le goût* (bon goût), *le plus subtil des sens* (cf. Malpropre, cit. 3). *Le sens de Dieu* (cf. Concept, cit. 2), *du sacré, du merveilleux* (cf. Garder, cit. 47). *Le sens des réalités, de la réalité* (cf. Enfoncer, cit. 41), *de l'efficacité* (cf. Discipliner, cit. 3), *le sens pratique, le sens politique* (cit. 16), *national* (cf. Aliénation, cit. 1). *Sens des responsabilités* (cf. *aussi* Fuite, cit. 7), *des hiérarchies* (cf. Heurter, cit. 18), *des affaires.* V. **Instinct, notion**. *Sens artistique* (cf. Amenuisement, cit.), *esthétique* (cit. 10) ; *sens du beau* (cf. Prosaïque, cit. 3), *Avoir le sens du comique* (cit. 7), *du ridicule* (cf. Humour, cit. 5), *de l'humour. Perdre le sens de la mesure* (cf. Hyperbole, cit. 2). – *Sens interne ou intime.* V. **Conscience** (I). *Sens moral** (cit. 1). V. **Conscience** (II).

Dictionnaire Robert

Avant-propos

En publiant des textes aussi anciens que les études sur le sens de l'honneur et sur la maison kabyle, on espère ne pas sacrifier seulement à cette forme de complaisance qui consiste à mesurer la valeur d'une œuvre aux peines et aux risques (pas seulement intellectuels) qu'elle a coûtés. La sollicitude d'auteur se mêle à l'agacement de lecteur devant telle analyse que certains diraient « fonctionnaliste » ou devant tel tour de style ou telle nuance de ton que d'autres appelleraient aujourd'hui « humaniste » et qui ont en commun de trahir l'intention plus ou moins consciente de réhabiliter contre une idéologie et une politique inhumaines un peuple capable de produire un modèle des relations d'homme à homme aussi accompli que celui de la compétition d'honneur. L'analyse, ici isolée, des stratégies par lesquelles les paysans kabyles s'efforcent de maintenir ou d'augmenter leur capital d'honneur avait été primitivement conçue comme indissociable d'une restitution du système des règles objectives et des enjeux matériels et symboliques du jeu politique et économique : replacées dans ce contexte et, plus précisément, dans le système des stratégies de reproduction, les stratégies visant à la reproduction du capital symbolique que sont les conduites d'honneur révèlent la fonction qui leur est impartie dans la reproduction d'un ordre économique et politique dont l'*ethos* de l'honneur, principe générateur de ces stratégies, est lui-même le produit.

Le texte sur la maison kabyle, qui, par l'effet du rapprochement, contribuera peut-être à renforcer l'apparence d'une autonomisation indue de l'ordre symbolique, n'est qu'un fragment (auquel toutefois l'homologie entre la maison et le cosmos confère une position centrale) d'une analyse de la structure du système mythico-rituel : la relation à double sens qui unit ce système aux structures économiques ne se dévoile jamais aussi bien que dans le calendrier agraire ; celui-ci reproduit sous la forme transfigurée d'un système symbolique cohérent les rythmes de l'année agricole et en particulier l'opposition entre la période de travail, c'est-à-dire principalement les labours et la moisson, accompagnés d'une intense activité rituelle à fonction surtout prophylactique, et la période de simple production, beaucoup plus longue, durant laquelle le grain semé se trouve soumis à des processus naturels de transformation (comme, dans un autre ordre, la poterie mise à sécher), le processus de travail se trouvant alors quasi totalement arrêté ou réduit à des activités technico-rituelles et à des rites propitiatoires, moins solennels parce que moins dramatiquement exigés par la représentation mythique de l'activité agraire comme affrontement dangereux de principes antagonistes.

Bref, l'image de la société kabyle que proposent ces fragments d'une œuvre interrompue (au moins provisoirement) est d'autant plus abstraite que, en ce cas plus que partout ailleurs, c'est seulement au niveau du système complet des relations objectives que se révèlent la signification et la fonction de chacune des instances. Si le principe ultime de tout le système réside évidemment dans un mode de production qui, en raison de la distribution à peu près égale de la terre (sous la forme de petites propriétés morcelées et dispersées) et des instruments de production, au demeurant faibles et stables, exclut par sa logique même le développement des forces productives et la concentration du capital – la quasi-totalité du produit agricole entrant directement dans la consommation de son producteur –, il n'en reste pas moins que la transfiguration idéologique des structures économiques dans les taxinomies du discours mythique ou de la pratique rituelle contribue à la reproduction des structures ainsi consacrées et sanctifiées. Et de même, si le mode de transmission du patrimoine (matériel et symbolique) est au principe de la concurrence et parfois du conflit entre les frères et, plus largement, entre les agnats, il ne fait pas de doute que les pressions économiques et symboliques qui s'exercent dans le sens de l'indivision du patrimoine familial contribuent à la perpétuation de l'ordre économique et, par là, de l'ordre politique qu'il fonde et qui trouve sa forme propre d'équilibre dans la tension, observable à tous les niveaux de la structure sociale, de la lignée à la tribu, entre la tendance à la sociation et la tendance à la dissociation : lorsque, pour rendre raison du fait qu'une formation sociale s'enferme dans le cycle parfait de la simple reproduction, on se contente d'invoquer les explications négatives d'un matérialisme appauvri, telles que la précarité et la stabilité des techniques de production, on s'interdit de comprendre la contribution déterminante que les représentations éthiques et mythiques peuvent apporter à la reproduction de l'ordre économique dont elles sont le produit, en favorisant la méconnaissance du fondement réel de l'existence sociale, c'est-à-dire, très concrètement, en interdisant que les intérêts qui guident toujours objectivement les échanges économiques ou même symboliques, fût-ce entre frères, puissent jamais s'avouer ouvertement comme tels et devenir le principe explicite des transactions économiques et, de proche en proche, de tous les échanges entre les hommes.

Paris, décembre 1971

CHAPITRE Ier

Le sens de l'honneur[1]

> When we discuss the levels of descriptive and explanatory adequacy, questions immediately arise concerning the firmness of the data in terms of which success is to be judged [...]. For example, [...] one might ask how we can establish that the two are sentences of different types, or that « John's eagerness to please... » is well-formed, while « John's easiness to please... » is not, and so on. There is no very satisfying answer to this question ; data of this sort are simply what constitute the subject matter for linguistic theory. We neglect such data at the cost of destroying the subject.
>
> Noam Chomsky,
> *Current Issues in Linguistic Theory.*

N. avait toujours mangé à sa faim, il avait fait travailler les autres pour lui, il avait bénéficié, comme par un droit de seigneur, de tout ce que les autres avaient de meilleur dans leurs champs et dans leurs maisons ; bien que sa situation eût beaucoup décliné, il se croyait tout permis, il se sentait le droit de tout exiger, de s'attribuer seul la parole, d'insulter et même de battre ceux qui lui résistaient. Sans doute est-ce pour cela qu'on le tenait pour un *amahbul*. *Amahbul*, c'est l'individu éhonté et effronté qui outrepasse les limites de la bienséance garante des bonnes relations, c'est celui qui abuse d'un pouvoir arbitraire et commet des actes contraires à ce qu'enseigne l'art de vivre. Ces *imahbal* (pluriel de *amahbul*), on les fuit parce qu'on n'aime pas avoir une contestation avec eux, parce qu'ils sont à l'abri de la honte, parce que celui qui s'affronterait à eux serait en tous les cas la victime, même s'il se trouvait avoir raison.

Notre homme avait dans son jardin un mur à reconstruire. Son voisin avait un mur de soutènement. Il jette ce mur à bas et transporte chez lui les pierres. Cet acte arbitraire ne s'exerçait pas, cette fois, contre un plus faible : la « victime » avait les moyens, et largement, de se défendre. C'était un homme jeune, fort, comptant beaucoup de frères et de parents, appartenant à une famille nombreuse et puissante. Il était donc évident que s'il ne relevait pas le défi, ce n'était pas par crainte. Par suite, l'opinion publique ne pouvait voir dans cet acte abusif un véritable défi, portant atteinte à l'honneur. Tout au contraire, l'opinion et la victime ont affecté de l'ignorer : en effet, il est absurde de tomber dans une querelle avec un *amahbul* ; ne dit-on pas : « *Amahbul*, fuis-le » ?

Toutefois, la victime s'en fut trouver le frère du coupable. Celui-ci donnait raison au plaignant mais s'interrogeait sur les moyens de faire entendre raison à l'*amahbul*. Il fit comprendre à son interlocuteur qu'il avait eu tort de ne pas réagir avec la même violence sur-le-champ, ajoutant : « Pour qui se prend-il, ce vaurien ? » Alors, le visiteur, changeant brusquement d'attitude, s'indigna : « Oh ! Si M., pour qui me prends-tu ? Crois-tu que j'accepterais d'avoir une discussion avec Si N., pour quelques pierres ? Je suis venu te voir, toi, parce que je sais que tu es sage et qu'avec toi je puis parler, que tu me comprendras, je ne suis pas venu demander qu'on me paie les pierres (et là, il multiplia les serments par tous les saints, assurant qu'il n'accepterait jamais de dédommagement). Car ce que Si N. a fait, il faut être *amahbul* pour le faire et moi, je ne vais pas me jeter moi-même dans la honte (*adhbahad-lagh ruḥiw*[2]) avec un *amahbul*. Je fais remarquer seulement que ce n'est pas avec de tels procédés que l'on bâtit une maison licite, juste (*akham naṣaḥ*) ». Et il ajouta, tout à la fin de la conversation : « Que celui qui compte un *amahbul* de son côté l'entame lui-même avant que les autres ne le fassent » ; autrement dit : « Tu as tort de ne pas te solidariser avec ton frère devant moi, quitte à t'en prendre à lui et à le corriger en mon absence, ce que je te demande d'ailleurs[3] » (*Aghbala*). Pour comprendre toute la subtilité de ce débat, il faut savoir qu'il opposait un homme parfaitement maître de la dialectique du défi et de la riposte à un autre qui, pour avoir vécu longtemps hors de Kabylie, avait oublié l'esprit de la tradition : ne voyant dans l'incident qu'un simple larcin commis par un frère qu'il pouvait désavouer au nom de la justice et du bon sens, sans que les règles de la solidarité familiale pussent s'en trouver violées, il raisonnait en termes d'intérêt : le mur vaut tant, cette personne doit être dédommagée. Et son interlocuteur restait étonné qu'un homme si instruit ait pu se méprendre à ce point sur ses véritables intentions.

Certaine année, en un autre village, un paysan avait été volé par son métayer. Ce dernier était coutumier du fait, mais, cette année-là, il avait passé toutes les limites. Après avoir épuisé les reproches et les menaces, on vint devant l'assemblée. Les faits étaient connus de tous, il était inutile d'établir la preuve et, voyant sa cause désespérée, le métayer en vint rapidement à demander pardon conformément à la tradition, non sans avoir développé toutes sortes d'arguments : à savoir qu'il cultivait cette terre depuis très longtemps, qu'il la considérait comme sa propriété personnelle, que le propriétaire absent n'avait pas besoin de la récolte, que, par souci de lui être agréable, il lui donnait ses propres figues, de meilleure qualité, quitte à se rattraper ensuite sur la quantité, qu'il était pauvre, que le propriétaire était riche et riche « pour donner aux pauvres », etc., autant de raisons exposées dans le dessein de flatter le propriétaire. Il prononça la formule « Dieu me pardonne », qui doit, selon l'usage, mettre un terme définitif au débat. Mais il ajouta :

> Si j'ai bien agi, Dieu soit loué (tant mieux),
> Si j'ai erré, Dieu me pardonne.

Le propriétaire s'emporta contre cette formule pourtant parfaitement légitime et appropriée puisqu'elle rappelle qu'un homme, lors même qu'il fait amende honorable, ne peut avoir absolument tort, ne peut en tout cas se donner tous les torts, et a donc toujours un peu raison, de même que l'autre a toujours quelque peu tort : il voulait un simple « Dieu me pardonne », une soumission sans condition. Et l'autre de prendre à témoin l'assistance : « Ô créatures, amis des saints ! Comment ? Je loue Dieu, et voilà que cet homme me le reproche ! » Et de répéter deux ou trois fois la même formule, en se faisant chaque fois plus petit et plus humble. Devant cette attitude, le propriétaire s'emporta de plus en plus, si bien qu'à la fin, c'était tout le village qui, malgré le respect qu'il portait à un homme lettré, « étranger » au pays, était désolé d'avoir à le blâmer. Une fois les esprits calmés, le propriétaire regretta son intransigeance ; sur le conseil de sa femme, mieux informée des usages, il alla trouver l'*imam* du village et des parents plus âgés pour s'excuser de sa conduite ; il fit valoir qu'il avait été victime de *elbahadla* (le fait de *bahdel*), ce que chacun avait compris.

En un autre endroit, la tension entre les deux « partis » (*ṣuf*) avait été exaspérée par un incident. L'un des « partis », lassé, délégua chez un notable du « parti » adverse toute une ambassade composée de marabouts du douar et de douars voisins, de l'*imam* du village, de tous les *ṭulba* (pluriel de *ṭaleb*) d'une *thim'amarth* (école religieuse) voisine, soit plus de quarante personnes à qui il avait assuré transport, hébergement, nourriture. Pour tous les gens du pays, sauf pour celui qui était l'objet de la démarche, un Kabyle déraciné et peu informé des usages, il s'agissait d'un rituel. La coutume voulait qu'après avoir embrassé les négociateurs au front, on consentît à toutes les offres et qu'on invoquât la paix, ce qui n'excluait pas que l'on pût reprendre les hostilités par la suite, sous un prétexte quelconque, sans que personne y trouvât à redire. Les notables annoncent d'abord le but de leur démarche : « Les Ath... viennent demander pardon. » L'usage veut que, dans le premier moment, ils se désolidarisent de la partie pour laquelle ils viennent intercéder. Parlent alors, dignement, ceux qui demandent le pardon « dans l'intérêt de tous et surtout dans l'intérêt des plus pauvres du village » : « Ce sont eux qui souffrent de nos discordes ; ils ne savent pas où aller, voyez-les, ils font pitié... [autant de raisons qui permettent de sauver la face]. Faisons la paix, oublions le passé. » Il sied que celui que l'on vient ainsi prier manifeste quelques réticences, quelques réserves ; ou bien que, selon une complicité tacite, une partie de son camp se durcisse, pendant que l'autre, afin de ne rien briser définitivement, se montre plus conciliante. Au milieu du débat, les médiateurs interviennent : ils chargent la partie sollicitée, lui trouvent des torts, cela afin de rétablir l'équilibre et d'éviter une humiliation totale (*elbahadla*) au solliciteur. Car le seul fait d'avoir fait appel aux bons offices des marabouts, de les avoir nourris et d'être venu avec eux, constitue une concession suffisante par soi ; on ne peut aller plus loin dans la soumission. De plus, les intercesseurs étant, par fonction, au-dessus des rivalités, et jouissant d'un prestige capable de forcer le consentement, ils peuvent se permettre d'admonester un peu celui qui se fait trop prier : « Certes, ils ont peut-être beaucoup de torts, mais, toi Si X., tu as été coupable en ceci..., tu n'aurais pas dû… et aujourd'hui, tu dois leur pardonner ; d'ailleurs, vous vous pardonnez mutuellement, nous nous engageons à sanctionner la paix que vous concluez, etc. » La sagesse des notables les autorise à opérer ce dosage des torts et des raisons. Mais, en l'occurrence, celui que l'on venait prier ne pouvait, faute de connaître la règle du jeu, s'accommoder de ces subtilités diplomatiques. Il tenait à tout mettre au clair, il raisonnait en termes de « ou bien… ou bien » : « Comment ! Si vous venez me prier, c'est que les autres ont tort ; c'est eux que vous devez condamner, au lieu de me faire des reproches à moi. A moins que, parce qu'ils vous ont nourris et payés, vous ne veniez prendre ici leur défense. » C'était la plus grave injure que l'on pût faire à l'aréopage ; de mémoire de Kabyle, c'était la première fois qu'une délégation d'aussi vénérables personnages n'arrivait pas à obtenir l'accord des deux parties, et le réfractaire était promis à la pire des malédictions.

La dialectique du défi et de la riposte

On pourrait rapporter une multitude de faits semblables ; mais l'analyse de ces trois récits permet de dégager les règles du jeu de la riposte et du défi. Pour qu'il y ait défi, il faut que celui qui le lance estime celui qui le reçoit digne d'être défié, c'est-à-dire capable de relever le défi, bref, le reconnaisse comme son égal en honneur. Lancer à quelqu'un un défi, c'est lui reconnaître la qualité d'homme, reconnaissance qui est la condition de tout échange et du défi d'honneur en tant que premier moment d'un échange ; c'est lui reconnaître aussi la dignité d'homme d'honneur puisque le défi, comme tel, requiert la riposte et, par conséquent, s'adresse à un homme estimé capable de jouer le jeu de l'honneur et de le bien jouer, ce qui suppose d'abord qu'il en connaît les règles et, ensuite, qu'il détient les vertus indispensables pour les respecter. Le sentiment de l'égalité en honneur, qui peut coexister avec des inégalités de fait, inspire un grand nombre de conduites et de coutumes et se manifeste en particulier dans la résistance opposée en face de toute prétention à la supériorité : « Moi aussi, j'ai une moustache », a-t-on coutume de dire[4]. Le fanfaron est immédiatement rappelé à l'ordre. « Il n'y a, dit-on, que le tas d'ordures qui se gonfle. » « Sa tête touche sa chéchia » ; « Le noir est noir : on lui a ajouté des tatouages ! » ; « Il veut marcher de la démarche de la perdrix alors qu'il a oublié celle de la poule ! » Au village de Tizi Hibel, en Grande Kabylie, une famille riche avait fait construire pour les siens une tombe de style européen, avec grille, pierre tombale et inscription, transgressant la règle qui impose l'anonymat et l'uniformité des tombes. Le lendemain, grilles et pierres tombales avaient disparu.

Du principe de la reconnaissance mutuelle de l'égalité en honneur suit un premier corollaire : le défi fait honneur. « L'homme qui n'a pas d'ennemis, disent les Kabyles, est un bourricot », l'accent n'étant pas mis sur la stupidité du bourricot, mais sur sa passivité. Ce qu'il y a de pire, c'est de passer inaperçu : ainsi, ne pas saluer quelqu'un, c'est le traiter comme une chose, un animal ou une femme. Le défi est, au contraire, « un sommet de la vie pour celui qui le reçoit » (*El Kalaa*). C'est en effet l'occasion de se sentir exister pleinement en tant qu'homme, de prouver aux autres et à soi-même sa qualité d'homme (*thirugza*). « L'homme accompli » (*argaz alkamel*) doit être sans cesse en état d'alerte, prêt à relever le moindre défi. C'est le gardien de l'honneur (*amḥajar*), celui qui veille sur son propre honneur et sur l'honneur de son groupe.

Deuxième corollaire : celui qui défie un homme incapable de relever le défi, c'est-à-dire incapable de poursuivre l'échange engagé, se déshonore lui-même. C'est ainsi que *elbahadla*, humiliation extrême infligée publiquement, devant les autres, risque toujours de retomber sur celui qui la provoque, sur l'*amahbul* qui ne sait pas respecter les règles du jeu de l'honneur : celui-là même qui mérite *elbahadla* a un honneur (*nif* et *ḥurma*) ; c'est pourquoi, au-delà d'un certain seuil, *elbahadla* retombe sur celui qui l'inflige. Aussi, le plus souvent, se garde-t-on de jeter *elbahadla* sur quelqu'un afin de le laisser se couvrir de honte par sa propre conduite. En ce cas, le déshonneur est irrémédiable. On dit : *ibahdal imanis* ou *itsbahdil simanis (Aghbala)*. Par suite, celui qui se trouve dans une position favorable doit éviter de pousser trop son avantage et mettre une certaine modération dans son accusation : « Mieux vaut qu'il se dénude seul, dit le proverbe, plutôt que je ne le déshabille » (*Djemaa-Saharidj*). De son côté, son adversaire peut toujours essayer de renverser la situation en le poussant à outrepasser les limites permises, tout en faisant amende honorable. Ceci, comme on l'a vu dans le deuxième récit, afin de rallier l'opinion, qui ne peut pas ne pas désapprouver la démesure de l'accusateur.

Troisième corollaire (proposition réciproque du corollaire précédent) : seul un défi (ou une offense) lancé par un homme égal en honneur mérite d'être relevé ; autrement dit, pour qu'il y ait défi, il faut que celui qui le reçoit estime celui qui le lance digne de le lancer. L'affront venant d'un individu inférieur en honneur retombe sur le présomptueux. « L'homme prudent et avisé, *amaḥdhuq*, ne se commet pas avec *amahbul.* » La sagesse kabyle enseigne : « Enlève à *amaḥdhuq* et donne à *amahbul* » (*Azerou n-chmini*). *Elbahadla* retomberait sur l'homme sage qui s'aventurerait à relever le défi insensé de *amahbul* ; alors qu'en s'abstenant de riposter, il lui laisse porter tout le poids de ses actes arbitraires. De même, le déshonneur retomberait sur celui qui se salirait les mains dans une revanche indigne : aussi arrivait-il que les Kabyles aient recours à des tueurs à gages (*amekri*, pluriel *imekryen*, mot à mot : celui dont on loue les services). C'est donc la nature de la riposte qui confère au défi (ou à l'offense) son sens et même sa qualité de défi ou d'offense, par opposition à la simple agression.

Les Kabyles avaient à l'égard des Noirs une attitude qui illustre parfaitement ces analyses. Celui qui aurait répondu aux injures d'un Noir, homme de condition inférieure et dépourvu d'honneur, ou se serait battu avec lui, se fût déshonoré lui-même [5]. Selon une tradition populaire du Djurdjura, il arriva un jour que, au cours d'une guerre entre deux tribus, l'une d'elles opposa des Noirs à ses adversaires qui mirent bas les armes. Mais les vaincus gardèrent sauf leur honneur tandis que les vainqueurs furent déshonorés dans leur victoire. On dit aussi parfois que pour échapper à la vengeance du sang (*thamgarṭ*, pluriel *thimagraṭ*), il suffisait autrefois de s'agréger à une famille de Noirs. Mais c'était là une conduite si infamante que nul n'accepterait de payer ce prix pour sauver sa vie. Ce serait pourtant le cas, selon une tradition locale, des bouchers d'Ighil ou Mechedal, les Ath Chabane, Noirs ayant pour ancêtre un Kabyle qui, afin d'échapper à la vengeance, se serait fait boucher et dont les descendants n'auraient pu s'allier par la suite qu'à des Noirs (*Aït Hichem*).

Les règles de l'honneur régissaient aussi les combats. La solidarité imposait à tout individu de protéger un parent contre un non-parent, un allié contre un homme d'un autre « parti » (*ṣuf*), un habitant du village, fût-il d'un parti adverse, contre un étranger au village, un membre de la tribu contre un membre d'une autre tribu. Mais l'honneur interdit, sous peine d'infamie, de combattre à plusieurs contre un seul ; aussi s'ingéniait-on, par mille prétextes et artifices, à renouveler la querelle afin de pouvoir la reprendre à son compte. Ainsi, les moindres querelles menaçaient toujours de prendre de l'extension. Les guerres entre les « partis », ces ligues politiques et guerrières qui se mobilisaient dès qu'un incident venait à éclater, dès que l'honneur de tous était atteint en l'honneur d'un seul, prenaient la forme d'une compétition ordonnée qui, loin de menacer l'ordre social, tendait au contraire à le sauvegarder en permettant à l'esprit de compétition, au point d'honneur, au *nif*[6], de s'exprimer, mais dans des formes prescrites et institutionnalisées. Il en allait de même des guerres entre tribus. Le combat prenait parfois la forme d'un véritable rituel : on échangeait des injures, puis des coups, et le combat cessait avec l'arrivée des médiateurs. Pendant le combat, les femmes encourageaient les hommes de leurs cris et de leurs chants qui exaltaient l'honneur et la puissance de la famille. On ne cherchait pas à tuer ou à écraser l'adversaire. Il s'agissait de manifester que l'on avait le dessus, le plus souvent par un acte symbolique : en Grande Kabylie le combat cessait, dit-on, lorsque l'un des deux camps s'était emparé de la poutre maîtresse (*thigejdith*) et d'une dalle prise à la *thajma 'th* de l'adversaire. Parfois l'affaire tournait mal : soit qu'un coup malheureux entraînât la mort d'un combattant ou que le « parti » le plus fort menaçât de faire irruption dans les demeures, dernier asile de l'honneur. Alors seulement les assiégés s'emparaient de leurs armes à feu, ce qui suffisait le plus souvent à faire cesser le combat. Les médiateurs, marabouts et sages de la tribu, demandaient aux agresseurs de se retirer et ceux-ci s'en allaient sous la protection de la parole donnée, *la'naya*[7]. Nul n'eût songé à leur causer dommage ; c'eût été rompre *la'naya*, faute suprêmement déshonorante (*Djemaa-Saharidj*). Selon un vieillard des Ath Mangellat (Grande Kabylie), dans les guerres de tribu, les grandes batailles étaient rares et n'avaient lieu qu'après un conseil tenu par les Anciens qui fixaient le jour de l'action et l'objectif imparti à chaque village. Chacun luttait pour soi, mais on se criait des avis et des encouragements. De tous les villages alentour, on regardait et on donnait son opinion sur l'audace et l'habileté des combattants. Quand le parti le plus fort occupait des positions d'où il pouvait écraser l'adversaire ou bien lorsqu'il s'emparait d'un symbole manifeste de victoire, le combat s'arrêtait et chaque tribu rentrait chez soi. Il arrivait que l'on fît des prisonniers : placés sous la protection (*la'naya*) de celui qui les avait capturés, ils étaient en général bien traités. On les renvoyait, à la fin du conflit, avec une *gandura* neuve, signifiant par là que c'était un mort qui s'en revenait au village avec son linceul. L'état de guerre (*elfetna*) pouvait durer pendant des années. D'une certaine façon, l'hostilité était permanente ; la tribu vaincue attendait sa revanche et, à la première occasion, s'emparait des troupeaux et des bergers de son ennemie ; au moindre incident, lors du marché hebdomadaire par exemple, le combat reprenait [8]. Bref, rien de plus malaisé à distinguer, dans un tel univers, que l'état de paix et l'état de guerre. Scellées et garanties par l'honneur, les trêves entre villages et tribus, comme les pactes de protection entre les familles, venaient seulement mettre un terme provisoire à la guerre, le jeu le plus sérieux qu'ait inventé l'honneur. Si l'intérêt économique pouvait en fournir l'occasion et y trouver son compte, le combat s'apparentait plus à une compétition institutionnalisée et réglée qu'à une guerre mettant en jeu tous les moyens disponibles pour obtenir une victoire totale, comme en témoigne ce dialogue, rapporté par un vieux Kabyle : « Un jour quelqu'un dit à Mohand Ouqasi : "Viens-tu à la guerre ? – Qu'est-ce qu'on y fait ? – Eh bien, dès qu'on voit un Rumi, on lui envoie une balle. – Comment cela ? – Et comment veux-tu ? – Je croyais qu'on devait discuter, puis s'injurier et enfin se battre ! – Rien du tout ; il nous tire dessus et nous tirons sur lui. Voilà... Alors, tu viens ? – Non, moi, quand je ne suis pas en colère, je ne peux pas tirer sur les gens." [9] »

Mais le point d'honneur trouvait d'autres occasions de se manifester : il animait par exemple les rivalités entre villages qui entendaient avoir la mosquée la plus haute et la plus belle, les fontaines les mieux aménagées et les mieux protégées des regards, les fêtes les plus somptueuses, les rues les plus propres et ainsi de suite. Toutes sortes de compétitions rituelles et institutionnalisées fournissaient aussi prétexte à des joutes d'honneur, tel le tir à la cible que l'on pratiquait à l'occasion de tous les événements heureux – naissance d'un garçon, circoncision ou mariage. Lors des mariages, l'escorte composée d'hommes et de femmes qui était chargée d'aller chercher la mariée dans un village ou dans une tribu voisine devait remporter successivement deux épreuves, la première réservée aux femmes, deux à six « ambassadrices » réputées pour leur talent, la seconde destinée aux hommes, huit à vingt bons tireurs. Les ambassadrices disputaient avec les femmes de la famille ou du village de la fiancée une joute poétique dans laquelle elles devaient avoir le dernier mot : il appartenait à la famille de la fiancée de choisir la nature et la forme de l'épreuve, soit énigmes, soit concours de poésie. Les hommes s'affrontaient au tir à la cible : le matin du retour de l'escorte, pendant que les femmes préparaient la mariée et que l'on complimentait le père, les hommes du cortège devaient briser de leurs balles des œufs frais (parfois des pierres plates) encastrés, à grande distance, dans un talus ou un tronc d'arbre ; en cas d'échec, la garde d'honneur du fiancé repartait, couverte de honte, après être passée sous le bât d'un âne et avoir versé une amende. Ces jeux avaient aussi une fonction rituelle, comme en témoignent, d'une part le formalisme rigoureux de leur déroulement et, d'autre part, les pratiques magiques auxquelles ils donnaient lieu [10].

Si toute offense est défi, tout défi, on le verra, n'est pas outrage et offense. La compétition d'honneur peut se situer en effet dans une logique toute proche de celle du jeu ou du pari, logique ritualisée et institutionnalisée. Ce qui est en jeu, alors, c'est le point d'honneur, le *nif*, volonté de surpasser l'autre dans un combat d'homme à homme. Selon la théorie des jeux, le bon joueur est celui qui suppose toujours que son adversaire saura découvrir la meilleure stratégie et qui règle son jeu en conséquence ; de même, au jeu de l'honneur, le défi comme la riposte impliquent que chaque antagoniste choisit de jouer le jeu et d'en respecter les règles en même temps qu'il postule que son adversaire est capable du même choix.

Le défi proprement dit, et aussi l'offense, supposent, comme le don, le choix de jouer un jeu déterminé conformément à certaines règles. Le don est un défi qui honore celui à qui il s'adresse, tout en mettant à l'épreuve son point d'honneur (*nif*) ; par suite, de même que celui qui offense un homme incapable de riposter se déshonore lui-même, de même celui qui fait un don excessif, excluant la possibilité d'un contre-don. Le respect de la règle exige, dans les deux cas, qu'il soit laissé une chance de répondre, bref, que le défi soit raisonnable. Mais, du même coup, don ou défi constituent une provocation et une provocation à la réponse : « Il lui a fait honte », disaient selon Marcy les Berbères marocains à propos du don en forme de défi (*tawsa*) qui marquait les grandes occasions. Celui qui a reçu le don ou subi l'offense est pris dans l'engrenage de l'échange et il doit adopter une conduite qui, quoi qu'il fasse, sera une réponse (même par défaut) à la provocation constituée par l'acte initial[11]. Il peut choisir de prolonger l'échange ou de rompre *(cf. le schéma p. 32)*. Si, obéissant au point d'honneur, il opte pour l'échange, son choix est identique au choix initial de l'adversaire ; il accepte de jouer le jeu qui peut se poursuivre à l'infini : la riposte est en effet par soi un nouveau défi. On raconte ainsi qu'autrefois, à peine la vengeance accomplie, toute la famille saluait par des réjouissances la fin du déshonneur, *thuqdha an-tsasa*, c'est-à-dire à la fois le soulagement du malaise que l'on avait au « foie » du fait de l'offense et aussi la satisfaction du désir d'être vengé : les hommes tiraient des coups de feu, les femmes poussaient des you-you, proclamant ainsi que vengeance était faite, afin que tous puissent voir comment une famille d'honneur sait restaurer promp-

CONSTAT ET CONTRÔLE DU GROUPE — **PRESSION DU GROUPE** — **SANCTION SYMBOLIQUE**

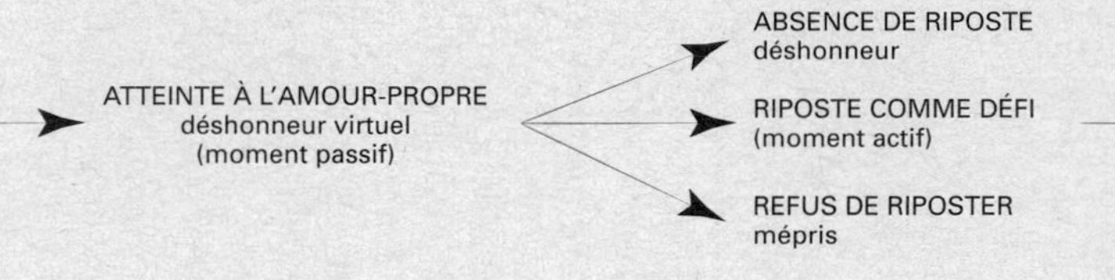

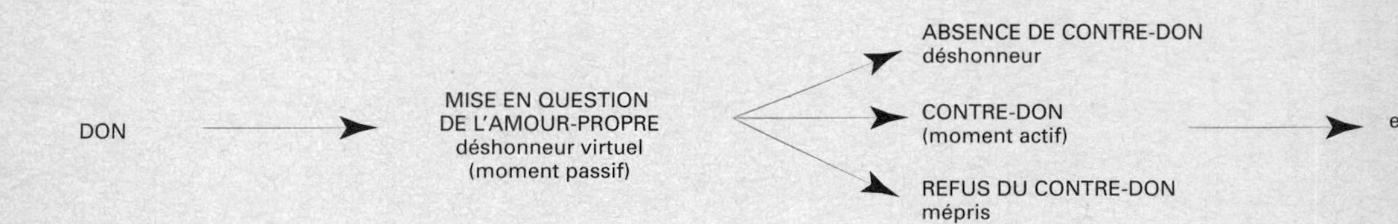

DÉFI → ATTEINTE À L'AMOUR-PROPRE
déshonneur virtuel
(moment passif)
→ ABSENCE DE RIPOSTE
déshonneur
→ RIPOSTE COMME DÉFI
(moment actif) → etc.
→ REFUS DE RIPOSTER
mépris

DON → MISE EN QUESTION
DE L'AMOUR-PROPRE
déshonneur virtuel
(moment passif)
→ ABSENCE DE CONTRE-DON
déshonneur
→ CONTRE-DON
(moment actif) → etc.
→ REFUS DU CONTRE-DON
mépris

tement son prestige et afin aussi que la famille ennemie n'ait aucun doute sur l'origine de son malheur. A quoi bon la vengeance si elle demeure anonyme ? On conserve à Djemaa-Saharidj le souvenir d'une *thamgarṭ* (vengeance du sang) qui dura de 1931 environ à 1945, dans la tribu des Ath Khellili (Ath Zellal). « Ça avait commencé comme ceci : deux frères avaient tué deux frères d'une autre famille. Pour faire croire qu'ils avaient été attaqués, l'un des deux frères avait blessé l'autre. Ils furent condamnés l'un à huit ans de prison, l'autre à un peu moins. Lorsque le second fut libéré (le plus influent de la famille), il se détournait à chaque pas, il guettait sans cesse, il était toujours sur ses gardes. Il fut abattu par un tueur à gages. Un troisième frère, qui était militaire, écrasa la tête d'un membre de l'autre famille avec une pierre. Les deux familles menaçaient de s'exterminer mutuellement. Il y avait déjà eu huit victimes (dont les quatre qui ont été mentionnées). Les marabouts furent mandatés pour essayer d'apaiser le conflit. Ils avaient épuisé les paroles d'apaisement et le troisième frère, le militaire, restait décidé à tenir et à prolonger la lutte. On sollicita la médiation d'un notable d'une tribu voisine qui avait été caïd et qui était unanimement respecté. Celui-ci alla trouver le récalcitrant et lui fit un sermon. "Ta tête est dans le *delu* (entonnoir qui conduit le grain dans la meule) ; à la prochaine occasion, ta tête va passer dans la meule." Le jeune homme a eu comme une crise ; il offrait sa tête. On lui demanda de dire solennellement qu'il était d'accord pour mettre fin à l'extermination. On prononça la *fatiha*. En présence de tout le village réuni, on immola un bœuf. Le jeune militaire offrit de l'argent aux marabouts. Et le couscous fut mangé en commun » (récit d'un des protagonistes). On voit que l'intervention du groupe s'impose quand les sous-groupes sont menacés de disparition. Du fait que la logique du défi et de la riposte entraînerait la prolongation à l'infini du conflit, il importe, en tout cas, de trouver une issue honorable qui ne jette aucune des deux parties dans le déshonneur et qui, sans mettre en question les impératifs de l'honneur, autorise à en suspendre, circonstanciellement, l'exercice. La tâche de conciliation incombait toujours au groupe englobant ou à des groupes « neutres », étrangers ou familles maraboutiques. Ainsi, tant que le différend se situe dans le cadre de la grande famille, les sages dictent la conduite et apaisent le conflit. Parfois ils infligent une amende à l'individu récalcitrant. Quand le conflit survient entre deux grandes familles, les autres familles du même *adhrum* s'efforcent de l'apaiser. Bref, la logique de la conciliation est la même que la logique du conflit entre sections de la lignée dont le principe premier se trouve contenu dans le proverbe : « Je hais mon frère, mais je hais celui qui le hait. » Lorsque l'un des deux camps était d'origine maraboutique, c'étaient des marabouts étrangers qui venaient inviter à la paix. Les guerres entre les deux « partis » obéissaient à la même logique que la vengeance. Cela se comprend du fait que celle-ci n'est jamais, à proprement parler, individuelle, l'acteur de la vengeance étant toujours mandaté par le sous-groupe dont il fait partie. Le conflit pouvait parfois se prolonger pendant plusieurs dizaines d'années. « Ma grand-mère me racontait, rapporte un informateur de Djemaa-Saharidj, âgé d'une soixantaine d'années, que le *ṣuf ufella* (du haut) a passé vingt-deux ans hors de chez lui, dans la vallée de Hamrawa. Il arrivait en effet que le *ṣuf* ("parti") battu dût déguerpir avec ses femmes et ses enfants. En général, l'opposition entre les "partis" était si rigide et si stricte que les mariages étaient impossibles. Cependant, parfois, pour sceller la paix entre deux familles ou deux "partis", on sanctionnait la fin de la lutte par un mariage entre deux familles influentes. Il n'y avait pas de déshonneur en ce cas. Pour sceller la paix, après un conflit, les deux "partis" se réunissaient. Les chefs des deux camps apportaient un peu de poudre ; on la mettait dans des roseaux que l'on échangeait. C'était l'*aman*, la paix. »

Le choix de l'autre branche de l'alternative peut revêtir des significations différentes et même opposées. L'offenseur peut, par sa force physique, par son prestige ou par l'importance et l'autorité du groupe auquel il appartient, être supérieur, égal ou inférieur à l'offensé. Si la logique de l'honneur suppose la reconnaissance d'une égalité idéale en honneur, la conscience populaire n'ignore pas pour autant les inégalités de fait. A celui qui s'écrie : « Moi aussi, j'ai une moustache », le proverbe répond : « La moustache du lièvre n'est pas celle du lion... » Aussi voit-on se développer toute une casuistique spontanée, infiniment subtile, qu'il faut maintenant analyser. Soit le cas où l'offensé a, idéalement au moins, les moyens de riposter : s'il se montre incapable de relever le défi lancé (qu'il s'agisse d'un don ou d'une offense), si, par pusillanimité ou faiblesse, il se dérobe et renonce à la possibilité de répondre, il choisit en quelque sorte de faire lui-même son déshonneur qui est alors irrémédiable (*ibahdal imanis* ou *simanis*). Il s'avoue vaincu dans le jeu qu'il aurait dû jouer malgré tout. Mais la non-réponse peut exprimer aussi le refus de riposter : celui qui a subi l'offense refuse de la tenir pour telle et, par son dédain, qu'il peut manifester en faisant appel à un tueur à gages, la fait retomber sur son auteur qui se trouve déshonoré [12]. De même, dans le cas du don, celui qui reçoit peut signifier qu'il choisit de refuser l'échange soit en repoussant le don, soit en rendant sur-le-champ ou à terme un contre-don exactement identique au don. Là encore l'échange s'arrête. Bref, dans cette logique, seule la surenchère, le défi répondant au défi, peut signifier le choix de jouer le jeu, selon la règle du défi et de la riposte toujours renouvelés.

Soit maintenant le cas où l'offenseur l'emporte indiscutablement sur l'offensé. Le code d'honneur et l'opinion chargée de le faire respecter exigent seulement de l'offensé qu'il accepte de jouer le jeu : se soustraire au défi, telle est la seule attitude condamnable. Au demeurant, il n'est pas nécessaire que l'offensé triomphe de l'offenseur pour être réhabilité aux yeux de l'opinion : on ne blâme pas le vaincu qui a fait son devoir ; en effet, s'il est vaincu selon la loi du combat, il est vainqueur selon la loi de l'honneur. Plus, *elbahadla* retombe sur l'offenseur qui, par surcroît, est sorti vainqueur de la confrontation, abusant ainsi doublement de sa supériorité. L'offensé peut aussi rejeter *elbahadla* sur son offenseur sans recourir à la riposte. Il lui suffit pour cela d'adopter une attitude d'humilité qui, en mettant l'accent sur sa faiblesse, fait ressortir le caractère arbitraire, abusif et démesuré de l'offense. Il évoque ainsi, plus inconsciemment que consciemment, le deuxième corollaire du principe de l'égalité en honneur qui veut que celui qui offense un individu incapable de relever le défi se déshonore lui-même[13]. Cette stratégie n'est admissible, évidemment, qu'à la condition qu'il n'y ait aucune équivoque aux yeux du groupe sur la disparité entre les antagonistes ; elle est normale chez des individus qui sont reconnus par la société comme faibles, les clients (*yadh itsumuthen*, ceux qui s'appuient sur) ou les membres d'une petite famille (*iṭa 'fanen*, les maigres, les faibles).

Soit enfin le cas où l'offenseur est inférieur à l'offensé. Celui-ci peut riposter, transgressant le troisième corollaire du principe de l'égalité en honneur ; mais s'il abuse de son avantage, il s'expose à recueillir pour lui-même le déshonneur qui serait retombé normalement sur l'offenseur inconsidéré et inconscient, sur l'individu méprisé (*amaḥqur*) et présomptueux. La sagesse lui conseille plutôt le « coup du mépris »[14]. Il doit, comme on dit, « le laisser aboyer jusqu'à ce qu'il s'en lasse » et « refuser de rivaliser avec lui ». L'absence de riposte ne pouvant être imputée à la lâcheté ou à la faiblesse, le déshonneur retombe sur l'offenseur présomptueux.

Bien que l'on puisse illustrer chacun des cas qui ont été examinés par une foule d'observations ou de récits, il n'en reste pas moins que, communément, les différences ne sont jamais nettement tranchées, de sorte que chacun peut jouer, devant l'opinion juge et complice, sur les ambiguïtés et les équivoques de la conduite : ainsi la distance entre la non-riposte inspirée par la crainte et le refus de répondre en signe de mépris étant souvent infime, le dédain peut toujours servir de masque à la pusillanimité. Mais chaque Kabyle est un maître en casuistique, et le tribunal de l'opinion peut toujours trancher.

Le moteur de la dialectique de l'honneur est donc le *nif* qui incline au choix de la riposte. Mais en fait, outre que la tradition culturelle n'offre aucune possibilité d'échapper au code de l'honneur, c'est au moment du choix que la pression du groupe s'exerce avec sa plus grande force : pression des membres de la famille d'abord, prêts à se substituer au défaillant, parce que, comme la terre, l'honneur est indivis et que l'infamie de l'un atteint tous les autres ; pression de la communauté clanique ou villageoise, prompte à blâmer et à condamner la lâcheté ou la complaisance. Quand un homme se trouve dans l'obligation de venger une offense, tous, autour de lui, évitent avec soin de le lui rappeler. Mais chacun l'observe pour essayer de deviner ses intentions. Un malaise pèse sur tous les siens jusqu'au jour où, devant le conseil de famille réuni à sa demande ou à la demande du plus ancien, il expose ses desseins. Le plus souvent, on lui offre de l'aider, soit en lui donnant de l'argent pour payer un « tueur à gages », soit en l'accompagnant s'il tient à se venger de sa propre main. L'usage veut qu'il repousse ce concours et demande seulement que, en cas d'échec, un autre poursuive sa tâche interrompue. L'honneur exige en effet que, pareils aux doigts de la main, tous les membres de la famille, s'il est besoin, s'engagent successivement, par rang de parenté, dans l'accomplissement de la vengeance. Lorsque l'offensé manifeste moins de détermination et que, sans renoncer publiquement à la vengeance, il en diffère sans cesse l'exécution, les membres de sa famille viennent à s'inquiéter ; les plus sages se concertent et l'un d'eux est chargé de le rappeler à son devoir, le mettant en demeure et le sommant de se venger. Au cas où ce rappel à l'ordre reste sans effet, on en vient à la menace. Un autre accomplira la vengeance à la place de l'offensé qui sera déshonoré aux yeux des gens et qui n'en sera pas moins tenu pour responsable par la famille ennemie, donc menacé à son tour par la *thamgarṭ* (vengeance du sang). Comprenant qu'il s'expose aux conséquences jointes de la lâcheté et de la vengeance, il ne peut que s'exécuter, comme on dit, « à reculons » ou choisir l'exil [15] (*Aït Hichem*).

Le sentiment de l'honneur est vécu devant les autres. Le *nif* est avant tout ce qui porte à défendre, à n'importe quel prix, une certaine image de soi destinée aux autres. L'« homme de bien » (*argaz el 'ali*) doit être sans cesse sur ses gardes ; il lui faut surveiller ses paroles qui, « pareilles à la balle sortant du fusil, ne reviennent pas » ; et cela d'autant plus que chacun de ses actes et chacune de ses paroles engagent tout son groupe. « Si les bêtes s'attachent à la patte, les hommes se lient par la langue. » L'homme de rien est au contraire celui dont on dit *« ithatsu »*, « il a coutume d'oublier ». Il oublie sa parole (*awal*), c'est-à-dire ses engagements, ses dettes d'honneur, ses devoirs. « Un homme des Ilmayen disait une fois qu'il aimerait avoir le cou aussi long que celui du chameau ; ainsi, ses paroles, partant du cœur, auraient un long chemin à parcourir avant d'arriver à la langue, ce qui lui laisserait le temps de réfléchir. » C'était dire toute l'importance accordée à la parole donnée et à la foi jurée. « L'homme d'oubli, dit le proverbe, n'est pas un homme. » Il oublie et s'oublie lui-même (*ithatsu imanis*) ; on dit encore : « Il mange sa moustache » ; il oublie ses ancêtres et le respect qu'il leur doit et le respect qu'il se doit pour être digne d'eux (*Les Issers*). L'homme dépourvu de respect de soi (*mabla el' ardh, mabla laḥay, mabla erya, mabla elḥachma*) est celui qui laisse transparaître son moi intime, avec ses affections et ses faiblesses. L'homme sage au contraire est celui qui sait garder le secret, qui fait preuve à chaque instant de prudence et de discrétion (*amesrur, amaharuz nessar*, qui garde jalousement le secret). La surveillance perpétuelle de soi est indispensable pour obéir à ce précepte fondamental de la morale sociale qui interdit de se singulariser, qui demande d'abolir, autant qu'il se peut, la personnalité profonde, dans son unicité et sa particularité, sous un voile de pudeur et de discrétion. « Il n'y a que le diable (*Chiṭan*) qui dit moi » ; « il n'y a que le diable qui commence par lui-même » ; « l'assemblée (*thajma'th*) est l'assemblée ; seul le Juif est seul ». En tous ces dictons s'exprime le même impératif, celui qui impose la négation du moi intime et qui se trouve réalisé aussi bien dans l'abnégation de la solidarité et de l'entraide que dans la discrétion et la pudeur de la bienséance. Par opposition à celui qui, incapable de se montrer à la hauteur de soi-même, manifeste impatience ou colère, parle à tort et à travers ou rit de façon inconsidérée, tombe dans la précipitation ou l'agitation désordonnée, se presse sans réflexion, se démène, crie, vocifère (*elḥamaq*), bref, s'abandonne au premier mouvement, manque de fidélité à soi, faillit à l'image de dignité, de distinction et de pudeur, vertus qui tiennent toutes en un mot, *elḥachma*, l'homme d'honneur est défini essentiellement par la fidélité à soi, par le souci d'être digne d'une certaine image idéale de soi. Pondéré, prudent, retenu dans son langage, il pèse toujours le pour et le contre (*amiyaz* par opposition à *aferfer*, celui qui voltige, l'homme léger, ou à *acheṭṭah*, celui qui danse), il engage franchement sa parole et n'élude pas les responsabilités par un *wissen*, « peut-être », « qui sait ? », réponse qui convient aux femmes et aux femmes seulement. Il est celui qui tient parole et qui se tient parole, celui dont on dit « c'est un homme et une parole » (*argaz, d'wawal*) (*El Kalaa*). Le point d'honneur est le fondement de la morale propre à un individu qui se saisit toujours sous le regard des autres, qui a besoin des autres pour exister, parce que l'image qu'il forme de lui-même ne saurait être distincte de l'image de soi qui lui est renvoyée par les autres. « L'homme [est homme] par les hommes ; [seul] Dieu, dit le proverbe, [est Dieu] par lui-même » (*Argaz sirgazen, Rabbi imanis*). L'homme d'honneur (*a'ardhi*) est à la fois l'homme vertueux et l'homme de bonne renommée. La respectabilité, envers de la honte, est définie essentiellement par sa dimension sociale, elle doit donc être conquise et défendue à la face de tous ; hardiesse et générosité (*elḥanna*) sont les valeurs suprêmes, alors que le mal réside dans la faiblesse et la pusillanimité, dans le fait de subir l'offense sans exiger réparation.

Aussi est-ce essentiellement la pression de l'opinion qui fonde la dynamique des échanges d'honneur. Celui qui renonce à la vengeance cesse d'exister pour les autres. C'est pourquoi l'homme le plus dépourvu de « cœur » (*ul*) a toujours assez, si peu soit-il, de *hachma* (honte, pudeur) pour se venger. Les formules employées pour dire le déshonneur sont significatives : « Comment pourrai-je me présenter devant (*qabel*) les gens ? », « Je ne pourrai plus ouvrir la bouche devant les gens », « La terre ne m'avalera donc pas ! », « Mes vêtements ont glissé de mon corps ». La crainte de la réprobation collective et de la honte (*el'ar, lahya, el'ib ula yer medden*), envers négatif du point d'honneur, est de nature à déterminer l'homme le plus dépourvu de point d'honneur à se conformer, contraint et forcé, aux impératifs de l'honneur[16]. Dans des groupes d'inter-connaissance tels que le village kabyle, le contrôle de l'opinion s'exerce à tous les instants : « Dire que les champs sont vides (déserts), c'est être soi-même vide de bon sens. » Enfermé dans ce microcosme clos où tout le monde connaît tout le monde, condamné sans issue ni recours à vivre avec les autres, sous le regard des autres, chaque individu éprouve une anxiété profonde concernant la « parole des gens » (*awal medden*), « lourde, cruelle et inexorable » (*Les Issers*). C'est l'opinion toute-puissante qui décide de la réalité et de la gravité de l'offense ; c'est elle, qui, souverainement, exige la réparation. Par exemple, le voleur qui pénètre dans une maison habitée, à la différence de celui qui s'empare de céréales ou de bêtes laissées au-dehors, s'expose à la vengeance du sang ; et cela parce que les gens seront prompts à insinuer que l'honneur des femmes n'a pas été respecté. Ainsi, l'attention fascinée aux comportements d'autrui en même temps que la hantise de leur jugement rendent inconcevable ou méprisable toute tentative pour s'affranchir des impératifs de l'honneur.

Tout échange enfermant un défi plus ou moins dissimulé, la logique du défi et de la riposte n'est que la limite vers laquelle tend tout acte de communication, et, en particulier, l'échange de dons [17]. Mais à la tentation de défier et d'avoir le dernier mot fait contrepoids la nécessité de communiquer. Mettre l'autre à une épreuve trop difficile, c'est s'exposer à voir l'échange interrompu. Aussi la communication s'exerce-t-elle dans le compromis entre le contrat et le conflit. L'échange généreux tend vers l'assaut de générosité ; le don le plus large est, en même temps, le mieux fait pour jeter dans le déshonneur celui qui reçoit en lui interdisant tout contre-don. Ainsi, la *tawsa*, don fait par les invités à l'occasion des grandes fêtes familiales et publiquement proclamé, donne lieu souvent à des compétitions d'honneur et à des surenchères ruineuses. Pour l'éviter, il arrive que l'on s'accorde sur un montant maximum des dons. De même, lors des mariages ou des circoncisions, les familles mettent un point d'honneur à donner des fêtes aussi somptueuses que possible, au péril de se ruiner. Ceci particulièrement lorsqu'une fille se marie hors de son village. L'émulation joue même entre membres d'une même famille, par exemple entre les femmes (belles-sœurs, mère), lors du mariage d'une fille.

On m'a rapporté qu'en 1938 un homme de la tribu des Ath Waghlis a dépensé en dons effectués à l'occasion du premier accouchement de sa fille plus de 3 000 francs, soit 1 400 œufs, 15 volailles, 300 francs de viande de mouton, 20 kilos de viande salée, 20 kilos de graisse, de l'huile, du café, de la semoule, 25 vêtements, etc. Un autre homme de la même tribu a vendu, pour faire honneur à sa fille en la même circonstance, le seul champ qui lui restait. Mais on s'accorde généralement pour dénoncer « le point d'honneur du diable », *nif nechitan*, ou le point d'honneur stupide (*thihuzzith*) qui conduit à se piquer ou à s'offenser de riens, à mettre son honneur dans des futilités et à se laisser aller à des surenchères ruineuses. « Nul n'encourt la honte, dit-on, s'il doit y perdre », s'il doit se ruiner pour la gloriole (*urits-sathḥi ḥad galmadharas*). Mais, si, parce qu'il met en jeu le point d'honneur, l'échange porte toujours en lui-même la virtualité du conflit, le conflit d'honneur demeure encore échange, comme en témoigne la distinction très nette que l'on fait entre l'étranger et l'ennemi. Du fait qu'il incline à sacrifier la volonté de communiquer avec autrui à la volonté de le dominer, le point d'honneur porte toujours en lui le risque de la rupture ; mais, en même temps, c'est lui qui engage à poursuivre l'échange dans le dessein d'avoir le dernier mot.

Si l'offense ne porte pas en elle, nécessairement, le déshonneur, c'est qu'elle laisse la possibilité de la riposte, possibilité affirmée et reconnue par l'acte même d'offenser. Mais le déshonneur qui reste virtuel tant que demeure la possibilité de la riposte devient de plus en plus réel à mesure que tarde la vengeance. Aussi l'honneur veut-il que le temps qui sépare l'offense de la réparation soit aussi bref que possible : une grande famille a en effet assez de bras et de courage pour ne pas s'accommoder d'une longue attente ; connue pour son *nif*, pour sa susceptibilité et sa résolution, elle est même à l'abri de l'offense, puisque, par la menace qu'elle fait peser sans cesse sur ses agresseurs éventuels, elle apparaît comme capable d'associer, dans le même instant, la riposte à l'offense. Pour exprimer le respect que leur inspire une bonne famille, on dit qu'elle peut « dormir et laisser la porte ouverte », ou encore que « ses femmes peuvent se promener seules, une couronne d'or sur la tête sans que personne songe à les attaquer ». L'homme d'honneur, celui dont on dit qu'il remplit « son rôle d'homme » (*thirugza*), est toujours sur ses gardes ; par suite, il est à l'abri de l'atteinte la plus impondérable et « lors même qu'il est absent, il y a quelqu'un dans sa maison » (*El Kalaa*). Mais rien n'est aussi simple. On raconte ainsi que Djeha, personnage légendaire, répondit à quelqu'un qui lui demandait quand il avait vengé son père : « Au bout de cent ans. » Et l'on rapporte aussi l'histoire du lion qui va toujours à pas mesurés : « Je ne sais où est ma proie, dit-il. Si elle est devant moi, je l'atteindrai bien un jour ; si elle est derrière moi, elle me rejoindra. » Bien que toute affaire d'honneur, considérée du dehors et comme *fait accompli*, c'est-à-dire du point de vue de l'observateur étranger, se présente comme une séquence réglée et rigoureusement nécessaire d'actes obligés et qu'elle puisse donc être décrite comme un rituel, il reste que chacun de ses moments, dont la nécessité se dévoile *post festum*, est, objectivement, le résultat d'un choix et l'expression d'une stratégie. Ce que l'on appelle le sentiment de l'honneur n'est autre chose que la disposition cultivée, l'*habitus*, qui permet à chaque agent d'engendrer, à partir d'un petit nombre de principes implicites, toutes les conduites conformes aux règles de la logique du défi et de la riposte et celles-là seulement, grâce à autant d'inventions que n'exigerait aucunement le déroulement stéréotypé d'un rituel. En d'autres termes, s'il n'est aucun choix dont on ne puisse rendre raison au moins rétrospectivement, cela ne signifie pas que chaque conduite soit parfaitement prévisible, à la façon des actes insérés dans les séquences rigoureusement stéréotypées d'un rite. Cela vaut non seulement pour l'observateur mais aussi pour les agents qui trouvent dans l'imprévisibilité relative des ripostes possibles l'occasion de mettre en œuvre leurs stratégies. Mais il n'est pas jusqu'aux échanges les plus ritualisés, où tous les moments de l'action et leur déroulement sont rigoureusement prévus, qui ne puissent autoriser un affrontement de stratégies, dans la mesure où les agents restent maîtres de l'*intervalle* entre les moments obligés et peuvent donc agir sur l'adversaire en jouant du tempo de l'échange. On sait que le fait de rendre un don sur-le-champ, c'est-à-dire d'abolir l'intervalle, revient à rompre l'échange. Il faut de même prendre au sérieux l'enseignement qu'enferment les paraboles du lion et de Djeha : la maîtrise parfaite des *modèles de la manière d'obéir aux modèles* qui définit l'excellence s'exprime dans le jeu avec le temps qui transforme l'échange ritualisé en affrontement de stratégies. Ainsi, on sait que, à l'occasion du mariage, le chef de la famille à qui l'on demande une fille doit répondre sur-le-champ s'il refuse, mais qu'il diffère à peu près toujours sa réponse lorsqu'il a l'intention d'accepter : ce faisant, il se donne le moyen de perpétuer aussi longtemps que possible l'avantage conjoncturel (lié à sa position de sollicité) qui peut coexister avec une infériorité structurale (la famille sollicitée étant souvent d'un rang inférieur à celle qui demande) et qui se traduit concrètement par le déséquilibre initial, progressivement renversé, dans les dons échangés entre les deux familles. De même, le fin stratège peut faire d'un capital de provocations reçues ou de conflits suspendus, et de la virtualité de vengeance, de ripostes ou de conflits qu'il enferme, un instrument de pouvoir, en se réservant l'initiative de la reprise et même de la cessation des hostilités.

Point d'honneur et honneur : *nif* et *ḥurma*

Si certaines familles et certains individus sont à l'abri de l'offense en tant qu'agression intentionnelle contre l'honneur, il n'est personne qui ne donne prise à l'outrage en tant qu'atteinte involontaire à l'honneur. Mais le simple défi lancé au point d'honneur (*thirzi nennif*, le fait de mettre au défi ; *sennif*, par le *nif*, chiche ! je te mets au défi !) n'est pas l'offense qui attente à l'honneur (*thuksa nesser, thuksa laqdhar* ou *thirzi laqdhar*, le fait d'ôter ou de briser le respect, *thirzi el ḥurma*, le fait de jeter dans le déshonneur). On tourne en dérision l'attitude de ce nouveau riche ignorant des règles de l'honneur qui, pour tâcher de réparer une atteinte à la *ḥurma*, riposta en mettant son offenseur au défi de le battre à la course ou d'étaler sur le sol plus de billets de mille francs que lui. C'était en effet confondre deux ordres absolument étrangers, l'ordre du défi et l'ordre de l'offense où se trouvent engagées les valeurs les plus sacrées et qui s'organise selon les catégories les plus fondamentales de la culture, celles qui ordonnent le système mythico-rituel.

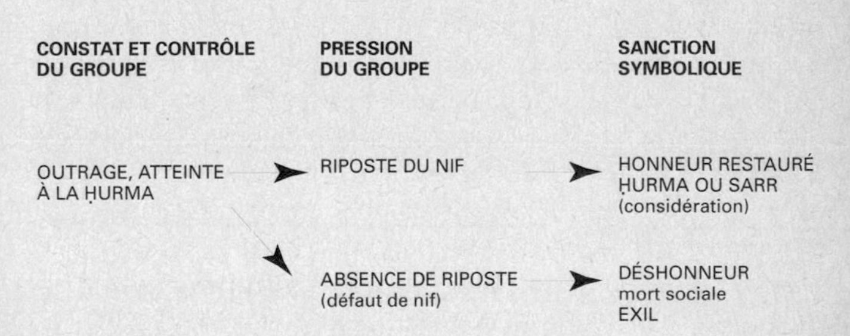

L'honneur, ce par quoi le groupe donne prise, s'oppose au point d'honneur, ce par quoi il peut répondre à l'outrage. On fait une différence tranchée entre le *nif*, le point d'honneur, et la *ḥurma*, l'honneur, l'ensemble de ce qui est *ḥaram*, c'est-à-dire interdit, bref, le sacré. Donc, ce qui fait la vulnérabilité du groupe, c'est ce qu'il possède de plus sacré. Tandis que le défi atteint seulement le point d'honneur, l'outrage est viol des interdits, sacrilège. Aussi l'atteinte à la *ḥurma* exclut-elle les arrangements ou les dérobades. De façon générale, on refusait farouchement la *diya*, compensation versée par la famille du meurtrier à la famille de la victime. De celui qui l'accepte, on dit : « C'est un homme qui a accepté de manger le sang de son frère ; pour lui, il n'y a que le ventre qui compte » (*Ain Aghbel*). La *diya* n'est reçue que dans les affaires extérieures à la *ḥurma*. Par suite, c'est par la rigueur avec laquelle il s'impose que l'engrenage de l'outrage et de la vengeance diffère de la dialectique du défi et de la riposte. L'opinion publique décide souverainement, au titre de témoin et de juge, et de la gravité de l'offense et de la vengeance appropriée. Dans le cas d'une atteinte à la *ḥurma*, serait-elle commise indirectement ou par mégarde [18], la pression de l'opinion est telle que toute autre issue que la vengeance se trouve exclue ; faute de quoi, il ne reste au lâche dépourvu de *nif* que le déshonneur et l'exil. Si la *ḥurma* se définit comme pouvant être perdue ou brisée (*thuksa elḥurma, thirzi elḥurma*, le fait d'ôter ou de rompre la *ḥurma*), bref comme déshonneur virtuel, le *nif*, sans mettre la *ḥurma* à l'abri de toute atteinte, permet de la restaurer dans son intégrité. Ainsi, l'intégrité de la *ḥurma* est fonction de l'intégrité du *nif* ; seule la vigilance pointilleuse et active du *point d'honneur* (*nif*) est capable de garantir l'intégrité de *l'honneur* (*ḥurma*) – exposé par nature, en tant que sacré, à l'outrage sacrilège – et de procurer *la considération et la respectabilité* conférées par la société à celui qui a assez de point d'honneur pour tenir son honneur à l'abri de l'offense.

L'honneur au sens de considération se dit *sar* : *essar*,

c'est le secret, le prestige, le rayonnement, la « gloire », la « présence ». On dit de quelqu'un que « *essar* le suit et rayonne autour de lui » ou encore qu'il est protégé par « la barrière de *essar* » (*zarb nessar*) : *essar* met celui qui le détient à l'abri du défi et paralyse l'offenseur éventuel par son influence mystérieuse, par la crainte (*alhiba*) qu'il inspire. Faire honte à quelqu'un, c'est « lui enlever *essar* » (on dit aussi « lui enlever *laḥya*, le respect ») : *essar*, ce je-ne-sais-quoi qui fait l'homme d'honneur, est aussi fragile et vulnérable qu'impondérable. « Le burnous de *essar*, disent les Kabyles, n'est pas attaché, il est à peine posé[19] » (*Azerou n-chmini*).

La *ḥurma* au sens de sacré (*ḥaram*), le *nif*, et la *ḥurma* au sens de respectabilité sont inséparables. C'est ainsi que plus une famille est vulnérable, plus elle doit avoir de *nif* pour défendre ses valeurs sacrées et plus sont grands le mérite et la considération que l'opinion lui accorde. Par là se comprend que loin de contredire ou d'interdire la respectabilité, la pauvreté ne fasse que redoubler le mérite de celui qui, bien qu'il donne particulièrement prise à l'outrage, parvient malgré tout à imposer le respect[20]. Réciproquement, le point d'honneur n'a de signification et de fonction que chez un homme pour qui il existe des choses sacrées, des choses qui méritent d'être défendues. Un être dépourvu de sacré pourrait se dispenser de point d'honneur parce qu'il serait d'une certaine façon invulnérable[21]. Bref, si le sacré (*ḥurma-ḥaram*) n'existe que par le sens de l'honneur (*nif*) qui le défend, le sentiment de l'honneur trouve sa raison d'être dans le sens du sacré.

Comment se définit le sacré (*ḥurma-ḥaram*) que l'honneur doit défendre et protéger ? A cette question, la sagesse kabyle répond : « La maison, la femme, les fusils ». La polarité des sexes, si fortement marquée dans cette société à filiation patrilinéaire, s'exprime dans la bipartition du système de représentations et de valeurs en deux principes complémentaires et antagonistes. Ce qui est *ḥaram* (c'est-à-dire, exactement, tabou), c'est essentiellement le sacré gauche, c'est-à-dire le dedans et plus précisément l'univers féminin, le monde du secret, l'espace clos de la maison, par opposition au dehors, au monde ouvert de la place publique (*thajma'th*), réservé aux hommes. Le sacré droit, ce sont essentiellement « les fusils », c'est-à-dire le groupe des agnats, des « fils de l'oncle paternel », tous ceux dont la mort doit être vengée par le sang et tous ceux qui ont à accomplir la vengeance du sang. Le fusil est l'incarnation symbolique du *nif* du groupe agnatique, du *nif* entendu comme ce qui peut être défié et comme ce qui permet de relever le défi [22]. Ainsi, à la passivité de la *ḥurma*, de nature féminine, s'oppose la susceptibilité active du *nif*, de nature virile. Si la *ḥurma* s'identifie au sacré gauche, c'est-à-dire essentiellement au féminin, le *nif* est la vertu virile par excellence.

L'opposition entre le sacré droit et le sacré gauche – comme l'opposition entre le *ḥaram* et le *nif* – n'exclut pas pour autant la complémentarité. C'est en effet le respect du sacré droit, du nom et du renom de la famille agnatique, qui inspire la riposte à toute offense contre le sacré gauche. La *ḥurma*, ce n'est pas seulement ce qui a du prix, ce qui est précieux, ce qui est chéri (*el'azz*), c'est ce qui est plus précieux que le plus chéri, la valeur sacrée ne se confondant pas avec la valeur affective. Le devoir de défendre le sacré s'impose comme un impératif catégorique, qu'il s'agisse du sacré droit, tel un membre mâle du groupe, ou du sacré gauche, telle la femme, être faible, impur et maléfique. L'homme d'honneur accomplit la vengeance et lave l'affront subi au mépris des sentiments, recevant pour cela l'approbation entière du groupe. On loue et on cite en exemple l'attitude du père, un certain Sidi Cherif, chef de la grande famille maraboutique des 'Amrawa, qui avait tué sa fille coupable et l'on dit encore : « Il a du *nif* comme Sidi Cherif. » C'est le respect du sacré droit, c'est-à-dire de l'honneur gentilice, qui porte à venger l'offense faite au sacré gauche, à la partie faible par où le groupe donne prise.

Le *nif* est donc la fidélité à l'honneur gentilice, à la *ḥurma* au sens de respectabilité et de considération, au nom des ancêtres et au renom qui lui est attaché, à la lignée qui doit demeurer pure de toute souillure, qui doit être tenue à l'abri de l'offense comme de la mésalliance. Vertu cardinale, fondement de tout le système patrilinéaire, le *nif* est en effet essentiellement le respect du lignage dont on entend être digne. Plus les ancêtres ont été valeureux ou vertueux, plus on a raison d'être fier et plus on doit, en conséquence, être pointilleux sur l'honneur afin d'être à la hauteur de leur valeur et de leur vertu. Par suite, la naissance, si importante soit-elle, ne confère pas nécessairement la noblesse ; celle-ci peut être aussi acquise par la vertu et le mérite. L'honorabilité et la pureté du lignage imposent des devoirs plutôt qu'elles ne décernent des privilèges. Ceux qui ont un nom, les gens de bonne souche (*ath la'radh*) n'ont pas d'excuses.

L'opposition entre le *ḥaram* et le *nif*, entre le sacré gauche et le sacré droit, s'exprime en différentes oppositions proportionnelles : opposition entre la femme, chargée de puissances maléfiques et impures, destructrices et redoutables, et l'homme, investi de vertus bénéfiques, fécondantes et protectrices ; opposition entre la magie, affaire exclusive des femmes, dissimulée aux hommes, et la religion, essentiellement masculine ; opposition entre la sexualité féminine, coupable et honteuse, et la virilité, symbole de force et de prestige[23]. L'opposition entre le dedans et le dehors, mode de l'opposition entre le sacré droit et le sacré gauche, s'exprime concrètement dans la distinction tranchée entre l'espace féminin, la maison et son jardin, lieu par excellence du *haram*[24], espace clos, secret, protégé, à l'abri des intrusions et des regards, et l'espace masculin, la *thajma'th*, lieu d'assemblée, la mosquée, le café, les champs ou le marché[25]. D'un côté, le secret de l'intimité, toute voilée de pudeur, de l'autre, l'espace ouvert des relations sociales, de la vie politique et religieuse; d'un côté, la vie des sens et des sentiments, de l'autre, la vie des relations d'homme à homme, du dialogue et des échanges. Tandis que dans le monde urbain, où l'espace masculin et l'espace féminin interfèrent, la claustration et le voile assurent la protection de l'intimité, dans le village kabyle, où le port du voile est traditionnellement inconnu[26], les deux espaces sont nettement séparés; le chemin qui mène à la fontaine évite le domaine des hommes : le plus souvent, chaque clan (*thakharrubth* ou *adhrum*) a sa fontaine propre, située dans son quartier ou dans le domaine de son quartier, de sorte que les femmes peuvent s'y rendre sans risquer d'être vues par un homme étranger au groupe (*Aït Hichem*); lorsqu'il n'en est pas ainsi, la fonction qui incombe ailleurs à une opposition spatiale est ici impartie à un rythme temporel et les femmes vont à la fontaine à certaines heures, à la tombée de la nuit par exemple, et il est mal vu qu'un homme aille les épier. La fontaine est aux femmes ce que *thajma'th* est aux hommes : c'est là qu'elles échangent les nouvelles et tiennent leurs bavardages qui roulent essentiellement sur toutes les affaires intimes dont les hommes ne sauraient parler entre eux sans déshonneur et dont ils ne sont informés que par leur intermédiaire. La place de l'homme est dehors, dans les champs ou à l'assemblée, parmi les hommes : c'est chose qu'on enseigne très tôt au jeune garçon. On suspecte celui qui demeure trop à la maison pendant la journée. L'homme respectable doit se donner à voir, se montrer, se placer sans cesse sous le regard des autres, faire face (*qabel*). De là, cette formule que répètent les femmes et par laquelle elles donnent à entendre que l'homme ignore beaucoup de ce qui se passe à la maison : « Ô homme, pauvre malheureux, toute la journée aux champs comme bourricot au pacage ! » (*Aït Hichem*). L'impératif majeur, c'est le voilement de tout le domaine de l'intimité : les dissensions internes, les échecs et les insuffisances ne doivent en aucun cas être étalés devant un étranger au groupe. Autant de collectivités emboîtées, autant de zones de secret concentriques : la maison est le premier îlot de secret au sein du sous-clan ou du clan ; celui-ci au sein du village, lui-même fermé sur son secret à l'égard des autres villages. Dans cette logique, il est naturel que la morale de la femme, sise au cœur du monde clos, soit faite essentiellement d'impératifs négatifs. « La femme doit fidélité à son mari ; son ménage doit être bien tenu ; elle doit veiller à la bonne éducation des enfants. Mais surtout, elle doit préserver le secret de l'intimité familiale ; elle ne doit jamais rabaisser son mari ou lui faire honte (même si elle a toutes les raisons et toutes les preuves), ni dans l'intimité ni devant des étrangers ; ce serait le contraindre à la répudier. Elle doit se montrer satisfaite, même si, par exemple, son mari, trop pauvre, ne rapporte rien du marché ; elle ne doit pas se mêler aux discussions entre les hommes. Elle doit faire confiance à son mari, se garder de douter de lui ou de chercher des preuves contre lui » (*El Kalaa*). Bref, la femme étant toujours « la fille d'Untel » ou « l'épouse d'Untel », son honneur se réduit à l'honneur du groupe des agnats auquel elle est attachée. Aussi doit-elle veiller à n'altérer en rien par sa conduite le prestige et la réputation du groupe [27]. Elle est la gardienne de *essar*.

L'homme, de son côté, doit avant toutes choses protéger et voiler le secret de sa maison et de son intimité. L'intimité, c'est en premier lieu l'épouse que l'on ne nomme jamais ainsi et moins encore par son prénom, mais toujours par des périphrases telles que « la fille d'Untel », « la mère de mes enfants » ou encore « ma maison ». Dans la maison, le mari ne s'adresse jamais à elle en présence des autres ; il l'appelle d'un signe, d'un grognement ou par le nom de sa fille aînée et ne lui témoigne en rien son affection, surtout en présence de son propre père ou de son

ḤURMA – ḤARAM **SACRÉ GAUCHE**	**NIF** **SACRÉ DROIT**
Féminin, féminité Femme détentrice de puissances maléfiques et impures Gauche, tordu Vulnérabilité Nudité	Masculin, virilité Homme détenteur de la puissance bénéfique et protectrice Droite, droit Protection Clôture, vêtement
DEDANS	**DEHORS**
Domaine des femmes : maison, jardin Monde clos et secret de la vie intime : alimentation, sexualité	Domaine des hommes : assemblée, mosquée, champs, marché Monde ouvert de la vie publique, des activités sociales et politiques, échanges
HUMIDE, EAU etc.	**SEC, FEU** etc.

frère aîné. Prononcer en public le nom de sa femme serait un déshonneur : on raconte souvent que les hommes qui allaient inscrire un nouveau-né à l'état civil refusaient obstinément de donner le nom de leur épouse ; de même, les jeunes écoliers qui donnaient sans difficulté le nom de leur père répugnaient à donner le nom de leur mère, craignant sans doute de donner prise à l'injure (appeler quelqu'un par le nom de sa mère, c'est l'accuser de bâtardise) et même au maléfice (on sait que, dans les pratiques magiques, c'est toujours le nom de la mère qui est employé). La bienséance veut que l'on ne parle jamais à un homme de sa femme ou de sa sœur : c'est que la femme est une de ces choses honteuses (les Arabes disent *lamra'ara*, « la femme, c'est la honte ») qu'on ne nomme qu'en s'excusant et en ajoutant *ḥachak*, « sauf votre respect ». C'est aussi que la femme est pour l'homme la chose sacrée entre toutes, comme en témoignent les expressions coutumières dans les serments : « Que ma femme me soit illicite » (*thaḥram ethmaṭṭuthiw*) ou encore « que ma maison me soit illicite » (*iḥram ikhamiw*) [si je ne fais pas telle ou telle chose] !

L'intimité, c'est tout ce qui ressortit à la nature, c'est le corps et toutes les fonctions organiques, c'est le moi et ses sentiments ou ses affections : autant de choses que l'honneur commande de voiler. Toute allusion à ces sujets, et en particulier à sa propre vie sexuelle, est non seulement interdite mais à peu près inconcevable. Pendant plusieurs jours avant et après son mariage, le jeune homme se réfugie dans une sorte de retraite afin d'éviter de se trouver en présence de son père, ce qui causerait à l'un et à l'autre une gêne insupportable. De même, la jeune fille parvenue à l'âge de la puberté serre étroitement sa poitrine dans une sorte de corset boutonné et doublé ; en outre, en présence de son père et de ses frères aînés, elle se tient avec les bras croisés sur la poitrine [28]. Un homme ne saurait parler d'une jeune fille ou d'une femme étrangère à la famille avec son père ou son frère aîné ; il s'ensuit que, lorsque le père veut consulter son fils à propos de son mariage, il a recours à un parent ou à un ami qui sert d'intermédiaire. On évite d'entrer dans un café où se trouve déjà son père ou son frère aîné (et inversement) et à plus forte raison d'écouter avec eux un de ces chanteurs ambulants qui récitent des poèmes grivois.

De même, on ne doit pas parler de nourriture. On ne souhaite jamais à quelqu'un un bon appétit, mais seulement la satiété. La politesse veut que l'hôte prie sans cesse son invité de se servir à nouveau, tandis que celui-ci doit manger aussi discrètement que possible. Manger dans la rue est indécent et impudique. Quand on veut déjeuner au marché, on se retire dans un coin écarté. Lorsqu'on rapporte de la viande, on la tient dissimulée dans un sac ou sous son burnous. Dans le repas lui-même, l'accent n'est pas mis sur le fait de se nourrir, mais de manger en commun, de partager le pain et le sel, symbole d'alliance. Une pudeur extrême préside aussi à l'expression des sentiments, toujours extrêmement retenue et réservée et cela au sein même de la famille, entre le mari et la femme, entre les parents et les enfants. La *ḥachma* (ou encore *laḥya*), pudeur qui domine toutes les relations, même au sein de la famille, est essentiellement protection du *ḥaram*, du sacré et du secret (*essar*). Celui qui parle de soi est incongru ou fanfaron ; il ne sait pas se soumettre à l'anonymat du groupe, précepte essentiel de la bienséance qui veut que l'on emploie le « nous » de politesse ou que l'on parle à la forme impersonnelle, le contexte laissant entendre qu'il s'agit de soi.

Autres principes corrélatifs des oppositions fondamentales, ceux qui régissent la division du travail entre les sexes, et, plus précisément, la répartition entre les hommes et les femmes des conduites tenues pour honorables et déshonorantes. De façon générale, sont jugées déshonorantes pour un homme la plupart des tâches qui incombent à une femme, en vertu de la division mythico-rituelle des êtres, des choses et des actions. Les Berbères du Chenoua ne peuvent toucher aux œufs et aux poules en présence de personnes étrangères à la famille. Il leur est interdit de les transporter au marché pour les vendre, affaire d'enfants ou de femmes. C'est offenser un Achenwi que de lui demander s'il a des œufs à vendre. Les hommes peuvent égorger des poules et manger des œufs mais seulement dans leur famille [29]. On retrouve, plus ou moins altérées, les mêmes coutumes en Kabylie. De même, la femme peut monter sur un mulet, son mari le tenant par la bride ; monter sur un âne est, au contraire, honteux. Les filles qui déshonoraient leur famille étaient parfois promenées publiquement à dos d'âne. Autre exemple : il est déshonorant pour un homme de transporter du fumier, cette tâche incombant aux femmes. De même, le transport de l'eau dans les jarres, le transport du bois destiné au chauffage reviennent aux femmes. Tous ces impératifs de la morale de l'honneur qui, pris isolément, semblent arbitraires apparaissent au contraire comme nécessaires si on les resitue dans l'ensemble du système mythico-rituel, fondé sur l'opposition entre le masculin et le féminin, dont les oppositions entre le sacré droit et le sacré gauche, entre le dedans et le dehors, entre l'eau et le feu, entre l'humide et le sec, constituent des modes particuliers.

Le même système de valeurs domine toute la prime éducation. Le garçon, dès qu'il a un nom, est considéré et doit se considérer comme un représentant responsable du groupe. On m'a rapporté que, dans un village de Grande Kabylie, un jeune garçon d'une dizaine d'années, dernier membre mâle de sa famille, allait aux enterrements même dans des villages éloignés et assistait aux cérémonies au milieu des adultes (*Tizi Hibel*). Toute la conduite des adultes, toutes les cérémonies et tous les rites d'initiation ou de passage tendent à indiquer au garçon sa qualité d'homme en même temps que les responsabilités et les devoirs corrélatifs. Les actions enfantines sont très tôt évaluées en fonction des idéaux d'honneur. L'éducation conférée par le père ou l'oncle paternel tend à développer en l'enfant le *nif* et toutes les vertus viriles qui en sont solidaires : esprit batailleur, hardiesse, vigueur, endurance. Dans cette éducation donnée par les hommes et destinée à faire des hommes, l'accent est mis sur la lignée paternelle, sur les valeurs qui ont été léguées par les ancêtres mâles et dont chaque membre mâle du groupe doit être le garant et le défenseur.

On découvrirait sans doute les mêmes catégories mythico-rituelles au fondement, sinon de la logique des échanges matrimoniaux, du moins de la représentation idéale que s'en font les agents. La précocité du mariage se comprend si l'on songe que la femme, de nature mauvaise, doit être placée le plus tôt qu'il se peut sous la protection bénéfique de l'homme. « La honte, dit-on, c'est la jeune fille » (*al'ar thaqchichth*) et le gendre est appelé *seṭṭar la'yub*, « le voile des hontes ». Les Arabes d'Algérie appellent parfois les femmes « les vaches de Satan » ou « les filets du démon », signifiant par là que l'initiative du mal leur appartient : « La plus droite, dit un proverbe, est tordue comme une faucille. » Pareille à une pousse qui tend vers la gauche, la femme ne peut être droite, mais seulement redressée par la protection bénéfique de l'homme[30]. Sans prétendre saisir ici la logique objective des échanges matrimoniaux, on peut observer néanmoins que les normes qui les régissent et les rationalisations qui sont employées le plus souvent pour en justifier la forme « idéale », le mariage avec la cousine parallèle, se formulent dans un langage structuré selon les catégories mythico-rituelles. Le souci de sauvegarder la pureté du sang et de conserver inaltéré l'honneur familial est la raison la plus fréquemment invoquée pour justifier le mariage avec la cousine parallèle. D'un jeune homme qui a épousé sa cousine parallèle, on dit « il l'a protégée », il a fait en sorte que le secret de l'intimité familiale soit sauf (cf. chapitre III). Celui qui se marie dans sa propre famille est assuré, entend-on souvent, que sa femme s'efforcera de sauvegarder l'honneur de son mari, qu'elle gardera le secret des conflits familiaux et n'ira pas se plaindre auprès de ses parents. Le mariage avec une étrangère est redouté comme une intrusion ; il crée une brèche dans la barrière de protections dont s'entoure l'intimité familiale : « Il vaut mieux, dit-on, protéger son *nif* que le livrer aux autres. »

L'*ethos* de l'honneur

Le système des valeurs d'honneur est agi plutôt que pensé et la grammaire de l'honneur peut informer les actes sans avoir à se formuler. Ainsi, lorsqu'ils saisissent spontanément comme déshonorante ou ridicule telle ou telle conduite, les Kabyles sont dans la situation de celui qui relève une faute de langue sans détenir pour autant le système syntaxique qui s'est trouvé violé. Du fait que les normes prennent racine dans le système des catégories de la perception mythique du monde, rien n'est plus difficile et peut-être plus vain que d'essayer de distinguer entre le domaine directement et clairement saisi par la conscience et le domaine enfoui dans l'inconscient. Pour en convaincre, il suffira d'un exemple. L'homme d'honneur c'est celui qui fait face (*qabel*), qui affronte les autres en les regardant au visage ; *qabel*, c'est aussi recevoir quelqu'un en hôte et le bien recevoir, lui faire honneur. On rattache parfois à la même racine, par une étymologie populaire en tout cas significative, le mot *laqbayel* (masculin pluriel) qui désigne les Kabyles[31]. *Thaqbaylith*, féminin du substantif *aqbayli*, un Kabyle, désigne la femme kabyle, la langue kabyle et aussi, si l'on peut dire, la quiddité du Kabyle, ce qui fait que le Kabyle est kabyle, ce qu'il ne saurait cesser d'être sans cesser d'être kabyle, c'est-à-dire l'honneur et la fierté kabyles. Mais *qabel*, c'est aussi faire face à l'Est (*elqibla*) et à l'avenir (*qabel*). Dans le système mythico-rituel kabyle, l'Est entretient un rapport d'homologie avec le Haut, le Futur, le Jour, le Masculin, le Bien, la Droite, le Sec, etc., et il s'oppose à l'Ouest et du même coup au Bas, au Passé, à la Nuit, au Féminin, au Mal, au Gauche, à l'Humide, etc. Tous les informateurs donnant spontanément pour caractère essentiel de l'homme d'honneur le fait qu'il fait face, *qabel*, on voit que les normes explicites du comportement rencontrent et recouvrent les principes enfouis du système mythico-rituel.

L'*ethos* de l'honneur s'oppose, dans son principe même, à une morale universelle et formelle affirmant l'égalité en dignité de tous les hommes et par suite l'identité des droits et des devoirs. Non seulement les règles imposées aux hommes diffèrent des règles imposées aux femmes et les devoirs envers les hommes des devoirs envers les femmes, mais en outre les commandements de l'honneur, directement appliqués au cas particulier et variables en fonction des situations, ne sont aucunement universalisables. C'est le même code qui édicte des conduites opposées selon le champ social : d'une part les règles qui régissent les rapports entre parents et, plus largement, toutes les relations sociales vécues sur le modèle des relations de parenté (« Aide les tiens, qu'ils aient tort ou raison »), et d'autre part les règles valables dans les relations avec des étrangers. Cette dualité des attitudes découle logiquement du principe fondamental, établi précédemment, selon lequel les conduites d'honneur s'imposent seulement à l'égard de ceux qui en sont dignes. Le respect des injonctions du groupe trouve son fondement dans le respect de soi, c'est-à-dire dans le sentiment de l'honneur. Plutôt qu'un tribunal, au sens d'organisme spécialisé, chargé de prononcer des décisions conformément à un système de normes juridiques rationnelles et explicites, l'assemblée du clan ou du village est en fait un conseil d'arbitrage ou même un conseil de famille. L'opinion collective est la loi, le tribunal et l'agent d'exécution de la sanction. La *thajma'th*, où toutes les familles sont représentées, incarne l'opinion publique dont elle éprouve ou exprime les sentiments et les valeurs, dont elle tient toute sa puissance morale. Le châtiment le plus redouté est la mise à l'index ou le bannissement : ceux qui en sont frappés sont exclus du partage collectif de la viande, de l'assemblée et de toutes les activités collectives, bref, condamnés à une sorte de mort symbolique. Le *qanun*, recueil de coutumes propres à chaque village, consiste essentiellement à l'énumération de fautes particulières, suivies de l'amende correspondante. C'est ainsi, par exemple, que le *qanun* d'Agouni-n-Tesellent, village de la tribu des Ath Akbil, compte, sur un ensemble de 249 articles, 219 lois « répressives » (au sens de Durkheim), soit 88 %, contre 25 lois « restitutives », soit 10 %, et 5 articles seulement touchant aux fondements du système politique. La règle coutumière, fruit d'une jurisprudence directement appliquée au particulier et non de l'application au particulier d'une règle universelle, préexiste à sa formulation ; en effet, le fondement de la justice n'est pas un code formel, rationnel et explicite, mais le « sens » de l'honneur et de l'équité. L'essentiel demeure implicite parce que indiscuté et indiscutable ; l'essentiel, c'est-à-dire l'ensemble des valeurs et des principes que la communauté affirme par son existence même et qui fondent les actes de la jurisprudence. « Ce que défend l'honneur, disait Montesquieu, est plus défendu quand les lois ne le défendent pas, ce qu'il prescrit, encore plus exigé quand les lois ne l'exigent pas. »

Les rapports économiques ne sont pas davantage saisis et constitués en tant que tels, c'est-à-dire comme régis par la loi de l'intérêt, et demeurent toujours comme dissimulés sous le voile des relations de prestige et d'honneur. Tout se passe comme si cette société se refusait à regarder en face la réalité économique, à la saisir comme régie par des lois différentes de celles qui règlent les relations familiales. De là, l'ambiguïté structurale de tout échange : on joue toujours à la fois dans le registre de l'intérêt qui ne s'avoue pas et de l'honneur qui se proclame. La logique du don n'est-elle pas une façon de surmonter ou de dissimuler les calculs de l'intérêt ? Si le don, comme le crédit, entraîne le devoir de rendre plus, cette obligation de l'honneur, si impérative soit-elle, demeure tacite et secrète. Le contre-don étant *différé*, l'échange généreux, à l'opposé du « donnant donnant », ne tend-il pas à voiler la transaction intéressée qui n'ose s'apparaître dans l'instant, en la déployant dans la succession temporelle, et en substituant à la série continue de dons suivis de contre-dons une série discontinue de dons apparemment sans retour ? Faut-il un autre exemple ? Il est d'usage que le vendeur, au terme d'une transaction importante telle que la vente d'un bœuf, rende ostensiblement à l'acheteur une part de la somme qu'il vient de recevoir « afin que celui-ci achète de la viande pour ses enfants ». Et le père de l'épouse faisait de même lorsqu'il recevait la dot, au terme, le plus souvent, d'un « marchandage » acharné (*Aït Hichem*). Plus la part rendue était importante, plus on en tirait d'honneur, comme si, en couronnant la transaction par un geste généreux, on entendait convertir en échange d'honneur un marchandage qui ne pouvait être aussi ouvertement acharné que parce que la recherche de la maximisation du profit matériel s'y dissimulait sous la joute d'honneur et sous la recherche de la maximisation du profit symbolique[32].

Paris, janvier 1960

CHAPITRE II

La maison ou le monde renversé[1]

> L'homme est la lampe du dehors, la femme la lampe du dedans.

L'intérieur de la maison kabyle présente la forme d'un rectangle qu'un petit mur à claire-voie s'élevant à mi-hauteur divise, au tiers de sa longueur, en deux parties : la plus grande, exhaussée de 50 centimètres environ et recouverte d'un enduit d'argile noire et de bouse de vache que les femmes polissent avec un galet, est réservée aux humains, la plus étroite, pavée de dalles, étant occupée par les bêtes. Une porte à deux battants donne accès aux deux pièces. Sur la murette de séparation sont rangés d'un côté les petites jarres de terre ou les paniers d'alfa dans lesquels on conserve les provisions destinées à la consommation immédiate – figues, farines, légumineuses –, de l'autre, près de la porte, les jarres d'eau. Au-dessus de l'écurie, se trouve une soupente où sont accumulés, à côté d'ustensiles de toute sorte, la paille et le foin destinés à la nourriture des animaux, et où dorment le plus souvent les femmes et les enfants, surtout en hiver[2]. Devant la construction maçonnée et percée de niches et de trous, qui est adossée au mur de pignon, appelé mur (ou, plus exactement, « côté ») du haut ou du *kanun*, et qui sert au rangement des ustensiles de cuisine (louche, marmite, plat à cuire la galette et autres objets de terre cuite noircis par le feu) et de part et d'autre de laquelle sont placées de grandes jarres

LE VOCABULAIRE DE L’HONNEUR *

HONNEUR			DÉSHONNEUR			SACRÉ
POINT D’HONNEUR	HONNEUR	RESPECTABILITÉ	ACTION DE DÉSHONNEUR	ÉTAT DE DÉSHONNEUR	CRIME CONTRE L’HONNEUR	
nif	*el‘ardh*	*essar*	*bahdel*	*ḥachma*	*el‘ar*	*elḥurma*
if	*laḥya*	*nur*	*‘ayer*	*thibhadlith*	*al‘ib*	*elḥaram*
anzaren	*riya*	*thaqbaylith*	*achuwah*	*thim‘ayrith*	*elkhazzwa*	
thirzi nennif	*elḥachma*	*thizugza*	*ḥachchem*	*chuha*	*tikhzi*	
	amesrur (adj.)	*thirujla*	*afdhaḥ*	*elfadhḥa*	*laḥram*	
	amaḥruz nessar	*chi‘a*	Noms d’action :	*itswa‘ayer* (adj.)		
	el‘ali		*abahdel*	*inaḥcham*		
			elbahadla			
			aḥachchem			
			thuksa nessar			
			thuksa laqdhar			
			thirzi laqdhar			
			thirzi el ḥurma			

* Voir le chapitre « Le sens de l’honneur », p. 19.

emplies de grain, se trouve le foyer, cavité circulaire de quelques centimètres de profondeur en son centre, autour de laquelle trois grosses pierres destinées à recevoir les ustensiles de cuisine sont disposées en triangle[3].

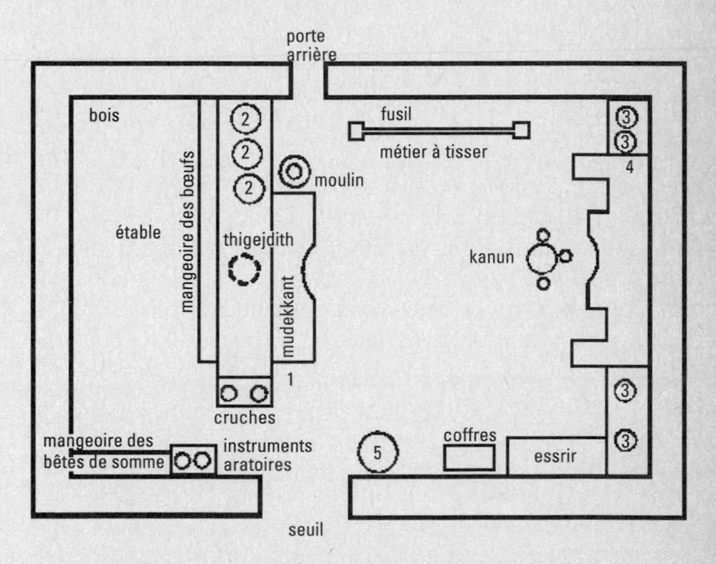

1 : filet à fourrage vert ; 2 : jarres de légumes secs, figues ; 3 : jarres de grains ; 4 : lampe, vaisselle, tamis ; 5 : grande jarre de réserve d'eau.

Devant le mur qui fait face à la porte et qui est appelé, le plus souvent, du même nom que le mur de façade extérieur donnant sur la cour *tasga*[4], ou encore mur du métier à tisser ou mur d'en face (on lui fait face lorsque l'on entre), est dressé le métier à tisser. Le mur opposé, celui de la porte, est appelé mur de l'obscurité, ou du sommeil, ou de la jeune fille, ou du tombeau[5] ; une banquette assez large pour recevoir une natte déployée y est adossée ; elle sert d'abri au petit veau ou au mouton de la fête, parfois au bois ou à la cruche à eau. Les vêtements, les nattes et les couvertures sont suspendus, dans la journée, à une cheville ou à une traverse de bois, contre le mur de l'obscurité ou bien déposés sous la banquette de séparation. Ainsi, on le voit, le mur du *kanun* s'oppose à l'étable comme le haut et le bas (*adaynin*, étable, provient de la racine *ada* le bas), et le mur du métier à tisser au mur de la porte comme la lumière aux ténèbres : on pourrait être tenté de donner à ces oppositions une explication strictement technique, puisque le mur du métier à tisser, placé face à la porte, elle-même tournée vers l'est, est le plus fortement éclairé et que l'étable est effectivement située en contrebas (la maison étant le plus souvent construite perpendiculairement aux courbes de niveau, pour faciliter l'écoulement du purin et des eaux usées), si nombre d'indices ne suggéraient que ces oppositions sont le centre de faisceaux d'oppositions parallèles qui ne doivent jamais toute leur nécessité aux impératifs techniques et aux nécessités fonctionnelles [6].

La partie basse, obscure et nocturne de la maison, lieu des objets humides, verts ou crus – jarres d'eau déposées sur des banquettes de part et d'autre de l'entrée de l'étable ou contre le mur de l'obscurité, bois, fourrage vert –, lieu aussi des êtres naturels – bœufs et vaches, ânes et mulets –, des activités naturelles – sommeil, acte sexuel, accouchement – et aussi de la mort, s'oppose, comme la nature à la culture, à la partie haute, lumineuse, noble, lieu des humains et en particulier de l'invité, du feu et des objets fabriqués par le feu, lampe, ustensiles de cuisine, fusil – symbole du point d'honneur viril (*ennif*) qui protège l'honneur féminin (*ḥurma*) –, métier à tisser, symbole de toute protection, lieu aussi des deux activités proprement culturelles qui s'accomplissent dans l'espace de la maison, la cuisine et le tissage. Ces relations d'opposition s'expriment à travers tout un ensemble d'indices convergents qui les fondent en même temps qu'ils reçoivent d'elles leur sens. C'est devant le métier à tisser que l'on fait asseoir l'invité que l'on veut honorer, *qabel*, verbe qui signifie aussi faire face et faire face à l'est [7]. Lorsqu'on a été mal reçu, on a coutume de dire : « Il m'a fait asseoir devant son mur de l'obscurité comme dans un tombeau. » Le mur de l'obscurité est aussi appelé mur du malade et l'expression « tenir le mur » signifie être malade et, par extension, oisif : on y dresse en effet la couche du malade, surtout en hiver. Le lien entre la partie obscure de la maison et la mort se révèle encore au fait que c'est à l'entrée de l'étable que l'on procède au lavage du mort [8]. On a coutume de dire que la soupente, tout entière faite de bois, est portée par l'étable comme le cadavre par les porteurs, *tha'richth* désignant à la fois la soupente et le brancard qui sert au transport des morts. Aussi comprend-on que l'on ne puisse sans lui faire offense offrir à un hôte de dormir dans la soupente qui entretient avec le mur du métier à tisser la même opposition que le mur du tombeau.

C'est aussi devant le mur du métier à tisser, face à la porte, en pleine lumière, que l'on assoit, ou mieux que l'on expose, à la façon des plats décorés qui y sont suspendus, la jeune épousée, le jour du mariage. Si l'on sait que le cordon ombilical de la petite fille est enterré derrière le métier à tisser et que, pour protéger la virginité d'une jeune fille, on la fait passer au travers de la chaîne, en allant de la porte vers le mur du métier à tisser, on voit la fonction de protection magique qui est impartie au métier à tisser [9]. Et de fait, du point de vue de ses parents masculins, toute la vie de la fille se résume en quelque sorte dans les positions successives qu'elle occupe symboliquement par rapport au métier à tisser, symbole de la protection virile [10] : avant le mariage, elle est située derrière le métier à tisser, dans son ombre, sous sa protection, comme elle est placée sous la protection de son père et de ses frères ; le jour du mariage, elle est assise devant le métier à tisser, lui tournant le dos, en pleine lumière, et, par la suite, elle s'assoira pour tisser, le dos au mur de la lumière derrière le métier : le gendre n'est-il pas appelé « le voile des hontes », le point d'honneur de l'homme étant la seule protection de l'honneur féminin ou, mieux, la seule « barrière » contre la honte dont toute femme enferme la menace (« La honte, c'est la jeune fille »)[11].

La partie basse et obscure s'oppose aussi à la partie haute comme le féminin et le masculin : outre que la division du travail entre les sexes (fondée sur le même principe de division que l'organisation de l'espace) confie à la femme la charge de la plupart des objets appartenant à la partie obscure de la maison, le transport de l'eau, du bois et du fumier par exemple, l'opposition entre la partie haute et la partie basse reproduit à l'intérieur de l'espace de la maison celle qui s'établit entre le dedans et le dehors, entre l'espace féminin, la maison et son jardin, lieu par excellence du *ḥaram*, c'est-à-dire du sacré et de l'interdit, et l'espace masculin[12]. La partie basse de la maison est le lieu du secret le plus intime à l'intérieur du monde de l'intimité, c'est-à-dire de tout ce qui concerne la sexualité et la procréation. A peu près vide le jour, où toute l'activité – exclusivement féminine – se concentre autour du foyer, la partie obscure est pleine la nuit, pleine d'humains, pleine aussi de bêtes, les bœufs et les vaches ne passant jamais la nuit dehors à la différence des mulets et des ânes, et elle n'est jamais aussi pleine, si l'on peut dire, qu'à la saison humide, où les hommes couchent à l'intérieur et où les bœufs et les vaches sont nourris à l'étable. On peut ici établir plus directement la relation qui unit la fécondité des hommes et du champ à la partie obscure de la maison, cas privilégié de la relation d'équivalence entre la fécondité et l'obscur, le plein (ou le gonflement) et l'humide attestée par l'ensemble du système mythico-rituel. En effet, alors que le grain destiné à la consommation est conservé, on l'a vu, dans les grandes jarres de terre cuite adossées au mur du haut, de chaque côté du foyer, c'est dans la partie obscure qu'est déposé le grain réservé à la semence, soit dans des peaux de mouton ou des coffres placés au pied du mur de l'obscurité, parfois sous la couche conjugale, soit dans des coffres de bois placés sous la banquette adossée au mur de séparation, où la femme, normalement couchée en contrebas, du côté de l'entrée de l'étable, vient rejoindre son mari. Si l'on sait que la naissance est toujours renaissance de l'ancêtre, le cercle vital (qu'il faudrait appeler *cycle de génération*) se refermant sur lui-même toutes les trois générations (proposition qui sera démontrée plus loin), on comprend que la partie obscure puisse être à la fois et sans contradiction le lieu de la mort et de la procréation ou de la naissance comme résurrection [13].

Mais il y a plus : c'est au centre du mur de séparation, entre « la maison des humains » et « la maison des bêtes », que se trouve dressé le pilier principal, soutenant la poutre maîtresse et toute la charpente de la maison. Or la poutre maîtresse reliant les pignons et étendant sa protection de la partie masculine à la partie féminine de la maison (*asalas alemmas*, terme masculin) est identifiée de façon explicite au maître de la maison, tandis que le pilier principal, tronc d'arbre fourchu (*thigejdith*, terme féminin) sur lequel il repose, est identifié à l'épouse (les Beni Khellili l'appelant *Mas'uda*, prénom féminin qui signifie « l'heureuse »), leur emboîtement figurant l'accouplement (représenté dans les peintures murales, comme l'union de la poutre et du pilier, par deux fourches superposées) [14]. La poutre principale, qui porte la toiture, est identifiée au protecteur de l'honneur familial : elle est souvent l'objet d'offrandes et c'est autour d'elle, à la hauteur du foyer, que s'enroule le serpent, « gardien » de la maison : symbole de la puissance fécondante de l'homme et aussi de la mort suivie de résurrection, il est parfois représenté (dans la région de Collo par exemple) sur les jarres de terre, maçonnées par les femmes, enfermant le grain pour la semence. On dit aussi qu'il descend parfois dans la maison, dans le giron de la femme stérile, en l'appelant mère, ou qu'il s'enroule autour du pilier central, s'allongeant d'une torsade après chaque tétée [15]. A Darna, selon René Maunier, la femme stérile attache sa ceinture à la poutre centrale ; c'est à cette poutre que l'on suspend le prépuce et le roseau qui a servi à la circoncision ; lorsqu'on l'entend craquer on s'empresse de dire « que ce soit du bien », parce que cela présage la mort du chef de famille. A la naissance d'un garçon, on fait le vœu qu'« il soit la poutre maîtresse de la maison » et quand il accomplit le jeûne rituel pour la première fois il prend son premier repas sur le toit, c'est-à-dire sur la poutre centrale (afin, dit-on, qu'il puisse transporter des poutres).

Nombre de devinettes et de dictons identifient explicitement la femme au pilier central : « La femme, c'est le pilier central. » A la jeune mariée, on dit : « Que Dieu fasse de toi le pilier planté solidement au milieu de la maison. » Une autre devinette dit : « Elle se tient debout et n'a pas de pieds. » Fourche ouverte vers le haut et non posée sur ses pieds, elle est la nature féminine, féconde ou, mieux, fécondable [16]. Dans l'Aurès, c'est contre le pilier central (*hiji*) que sont entassées les outres pleines de grains et qu'est consommé le mariage [17].

Ainsi, résumé symbolique de la maison, l'union de *asalas* et de *thigejdith*, qui étend sa protection fécondante sur tout mariage humain, est en quelque sorte le mariage primordial, mariage des ancêtres qui est aussi, comme le labour, le mariage du ciel et de la terre. « La femme, c'est les fondations, l'homme, la poutre maîtresse », dit un autre proverbe. *Asalas*, qu'une devinette définit comme « né dans la terre et enterré dans le ciel », féconde *thigejdith*, plantée dans la terre, lieu des ancêtres, maîtres de toute fécondité, et ouverte vers le ciel [18].

La maison s'organise selon un ensemble d'oppositions homologues : feu : eau : : cuit : cru : : haut : bas : : lumière : ombre : : jour : nuit : : masculin : féminin : : *nif* : *ḥurma* : :

fécondant : fécondable : : culture : nature. Mais en fait les mêmes oppositions existent entre la maison dans son ensemble et le reste de l'univers. Considérée dans son rapport avec le monde extérieur, monde proprement masculin de la vie publique et du travail agricole, la maison, univers des femmes, monde de l'intimité et du secret, est *ḥaram*, c'est-à-dire à la fois sacrée et illicite pour tout homme qui n'en fait pas partie (de là l'expression usitée dans les prestations de serment : « que ma femme – ou ma maison – me devienne illicite – *ḥaram* – si… ») cf. chap. I *(p. 52)*. Lieu du sacré gauche, de la *ḥurma*, à laquelle sont attachées toutes les propriétés associées à la partie obscure de la maison, elle est placée sous la sauvegarde du point d'honneur masculin (*nif*), comme la partie obscure de la maison est placée sous la protection de la poutre maîtresse. Toute violation de l'espace sacré prend dès lors la signification sociale d'un sacrilège : ainsi, le vol dans une maison habitée est traité dans les coutumiers comme une faute très grave, au titre d'offense au *nif* du chef de famille et d'outrage à la *ḥurma* de la maison et par là de toute la communauté [19].

On n'est fondé à dire que la femme est enfermée dans la maison que si l'on observe simultanément que l'homme en est exclu, au moins le jour. Sitôt le soleil levé, il doit en été se tenir au champ ou à la maison d'assemblée ; en hiver, s'il n'est au champ, au lieu d'assemblée ou sur les banquettes placées à l'abri de l'auvent qui surmonte la porte d'entrée de la cour. La nuit même, au moins pendant la saison sèche, les hommes et les garçons, dès qu'ils sont circoncis, couchent à l'extérieur de la maison, soit près des meules, sur l'aire à battre, au côté de l'âne et du mulet entravés, soit sur le séchoir à figues, soit en plein champ, plus rarement à la *thajma'th* [20].

Celui qui demeure trop à la maison pendant le jour est suspect ou ridicule : c'est « l'homme de la maison », comme on dit du gêneur qui reste parmi les femmes et qui

« couve à la maison comme une poule dans son nid ». L'homme qui se respecte doit se donner à voir, se placer sans cesse sous le regard des autres, les affronter, faire face (*qabel*). Il est l'homme parmi les hommes (*argaz yer irgazen*) [21]. De là l'importance que revêtent les jeux de l'honneur, sorte d'action théâtrale, accomplie devant les autres, spectateurs avisés qui connaissent le texte et tous les jeux de scène et sont capables d'apprécier les moindres variantes. On comprend que toutes les activités biologiques – manger, dormir, procréer – soient bannies de l'univers proprement culturel et reléguées dans l'asile de l'intimité et des secrets de la nature qu'est la maison [22], monde de la femme, vouée à la gestion de la nature et exclue de la vie publique. Par opposition au travail de l'homme, accompli au-dehors, le travail de la femme est voué à rester obscur et caché (« Dieu le dissimule », dit-on) : « Au-dedans, elle n'a pas de cesse, elle se débat comme une mouche dans le petit-lait; au-dehors (au-dessus), rien n'apparaît de son travail. » Deux dictons très semblables définissent la condition de la femme qui ne saurait connaître d'autre séjour que le tombeau supraterrestre qu'est la maison et la maison souterraine qu'est le tombeau : « Ta maison, c'est ton tombeau » ; « la femme n'a que deux demeures, la maison et le tombeau ».

Ainsi, l'opposition entre la maison et l'assemblée des hommes, entre la vie privée et la vie publique, ou, si l'on veut, entre la pleine lumière du jour et le secret de la nuit, recouvre très exactement l'opposition entre la partie basse, obscure et nocturne de la maison et la partie haute, noble et lumineuse [23]. L'opposition qui s'établit entre le monde extérieur et la maison ne prend son sens complet que si l'on aperçoit que l'un des termes de cette relation, c'est-à-dire la maison, est lui-même divisé selon les mêmes principes qui l'opposent à l'autre terme. Il est donc à la fois vrai et faux de dire que le monde extérieur s'oppose à la maison comme le masculin au féminin, le jour à la nuit, le feu à l'eau, etc., puisque le deuxième terme de ces oppositions se divise chaque fois en lui-même et son opposé [24].

Bref, l'opposition la plus apparente masculin (ou jour, feu, etc.) / féminin (ou nuit, eau, etc.) risque de dissimuler l'opposition masculin / [féminin-masculin/féminin-féminin], et du même coup l'homologie masculin / féminin : : féminin-masculin / féminin-féminin. On voit par là que la première opposition n'est qu'une transformation de la deuxième, qui suppose le changement de système de référence au terme duquel on cesse d'opposer le féminin-féminin au féminin-masculin pour opposer l'ensemble qu'ils constituent à un troisième terme : féminin-masculin / féminin-féminin → féminin (= féminin-masculin + féminin-féminin) / masculin.

Microcosme organisé selon les mêmes oppositions et les mêmes homologies qui ordonnent tout l'univers, la maison entretient une relation d'homologie avec le reste de l'univers ; mais, d'un autre point de vue, le monde de la maison pris dans son ensemble est avec le reste du monde dans une relation d'opposition dont les principes ne sont autres que ceux qui organisent tant l'espace intérieur de la maison que le reste du monde et, plus généralement, tous les domaines de l'existence. Ainsi, l'opposition entre le monde de la vie féminine et le monde de la cité des hommes repose sur les mêmes principes que les deux systèmes d'oppositions qu'elle oppose. Il s'ensuit que l'application à des domaines opposés du *principium divisionis* qui constitue leur opposition même assure une économie et un surcroît de cohérence, sans entraîner en contrepartie la confusion entre ces domaines. La structure du type a : b : : b1 : b2 est sans doute une des plus simples et des plus puissantes que puisse utiliser un système mythico-rituel puisqu'elle ne peut opposer sans unir simultanément, tout en étant capable d'intégrer dans un ordre unique un nombre infini de données, par la simple application indéfiniment réitérée du même principe de division. Il s'ensuit encore que chacune des deux parties de la maison (et, du même coup, chacun des objets qui y sont déposés et chacune des activités que l'on y accomplit) est en quelque sorte qualifiée à deux degrés, soit premièrement comme féminine (nocturne, obscure, etc.) en tant qu'elle participe de l'univers de la maison, et secondairement comme masculine ou féminine en tant qu'elle appartient à l'une ou l'autre des divisions de cet univers. Ainsi, par exemple, quand le proverbe dit « l'homme est la lampe du dehors, la femme est la lampe du dedans », il faut entendre que l'homme est la vraie lumière, celle du jour, la femme la lumière de l'obscurité, l'obscure clarté ; et l'on sait par ailleurs qu'elle est à la lune ce que l'homme est au soleil. De même, par le travail de la laine, la femme produit la protection bénéfique du tissage, dont la blancheur symbolise le bonheur [25] ; le métier à tisser, instrument par excellence de l'activité féminine, dressé face à l'est comme la charrue, son homologue, est en même temps l'est de l'espace intérieur en sorte qu'il a, à l'intérieur du système de la maison, une valeur masculine comme symbole de protection. De même encore le foyer, nombril de la maison (elle-même identifiée au ventre d'une mère), où couve la braise, feu secret, dissimulé, féminin, est le domaine de la femme, investie d'une autorité entière pour tout ce qui concerne la cuisine et la gestion des réserves [26] ; c'est auprès du foyer qu'elle prend ses repas, tandis que l'homme, tourné vers le dehors, mange au milieu de la pièce ou dans la cour. Toutefois, dans tous les rites où ils interviennent, le foyer et les pierres qui l'entourent tiennent leur efficace magique, qu'il s'agisse de protéger du mauvais œil ou de la maladie ou de provoquer le beau temps, de leur participation à l'ordre du feu, du sec et de la chaleur solaire [27]. La maison elle-même est dotée d'une signification double : s'il est vrai qu'elle s'oppose au monde public comme la nature à la culture, elle est aussi culture sous un autre rapport ; ne dit-on pas du chacal, incarnation de la nature sauvage, qu'il ne fait pas de maison ?

La maison et, par extension, le village [28], le pays plein (*la'mmara* ou *thamurth i'amaran*), l'enceinte peuplée d'hommes, s'opposent sous un certain rapport aux champs vides d'hommes que l'on appelle *lakhla*, l'espace vide et stérile ; ainsi, selon Maunier, les habitants de Taddertel-Djeddid croyaient que ceux qui construisent hors de l'enceinte du village s'exposent à l'extinction de leur famille ; la même croyance se retrouve ailleurs et l'on ne fait exception que pour le jardin, même s'il est éloigné de la maison (*thabḥirth*), pour le verger (*thamazirth*) ou le séchoir à figues (*tarḥa*), lieux qui participent en quelque sorte du village et de sa fécondité. Mais l'opposition n'exclut pas l'homologie entre la fécondité des hommes et la fécondité du champ qui sont l'une et l'autre le produit de l'union du principe masculin et du principe féminin, du feu solaire et de l'humidité terrestre. C'est en effet cette homologie qui sous-tend la plupart des rites destinés à assurer la fécondité des humains et de la terre, qu'il s'agisse de la cuisine, strictement soumise aux oppositions qui organisent l'année agraire et par là aux rythmes du calendrier agricole, ou des rites de renouvellement du foyer et des pierres (*iniyen*) qui marquent le passage de la saison sèche à la saison humide ou le début de l'année, et, plus généralement, de tous les rites accomplis à l'intérieur de la maison, image réduite du topocosme : lorsque les femmes interviennent dans les rites proprement agraires, c'est encore l'homologie entre la fécondité agraire et la fécondité humaine, forme par excellence de toute fécondité, qui fonde leurs actions rituelles et leur confère leur efficace magique. On n'en finirait pas d'énumérer les rites accomplis à l'intérieur de la maison qui n'ont que les apparences de rites domestiques parce qu'ils tendent indissociablement à assurer la fécondité du champ et la fécondité de la maison. Il faut en effet que la maison soit pleine pour que le champ soit plein, et la femme contribue à la prospérité du champ en se vouant, entre autres choses, à accumuler, à économiser et à conserver les biens que l'homme a produits et à fixer en quelque sorte dans la maison tout le bien qui peut y entrer. « L'homme, dit-on, est comme la rigole, la femme comme le bassin », l'un apporte, l'autre retient et conserve. L'homme est « le crochet auquel sont suspendus les paniers », le pourvoyeur, tel le scarabée, l'araignée ou l'abeille. Ce que l'homme a apporté, la femme le range, le protège et l'épargne. C'est la femme qui dit : « Manie ton bien comme un tison. Il y a aujourd'hui, il y a demain, il y a le tombeau ; Dieu pardonne à celui qui a laissé et non à celui qui a mangé. » « Mieux vaut, dit-on encore, une femme épargnante qu'une paire de bœufs au labour. » Comme le « pays plein » s'oppose à l'« espace vide » (*lakhla*), le « plein de la maison » (*la'mmara ukham*), c'est-à-dire, le plus souvent, « la vieille » qui épargne et accumule, s'oppose au « vide de la maison » (*lakhla ukham*), le plus souvent la belle-fille [29]. En été, la porte de la maison doit rester ouverte tout le jour pour que la lumière fécondante du soleil puisse pénétrer et avec elle la prospérité. La porte fermée, c'est la disette et la stérilité : s'asseoir sur le seuil, c'est, en l'obstruant, fermer le passage au bonheur et à la plénitude. Pour souhaiter à quelqu'un la prospérité, on dit : « que ta porte demeure ouverte » ou « que ta maison soit ouverte comme une mosquée ». L'homme riche et généreux est celui dont on dit : « sa maison est une mosquée, elle est ouverte à tous, pauvres et riches, elle est de galette et de couscous, elle est pleine » (*tha'mmar*) ; la générosité est une manifestation de la prospérité qui garantit la prospérité. La plupart des actions techniques et rituelles qui incombent à la femme sont orientées par l'intention objective de faire de la maison, à la façon de *thigejdith* qui ouvre sa fourche à *asalas alemmas*, le réceptacle de la prospérité qui lui advient du dehors, le ventre qui, comme la terre, accueille la semence que le mâle y a fait pénétrer, et, inversement, de contrecarrer l'action de toutes les forces centrifuges capables de déposséder la maison du dépôt qui lui a été confié. Par exemple, il est interdit de donner du feu le jour de la naissance d'un enfant ou d'un veau ou encore lors des premiers labours [30] ; à la fin du battage, rien ne doit sortir de la maison et la femme fait rentrer tous les objets prêtés ; le lait des trois jours qui suivent le vêlage ne doit pas sortir de la maison ; la mariée ne peut franchir le seuil avant le septième jour qui suit son mariage ; l'accouchée ne doit pas quitter la maison avant le quarantième jour ; le bébé ne doit pas sortir avant l'Aïd Seghir ; le moulin à bras ne doit jamais être prêté, et le laisser vide c'est attirer la famine sur la maison ; on ne doit pas sortir le tissage avant qu'il ne soit achevé ; comme les prêts de feu, le balayage, acte d'expulsion, est interdit pendant les quatre premiers jours des labours ; la sortie du mort est « facilitée » afin qu'il n'emporte pas avec lui la prospérité [31] ; les « premières sorties », par exemple, celle de la vache, le quatrième jour après le vêlage, ou celle du petit-lait, sont marquées par des sacrifices [32]. Le « vide » peut résulter d'un acte d'expulsion ; il peut aussi s'introduire avec certains objets comme la charrue qui ne peut entrer à la maison entre deux journées de labour ou les chaussures du laboureur (*arkassen*) qui sont associées à *lakhla*, à l'espace vide, ou avec certaines personnes, comme les vieilles, parce qu'elles apportent avec elles la stérilité (*lakhla*) et que nombreuses sont les maisons qu'elles ont fait vendre et celles où elles ont introduit des voleurs. A l'opposé, nombre d'actes rituels visent à assurer l'« emplissement » de la maison, comme ceux qui consistent à jeter dans les fondations, sur la première pierre, après avoir versé le sang d'un animal, les débris d'une lampe de mariage (dont la forme représente un accouplement et qui joue un rôle dans la plupart des rites de fécondité) ou à faire asseoir la jeune mariée, à son entrée dans la maison, sur une outre pleine de grains. Toute première entrée dans la maison est une menace pour la plénitude du monde intérieur que les rites du seuil, à la fois propitiatoires et prophylactiques, doivent conjurer : la nouvelle paire de bœufs est reçue par la maîtresse de maison – *thamgharth ukham* –, c'est-à-dire, on l'a vu, « la plénitude de la maison », *la'mmara ukham* –, qui place sur le seuil la peau de mouton où l'on dépose le moulin à bras et qui reçoit la farine (*alamsir*, appelé aussi la « porte des denrées », *bab errazq*). La plupart des rites destinés à apporter la fécondité à l'étable et, par là, à la maison (« une maison sans vache est, dit-on, une maison vide ») tendent à renforcer magiquement la relation structurale qui unit le lait, le vert-bleu (*azegzaw* qui est aussi le cru, *thizegzawth*), l'herbe, le printemps, l'enfance du monde naturel et de l'homme : à l'équinoxe de printemps, lors du retour d'*azal*, le jeune berger qui participe doublement de la croissance du champ et du bétail, par son âge et par sa fonction, cueille, pour le suspendre au linteau de la porte, un bouquet de « tout ce que le vent agite dans la campagne » (à l'exception du laurier-rose, utilisé le plus souvent à des fins prophylactiques et dans les rites d'expulsion, et de la scille qui marque la séparation entre les champs) ; on enterre aussi un nouet contenant du cumin, du benjoin et de l'indigo au seuil de l'étable en disant : « Ô vert-bleu (*azegzaw*), fais que le beurre ne décline pas ! » On suspend à la baratte des plantes fraîchement cueillies et on en frotte les ustensiles destinés à recevoir le lait[33]. L'entrée de la jeune mariée est, entre toutes, lourde de conséquences pour la fécondité et la plénitude de la maison : alors qu'elle est encore assise sur le mulet qui l'a transportée depuis la maison de son père, on lui présente de l'eau, des grains de blé, des figues, des noix, des œufs cuits ou des beignets, autant de choses (quelles que soient les variantes selon les lieux) associées à la fécondité de la femme et de la terre, et elle les lance en direction de la maison, se faisant ainsi précéder, en quelque sorte, par la fécondité et la plénitude qu'elle doit apporter à la maison [34]. Elle franchit le seuil portée sur le dos d'un parent de l'époux ou parfois, selon Maunier, sur le dos d'un Noir (jamais en tout cas sur le dos de l'époux) qui, en s'interposant, intercepte les forces mauvaises, capables d'affecter sa fécondité, dont le seuil, point de rencontre entre des mondes opposés, est le siège : une femme ne doit jamais s'asseoir auprès du seuil en tenant son enfant ; le jeune enfant et la jeune épousée ne doivent pas le fouler trop souvent.

Ainsi, la femme, par qui la fécondité advient à la maison, contribue pour sa part à la fécondité du monde agraire : vouée au monde du dedans, elle agit aussi sur le dehors en assurant la plénitude au dedans et en contrôlant, au titre de gardienne du seuil, ces échanges sans contrepartie que seule la logique de la magie peut concevoir et par lesquels chacune des parties de l'univers entend ne recevoir de l'autre que le plein tout en ne lui offrant que le vide [35].

Mais l'un ou l'autre des deux systèmes d'oppositions qui définissent la maison, soit dans son organisation interne, soit dans son rapport avec le monde extérieur, se trouve porté au premier plan selon que l'on considère la maison du point de vue masculin ou du point de vue féminin : tandis que, pour l'homme, la maison est moins un lieu où l'on entre qu'un lieu d'où l'on sort, la femme ne peut que conférer à ces deux déplacements, et aux définitions différentes de la maison qui en sont solidaires, une importance et une signification inverses, puisque mouvement vers le dehors consiste avant tout pour elle en actes d'expulsion et que le mouvement vers le dedans, c'est-à-dire du seuil vers le foyer, lui incombe en propre. La signification du mouvement vers le dehors ne se voit jamais aussi bien que dans le rite qu'accomplit la mère, au septième jour de la naissance, « pour que son fils soit courageux » : enjambant le seuil, elle pose le pied droit sur le peigne à carder et simule un combat avec le premier garçon qu'elle rencontre. La sortie est le mouvement proprement masculin, qui conduit vers les autres hommes, et aussi vers les dangers et les épreuves auxquels il importe de *faire front*, en homme aussi rugueux, quand il s'agit d'honneur, que les pointes du peigne à carder[36]. Sortir ou, plus exactement, ouvrir (*fataḥ*) est l'équivalent de « être au matin » (*sebaḥ*). L'homme qui se respecte doit sortir de la maison dès le point du jour, la sortie hors de la maison, au matin, étant une naissance : d'où l'importance des choses rencontrées qui augurent de toute la journée, en sorte qu'il vaut mieux, en cas de mauvaise rencontre (forgeron, femme portant une outre vide, cris ou dispute, être difforme), « refaire son matin » ou « sa sortie ». Par exemple, un homme digne, conscient de ses responsabilités, doit se lever tôt : « Qui ne conclut pas ses affaires tôt le matin ne les conclura jamais » ; ou encore : « Le *ṣuq*, c'est le matin » ; « Qui dort jusqu'au milieu d'*azal* (moment le plus chaud, à la mi-journée) trouvera le marché désert ». En toutes choses, le matin est le moment de la décision, après la nuit consacrée au repos. Le matin est en rapport d'homologie avec la chance, le bien, la lumière. « Le matin, dit-on, c'est la facilité. » Se lever de bon matin, c'est se placer sous des augures favorables (*laftaḥ*, l'ouverture de bon augure). Celui qui se lève tôt est à l'abri des rencontres qui portent malheur ; celui qui s'engage le dernier sur la route, au contraire, ne peut avoir d'autre compagnon que le borgne qui attend le plein jour pour partir ou le boiteux qui est à la traîne. Se lever au chant du coq, c'est placer sa journée sous la protection des anges du matin et leur rendre grâce ; c'est, si l'on peut dire, se mettre en état de grâce, c'est faire en sorte que les « anges décident en ses lieu et place ».

On comprend dès lors l'importance qui est accordée à l'orientation de la maison : la façade de la maison principale, celle qui abrite le chef de famille et qui comporte une étable, est presque toujours orientée vers l'est ; la porte principale – par opposition à la porte étroite et basse, réservée aux femmes, qui s'ouvre vers le jardin, à l'arrière de la maison – étant communément appelée la porte de l'est (*thabburth thacherqith*) ou encore la porte de la rue, la porte du haut, la grande porte [37]. Étant donné l'exposition des villages et la position inférieure de l'étable, la partie haute de la maison, avec le foyer, se trouve au nord, l'étable au sud et le mur du métier à tisser à l'ouest. Il s'ensuit que le déplacement par lequel on se dirige vers la maison pour y entrer est orienté d'est en ouest, à l'opposé du mouvement par lequel on en sort, conforme à l'orientation par excellence, vers l'est, c'est-à-dire vers le haut, la lumière, le bon et le bien : le laboureur oriente ses bœufs vers l'est au moment de les atteler et de les dételer et il commence à labourer d'ouest en est ; de même, les moissonneurs se disposent face à la *qibla*, et c'est face à l'est qu'est égorgé le bœuf du sacrifice. On n'en finirait pas d'énumérer les actions qui s'accomplissent conformément à l'orientation cardinale, c'est-à-dire toutes les actions d'importance qui engagent la fécondité et la prospérité du groupe [38]. Si l'on revient maintenant à l'organisation intérieure de la maison, on observe que son orientation est exactement l'inverse de celle de l'espace extérieur, comme si elle avait été obtenue par une demi-rotation autour du mur de façade ou du seuil pris comme axe. Le mur du métier à tisser, auquel on fait face, sitôt le seuil franchi, et qui est éclairé directement par le soleil du matin, est la lumière du dedans (comme la femme est la lampe du dedans), c'est-à-dire l'est du dedans, symétrique de l'est extérieur, dont il tient sa clarté d'emprunt [39]. La face interne et obscure du mur de façade représente l'ouest de la maison, lieu du sommeil, qu'on laisse derrière soi lorsqu'on s'avance de la porte vers le *kanun*, la porte correspondant symboliquement à la « porte de l'année », début de la saison humide et de l'année agraire. Et de même, les deux murs de pignon, le mur de l'étable et le mur du foyer, reçoivent deux sens opposés selon qu'on considère l'une ou l'autre de leurs faces : au nord extérieur correspond le sud (et l'été) de l'intérieur, c'est-à-dire le côté de la maison que l'on a devant soi et à sa droite lorsque l'on entre en faisant face au métier à tisser ; au sud extérieur correspond le nord (et l'hiver) intérieur, c'est-à-dire l'étable, située derrière et à gauche lorsqu'on se dirige de la porte vers le foyer[40]. La division de la maison en une partie obscure (côtés ouest et nord) et une partie lumineuse (côtés est et sud) correspond à la division de l'année en une saison humide et une saison sèche. Bref, à chaque face externe du mur (*essur*) correspond une région de l'espace intérieur (ce que les Kabyles désignent par *tharkunt*, c'est-à-dire, à peu près, le côté) qui détient un sens symétrique et inverse dans le système des oppositions internes ; chacun des deux espaces peut donc être défini comme la classe des mouvements effectuant un même déplacement, c'est-à-dire une demi-rotation, par rapport à l'autre, le seuil constituant l'axe de rotation. On ne comprendrait pas complètement le poids et la valeur symbolique qui sont impartis au seuil dans le système, si l'on n'apercevait pas qu'il doit sa fonction de frontière magique au fait qu'il est le lieu d'une inversion logique et que, au titre de lieu de passage et de rencontre obligé entre les deux espaces, définis par rapport à des mouvements du corps et à des trajets socialement qualifiés[41], il est logiquement le lieu où le monde se renverse[42].

Ainsi, chacun des univers a son orient et les deux déplacements les plus chargés de significations et de conséquences magiques, le déplacement du seuil au foyer, qui doit apporter la plénitude et dont l'effectuation ou le contrôle rituel incombe à la femme, et le déplacement du seuil vers le monde extérieur qui, par sa valeur inaugurale, enferme tout ce que sera l'avenir et en particulier l'avenir du travail agraire, peuvent s'accomplir conformément à

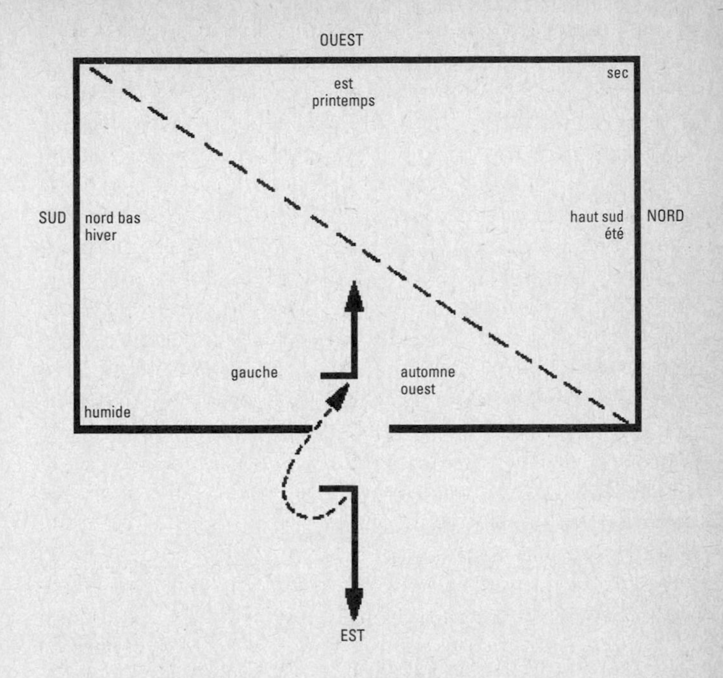

l'orientation bénéfique, c'est-à-dire d'ouest en est [43]. La double orientation de l'espace de la maison fait que l'on peut à la fois entrer et sortir du pied droit, au sens propre et au sens figuré, avec tout le bénéfice magique attaché à cette observance, sans que soit jamais rompue la relation qui unit la droite au haut, à la lumière et au bien. La demi-rotation de l'espace autour du seuil assure donc, si l'on permet l'expression, la maximisation du bénéfice magique puisque le mouvement centripète et le mouvement centrifuge s'accomplissent dans un espace ainsi organisé que l'on y entre face à la lumière et que l'on en sort face à la lumière [44].

Ces deux espaces symétriques et inverses ne sont pas interchangeables mais hiérarchisés, l'espace intérieur n'étant précisément que l'image inversée, ou le reflet dans un miroir, de l'espace masculin [45]. Ce n'est pas par hasard que seule l'orientation de la porte est explicitement prescrite, l'organisation intérieure de l'espace n'étant jamais consciemment appréhendée et moins encore voulue comme telle par les sujets [46]. L'orientation de la maison est primordialement définie de l'extérieur, du point de vue des hommes et, si l'on peut dire, par les hommes et pour les hommes, comme le lieu d'où sortent les hommes. « Une maison prospère par la femme ; son dehors est beau par l'homme. » La maison est un empire dans un empire, mais qui reste toujours subordonné parce que, lors même qu'il présente toutes les propriétés et toutes les relations qui définissent le monde archétypal, il reste un monde à l'envers, un reflet inversé [47]. « L'homme est la lampe du dehors, la femme la lampe du dedans. » L'apparence de symétrie ne doit pas tromper : la lampe du jour n'est qu'apparemment définie par rapport à la lampe de la nuit ; en fait, la lumière nocturne, masculin féminin, reste ordonnée et subordonnée à la lumière diurne, à la lampe du jour, c'est-à-dire au jour du jour. « L'homme espère en Dieu, la femme attend tout de l'homme », « La femme, dit-on encore, est tordue comme une faucille » ; aussi la plus droite de ces natures gauches n'est-elle jamais que redressée. La femme mariée trouve aussi son orient, à l'intérieur de la maison de l'homme, mais qui n'est que l'inversion d'un occident : ne dit-on pas « la jeune fille, c'est l'occident » ? Le privilège accordé au mouvement vers le dehors, par lequel l'homme s'affirme comme homme en tournant le dos à la maison pour faire face aux hommes en choisissant la voie de l'orient du monde, n'est qu'une forme du refus catégorique de la nature, origine inévitable du mouvement pour s'en éloigner.

Paris, 1963-1964

CHAPITRE III

La parenté comme représentation et comme volonté

Les garçons jouent à la *qochra* les premiers jours du printemps. En cercle autour d'une balle de liège (*qochra*) et munis d'un bâton à bout recourbé, ils commencent par désigner au sort celui d'entre eux qui gardera la balle et en sera le « père » : celui-ci se place près de la balle, sa « fille », qu'il doit défendre en s'efforçant d'éviter qu'elle ne sorte du cercle, la « maison ». Les autres joueurs tentent au contraire de pousser du bâton la balle hors du cercle. Si la « fille » touche directement un joueur ou si le « père » réussit lui-même à le toucher avec son bâton, en disant « c'est ta fille », le joueur touché devient le « père » de la balle et libère le premier joueur de cette fonction. Le plus habile peut s'emparer de la « fille » égarée et la prendre pour « femme ». Si le « père » ne parvient pas à ramener sa « fille » dans la « maison », on dit qu'il vieillit et on raille sa faiblesse en chantant : « Il a vieilli, il a vieilli, il est monté à Beni Kelleb, il a mangé toute une galette avec une gourde de petit-lait. » Il arrive aussi qu'on attache la balle sous la chemise du vaincu, ainsi identifié à une fille à qui on a fait un enfant. Il n'est pas rare que le « père », humilié, aille jusqu'à pleurer.

Jeu rituel recueilli à Aïn Aghbel

Le mariage avec la cousine parallèle patrilinéaire (*bent'amm*, la fille du frère du père)[1] ne peut apparaître « comme une sorte de scandale »[2], selon les termes de Claude Lévi-Strauss, que pour les esprits structurés conformément aux catégories de pensée qu'il déconcerte. Cette sorte de quasi-inceste légitime oppose un redoutable défi tant aux théories des groupes d'unifiliation qu'à la théorie de l'alliance de mariage : en effet, à travers la notion d'*exogamie*, qui est la condition de la reproduction de lignées séparées et de la permanence et de l'identification aisée des unités consécutives, il met en question la notion d'unifiliation (*unilineal descent*), c'est-à-dire la possibilité de définir le statut d'un individu en fonction du statut de ses ascendants, paternel ou maternel, et de l'un des deux seulement, en même temps que la théorie du mariage comme échange d'une femme contre une femme, supposant le tabou de l'inceste, c'est-à-dire l'impératif de l'échange. Tandis que la règle d'exogamie distingue nettement des groupes d'alliance et des groupes de filiation qui, par définition, ne peuvent coïncider, la lignée généalogique se trouvant du même coup définie de façon claire, puisque les pouvoirs, les privilèges et les devoirs se transmettent soit en ligne maternelle, soit en ligne paternelle, l'endogamie a pour effet d'effacer la distinction entre les lignées. C'est ainsi que, dans le cas limite d'un système qui serait réellement fondé sur le mariage avec la cousine parallèle, un individu déterminé se rattacherait à son grand-père paternel aussi bien par son père que par sa mère. Mais d'autre part, en choisissant de conserver au sein de la lignée la cousine parallèle, cette quasi-sœur, le groupe se priverait du même coup de recevoir des femmes de l'extérieur et de contracter ainsi des alliances. Suffit-il de voir dans ce type de mariage l'exception (ou l'« aberration ») qui confirme la règle ou d'aménager les catégories de perception qui l'ont fait surgir pour lui ménager une place, c'est-à-dire un nom ? Ou bien faut-il révoquer en doute radicalement les catégories de pensée qui produisent cet *impensable* ?

Le démenti que les traditions arabe et berbère opposent aux théories actuellement disponibles a au moins le mérite de rappeler que, comme le montre Louis Dumont, la théorie des groupes d'unifiliation et la théorie de l'alliance de mariage restent des « théories régionales », au sens géographique mais aussi épistémologique, lors même qu'elles se donnent les dehors de théories universelles[3]. S'il est trop évident que la critique de certains des fondements de ces théories qui est encouragée ou même imposée par les propriétés particulières d'une tradition culturelle ne saurait davantage prétendre à l'universalité, il reste qu'elle peut contribuer au progrès vers une théorie affranchie de tout régionalisme géographique ou épistémologique en énonçant les questions universelles que les particularités de certains objets posent avec une insistance particulière : ainsi suffit-il d'observer que, légitime dans le cas d'une société pourvue de groupes exogames et distinguant rigoureusement entre parents parallèles et croisés, l'usage de la notion de « préférence de mariage » ne se justifie plus dans le cas d'une société qui ne connaît pas de groupes exogames ; ou bien faut-il trouver dans cette exception une raison de mettre en question non seulement la notion même de prescription ou de préférence, mais d'une part la notion de groupe défini généalogiquement, entité dont l'identité sociale serait aussi invariante et univoque que les critères de sa délimitation et qui conférerait à chacun de ses membres une identité sociale également distincte et fixée une fois pour toutes, et d'autre part la notion de *règle* et de *comportement gouverné par des règles* au double sens de conforme (objectivement) à des règles et de déterminé par l'obéissance à des règles ?

L'inadéquation du langage de la prescription et de la règle est si évidente dans le cas du mariage patrilatéral que l'on ne peut manquer de retrouver les interrogations de

Rodney Needham sur les conditions de validité, peut-être jamais remplies, d'un tel langage, qui n'est autre que celui du droit [4]. Mais cette interrogation sur le statut épistémologique de concepts d'usage aussi courant et universel que ceux de règle, de prescription ou de préférence, ne peut manquer d'atteindre la *théorie de la pratique* qu'ils présupposent implicitement : peut-on donner, même implicitement, l'« algèbre de parenté », comme disait Malinowski, pour une théorie des pratiques de parenté et de la parenté « pratique » sans postuler tacitement qu'il existe une relation déductive entre les noms de parenté et les « attitudes de parenté » ? Et peut-on donner une signification anthropologique à cette relation sans postuler que les relations réglées et régulières entre les parents sont le produit de l'obéissance à des règles qui, bien qu'un dernier scrupule durkheimien porte à les appeler « jurales » (*jural*) plutôt que juridiques ou légales, sont censées commander la pratique à la façon des règles du droit [5] ? Peut-on enfin faire de la définition généalogique des groupes le seul principe du découpage des unités sociales et de l'attribution des agents à ces groupes sans postuler implicitement que les agents sont définis sous tous les rapports et une fois pour toutes par leur appartenance au groupe et que, pour aller vite, *le* groupe définit les agents et leurs intérêts plus que les agents ne définissent *des* groupes en fonction de leurs intérêts ?

Représentation de parenté et parenté de représentation

Toutes les théories du mariage avec la cousine parallèle, et en particulier les plus récentes, celle de Fredrik Barth [6] et celle de Robert Murphy et de Léonard Kasdan [7], ont en commun de faire intervenir des fonctions que la théorie structuraliste ignore ou met entre parenthèses, qu'il s'agisse de fonctions économiques comme la conservation du patrimoine dans la lignée, ou de fonctions politiques comme le renforcement de l'intégration de la lignée. Et on ne voit pas comment elles pourraient faire autrement sous peine d'abandonner à l'absurdité un mariage qui ne remplit manifestement pas la fonction d'échange ou d'alliance communément reconnue au mariage avec la cousine croisée. Ainsi, la plupart des analystes anciens reprenaient l'explication indigène selon laquelle le mariage endogame avait pour fonction de garder la propriété dans la famille[8], mettant en évidence, à juste raison, la relation qui unit le mariage à la coutume successorale. A cette explication, Murphy et Kasdan objectent très justement que la loi coranique qui accorde à la femme la moitié de la part d'un garçon n'est que rarement observée et que la famille pourrait compter en tout cas sur l'héritage apporté par les filles importées. Barth, de son côté, insiste sur le fait que le mariage endogamique « contribue de façon déterminante » à renforcer la lignée minimale et à en faire un groupe intégré dans la lutte entre factions. Quant à Murphy, qui reproche à Barth d'expliquer l'institution par « les buts consciemment visés des acteurs individuels », c'est-à-dire, plus précisément, par les intérêts du chef de lignée à s'attacher ses neveux, situés en des points de segmentation virtuels, il rapporte ce type de mariage à sa « fonction structurale », à savoir de contribuer à la « fission extrême des lignées agnatiques et, par l'endogamie, à l'isolement et au repliement des lignées sur elles-mêmes ». Claude Lévi-Strauss est parfaitement fondé à dire que les deux positions opposées reviennent exactement au même : de fait, la théorie de Barth, qui fait de ce mariage un moyen de renforcer l'unité de la lignée et de limiter sa tendance au fractionnement, et celle de Murphy, qui y voit le principe d'une recherche de l'intégration dans des unités plus larges, englobant à la limite tous les Arabes et fondées sur l'invocation d'une origine commune, s'accordent pour admettre que le mariage avec la cousine parallèle ne peut s'expliquer dans la logique pure du système des échanges matrimoniaux et renvoie nécessairement à des fonctions externes, économiques ou politiques.

Jean Cuisenier ne fait que tirer les conséquences de ce constat dans une construction qui, tâchant de rendre compte de discordances relevées déjà par tous les observateurs entre le « modèle » et les pratiques [9], en même temps que des fonctions externes, au moins économiques, des échanges matrimoniaux, se rapproche de la réalité des pratiques autant qu'on peut le faire dans les limites de l'objectivisme structuraliste et de la théorie de la pratique qu'il implique. « C'est la pensée indigène elle-même qui met sur la voie d'un modèle explicatif. Celle-ci représente en effet les alliances nouées dans un groupe à partir d'une opposition fondamentale entre deux frères, dont l'un doit se marier dans le sens de l'endogamie pour maintenir au groupe sa consistance, et l'autre dans le sens de l'exogamie pour donner au groupe des alliances. Cette opposition des deux frères se retrouve à tous les niveaux du groupe agnatique ; elle exprime dans le langage généalogique habituel à la pensée arabe une alternative représentable selon le schéma d'un "ordre partiel", où les valeurs numériques de *a* et *b* sont respectivement 1/3 et 2/3. Si *a* est le choix de l'endogamie, *b* le choix de l'exogamie, et si l'on suit les ramifications de l'arbre dichotomique à partir de la racine, le choix de *a* au niveau le plus superficiel des cercles généalogiques est le choix de la cousine parallèle (1/3 des cas) [...]. Ce modèle extrêmement simple [...] fournit une hypothèse pour expliquer les fréquences avec lesquelles s'observent, chez les peuples de culture arabo-musulmane, aussi bien l'endogamie de lignée agnatique que les autres formes typiques de la pratique matrimoniale effective [10]. » On pourrait être tenté de mettre au crédit de ce modèle le fait qu'il se présente comme la transposition à l'ordre objectif et collectif d'une des représentations que les agents se font de leurs stratégies matrimoniales et qu'il s'efforce de rendre compte des données statistiques, à la différence des théories traditionnelles du « mariage préférentiel » qui se contentent du constat de la divergence, imputée à des facteurs secondaires, démographiques par exemple, entre la « norme » (ou la « règle ») et la pratique [11] ; mais ce serait se laisser prendre aux apparences de rigueur que la combinaison de l'empirisme et du formalisme produit en définitive à bon compte : le gaspillage ostentatoire des signes extérieurs de la « scientificité », tels que diagrammes obscurs et calculs abscons, pourrait en effet n'avoir d'autre fonction que de dissimuler les économies réalisées dans la construction de l'objet et dans l'établissement des faits. Lorsqu'on observe qu'il aurait suffi de pousser plus ou moins loin le jeu d'écriture généalogique permettant d'identifier au mariage avec la cousine parallèle tout mariage à l'intérieur de la lignée [12] pour s'écarter, en plus ou en moins, du pourcentage providentiel (36 % = 1/3 ?) qui, accouplé avec un propos indigène, engendre un « modèle théorique », on n'a pas besoin de faire appel à la critique épistémologique pour convaincre que le modèle n'est si parfaitement ajusté aux faits que parce qu'il a été construit par *ajustement*, c'est-à-dire inventé *ad hoc* pour rendre raison d'un artefact statistique, et non élaboré à partir d'une théorie des principes de production des pratiques [13]. Il y a, disait Leibniz, une équation pour la courbe de chaque visage. Et, par les temps qui courent, on trouvera toujours quelque mathématicien pour démontrer que deux cousines parallèles à une même troisième sont parallèles entre elles...

Mais les produits inconséquents de l'intention formellement conséquente de soumettre les généalogies à l'analyse statistique ont au moins pour vertu de révéler les propriétés les plus fondamentales de la généalogie, cet instrument d'analyse qui n'est jamais lui-même pris pour objet d'analyse. On voit d'emblée ce que peut avoir d'étrange le projet de calculer des taux d'endogamie dans un cas où, comme ici, c'est la notion même de *groupe endogame* qui est en question, donc la base de calcul [14]. Faut-il se contenter des découpages abstraitement opérés *sur le papier*, c'est-à-dire au vu de généalogies qui ont la même étendue que la mémoire du groupe, elle-même fonction dans sa structure et son étendue des *fonctions* accordées par le groupe à ceux qu'elle mémorise et oublie ? Voyant dans le schéma de la lignée une représentation idéologique à laquelle les Bédouins ont recours pour se donner une « compréhension première » de leurs relations présentes, E. L. Peters [15] remarque que ce schéma ignore les rapports de force réels entre les segments équivalents généalogiquement, qu'il oublie les femmes et qu'il traite comme de simples « accidents contingents » les facteurs écologiques, démographiques et politiques les plus fondamentaux. Et, de fait, les généalogies les plus rigoureusement contrôlées présentent les lacunes systématiques qui caractérisent la mémoire collective.

La force du souvenir étant proportionnelle à la valeur que le groupe accorde à chaque individu au moment de la recollection, les généalogies enregistrent mieux les hommes (et par suite leurs mariages), surtout quand ils ont produit une nombreuse descendance masculine, que les femmes (sauf, évidemment, quand celles-ci se sont mariées à l'intérieur de la lignée) ; elles enregistrent les mariages proches mieux que les mariages lointains, les mariages uniques plutôt que la série complète de tous les mariages contractés par un même individu (polygamie, remariages multiples après divorces et veuvages). Et tout incite à supposer que des lignes entières peuvent être passées sous silence par les informateurs lorsque le dernier représentant est mort sans descendance aucune ou, ce qui revient au même, sans descendance masculine. A tous les

Niveau généalogique	HOMMES						FEMMES					
	Généalogie I			Généalogie II			Généalogie I			Généalogie II		
	(1)	(2)	(3)	(1)	(2)	(3)	(1)	(2)	(3)	(1)	(2)	(3)
I	1	0	0	1	0	0	0	0	0	0	0	0
II	3	0	0	2	0	0	0	0	0	0	0	0
III	9	5	7	2	1	1	2	0	0	0	0	0
IV	15	13	18	6	5	6	3	1	2	2	0	0
V	19	17	21	17	15	18	8	7	9	6	5	7
VI	17	17	19	29	29	42	15	14	14	24	20	23
VII	21	19	23	49	49	59	15	13	14	47	46	55
VIII	17	14	20	15	15	16	13	13	13	17	17	17
IX							1	1	1	1	1	1
Total	102	85	108	121	114	142	57	49	53	97	89	103

Généalogie I : famille du massif de Collo ; Généalogie II : famille de Petite Kabylie.

(1) Nombre de sujets – hommes et femmes – enregistrés par les généalogies.
(2) Nombre de sujets – hommes et femmes – dont la généalogie a enregistré le mariage, ou au moins un mariage s'ils se sont mariés plusieurs fois.
(3) Nombre de mariages que la généalogie a enregistrés pour les hommes et pour les femmes.

Ce nombre est supérieur au nombre de sujets (hommes et femmes) mariés (2) en raison des mariages répétés d'un grand nombre d'entre eux : remariages successifs pour les hommes et les femmes, après divorces ou veuvages et, de plus, mariages polygamiques pour les hommes.

niveaux généalogiques, mais surtout aux niveaux les plus élevés, les mariages féminins sont toujours nettement moins nombreux que les mariages masculins : cet écart ne peut s'expliquer ni par la liberté qui est théoriquement accordée à l'homme d'avoir plusieurs épouses, de répudier sa femme sans encourir le déshonneur – tandis que la femme trouve son intérêt matériel et symbolique, son « accomplissement » (*thachbaḥth*, la beauté) dans un mariage stable, propre à satisfaire et ses parents et sa famille d'adoption –, ni par l'obligation qui est faite au veuf de se remarier – alors que la veuve, même encore très jeune, est exclue du marché matrimonial par son statut de mère tenue d'élever l'enfant de son mari, surtout s'il s'agit d'un garçon : « une femme ne peut rester – veuve – pour une autre femme », dit-on de la veuve qui n'ayant que des filles est encouragée à se remarier, tandis que celle qui est mère de garçons est louée pour son sacrifice et cela d'autant plus qu'elle est plus jeune et qu'elle s'expose ainsi à supporter la condition pénible d'étrangère parmi les sœurs de son mari et les épouses des frères de son mari. Sans produire ici la totalité du matériel généalogique recueilli (plus de trente généalogies de familles de montagnards du massif de Collo, de la Grande et de la Petite Kabylie, de l'Ouarsenis et d'ouvriers agricoles installés dans les fermes de la vallée du Chélif, etc.) et la totalité du traitement opéré sur ce matériel (décompte selon les niveaux généalogiques des mariages des hommes et des femmes et répartition de ces mariages en mariages avec la cousine parallèle stricte et avec une tout autre cousine patrilinéaire, en mariages endogamiques à l'intérieur de la parenté élargie, en mariages avec une cousine croisée matrilinéaire que celle-ci soit ou non en même temps une cousine patrilinéaire au second degré, etc. ; taux d'endogamie, de l'endogamie la plus stricte – mariage avec la fille du frère du père – jusqu'à la plus élargie – mariage à l'intérieur du groupe dont tous les membres se considèrent comme parents même s'il n'y a entre eux aucun lien généalogique et aucune communauté de nom – ; taux de polygamie pour les hommes ; taux de remariage après divorces et veuvages pour les hommes et pour les femmes, etc.), on se contentera de donner, à titre d'exemple, pour deux généalogies empruntées l'une à la région de Collo et l'autre à la Petite Kabylie un dénombrement des mariages qui fait voir que l'écart numérique entre les mariages des hommes et les mariages des femmes va en s'accroissant au fur et à mesure qu'on remonte les niveaux généalogiques. Ce n'est qu'à partir de la sixième génération que les généalogies mentionnent les femmes à peu près dans la même proportion que les hommes : à la cinquième génération encore, le nombre des femmes qui apparaissent dans la généalogie est le tiers de celui des hommes. Tout au long de l'arbre généalogique, le nombre des femmes reste inférieur à celui des hommes, même si l'écart va en s'atténuant au fur et à mesure que l'on descend les niveaux généalogiques (la généalogie de Collo mentionne 57 femmes pour 102 hommes, et celle de la Petite Kabylie 97 femmes pour 121 hommes). La proportion des mariages oubliés (jusqu'à la cinquième génération) atteint respectivement le quart (soit en chacune des généalogies, 12 sur 47 et 7 sur 28) pour les hommes et le tiers pour les femmes (5 sur 13 dans une généalogie et 3 sur 8 dans l'autre).

Ou bien faut-il reprendre les découpages que les agents eux-mêmes opèrent en fonction de critères qui ne sont pas nécessairement généalogiques ? Mais c'est pour découvrir que les chances qu'un individu fasse un mariage socialement tenu pour assimilable au mariage avec la fille de son *'amm* sont d'autant plus grandes que la lignée usuelle (pratiquement mobilisable) est plus grande (et aussi du même coup, le nombre des partenaires potentielles) et que sont plus fortes les pressions et plus probables les urgences capables de l'incliner ou de le contraindre à se marier dans la lignée. Lorsque l'indivision est rompue et que rien ne vient rappeler et entretenir la relation généalogique, la fille du frère du père peut n'être pas plus proche, dans l'espace social pratiquement appréhendé, que n'importe quelle autre cousine patrilatérale (ou même matrilatérale) ; au contraire, une cousine plus éloignée dans l'espace généalogique peut être l'équivalent pratique d'une *bent'amm* lorsque les deux cousins font partie d'une même « maison » fortement unie, vivant en indivision totale, sous la conduite d'un ancien. Et lorsque les informateurs répètent avec beaucoup d'insistance qu'on se marie moins dans la lignée aujourd'hui qu'on ne le faisait autrefois, peut-être sont-ils simplement victimes d'une illusion suscitée par le dépérissement des grandes familles indivises.

On voit qu'il ne suffit pas, comme font les observateurs les plus avisés, de glisser prudemment de la notion de mariage préférentiel avec la cousine parallèle à la notion d'« endogamie de lignage » et de chercher dans ce langage vague et distingué une manière de fuir les problèmes que pose la notion d'endogamie, ceux-là mêmes que recèle le concept trop familier de *groupe*. On peut se demander d'abord ce qui se trouve impliqué dans le fait de définir un groupe par la relation généalogique unissant ses membres et par cela seulement, donc de traiter (implicitement) la parenté comme condition nécessaire et suffisante de l'unité d'un groupe. Il serait facile et tentant de se débarrasser du problème en opposant ceux qui postulent, au moins implicitement, que le système des *noms* de parenté, langage utilisé pour nommer et classer les agents et leurs relations, commande réellement les pratiques ou, en d'autres termes, exprime les structures et les mécanismes structuraux capables de les commander effectivement, et ceux qui, en réaction contre cette forme d'*idéalisme*, ne voient dans le système des appellations et, plus généralement, dans les représentations généalogiques, qu'un système de rationalisation de structures sociales fondées sur de tout autres principes. En fait, peut-être faut-il refuser l'alternative pour se demander si ce n'est pas en tant qu'instrument de connaissance et de construction du monde social que les structures de parenté remplissent une fonction politique (cela à la façon de la religion et de toute autre idéologie). Le langage de la parenté fournit sans nul doute les principes de la structuration de la représentation du monde social et, par là, un des principes fondamentaux de toutes les pratiques sociales : que sont les termes d'adresse et de référence sinon des *catégories de parenté*, au sens étymologique d'imputations collectives et publiques (*katègoreisthai* signifiant primitivement accuser publiquement, imputer quelque chose à quelqu'un à la face de tous), collectivement approuvées et attestées comme évidentes et nécessaires ? Les « mots de la tribu » sont des mots d'ordre, des ordres au sens d'impératifs, mais qui peuvent se dire à l'indicatif, puisqu'ils ne font qu'énoncer l'ordre du monde. Dire d'un homme que « c'est un homme », c'est dire bien plus et autre chose que son appartenance au genre humain et toutes les propositions de la forme « ceci est ceci » sont autant de pétitions de principe lorsque, sous apparence d'énoncer l'être, elles contribuent à faire être ce qu'elles énoncent. Pour mesurer le pouvoir de constitution de ces désignations cognitives-pratiques, grosses d'un univers de perceptions et d'interdits, que sont les termes de parenté, il suffit de penser à tout ce qu'enferme une expression comme « c'est ta sœur », *indication impérative* qui est le seul énoncé pratique du tabou de l'inceste. Mais s'il n'est pas de relation sociale qui ne s'organise en fonction d'une représentation de l'univers social structurée selon les catégories de parenté, il serait naïf de croire que les pratiques sociales, s'agirait-il des relations avec les parents, soient impliquées dans leur définition généalogique. Le schéma généalogique des relations de parenté que construit l'ethnologue ne fait que reproduire la représentation *officielle* des structures sociales, représentation produite par l'application du principe de structuration *dominant, sous un certain rapport*, c'est-à-dire dans certaines situations et en vue de certaines fonctions, et publiquement proclamée, par opposition aux représentations privées, propres à des fractions particulières.

Dès que l'on pose explicitement la question des *fonctions* des relations de parenté ou, plus brutalement, de l'utilité des parents, que les théories de la parenté préfèrent tenir pour résolue, peut-être parce qu'elle introduirait le langage de l'intérêt là où l'on préfère parler le langage plus décent de la règle, on ne peut manquer d'apercevoir que les usages de la parenté que l'on peut appeler généalogiques sont réservés aux situations officielles, dans lesquelles ils remplissent une fonction de mise en ordre du monde social et de légitimation de cet ordre ; par quoi ils s'opposent à d'autres espèces d'usages pratiques des relations de parenté, qui sont eux-mêmes un cas particulier de l'utilisation des *relations* (celles dont on dit qu'on les *a* et qu'on les *cultive*). Le mariage fournit une bonne occasion d'observer tout ce qui sépare, dans la pratique, la parenté officielle, une et immuable, définie une fois pour toutes par les normes protocolaires de la généalogie, et la parenté usuelle, dont les frontières et les définitions sont aussi nombreuses et variées que les utilisateurs et les occasions de l'utiliser. C'est la parenté usuelle qui fait les mariages ; c'est la parenté officielle qui les célèbre. Dans les mariages ordinaires, les contacts qui précèdent la demande officielle (*akhtab*) et les négociations les moins avouables, portant sur ce que l'idéologie officielle entend ignorer, comme les conditions économiques du mariage, le statut offert à la femme dans la maison de son mari, les rapports avec la mère du mari, sont laissés aux personnages les moins qualifiés pour représenter le groupe et pour l'engager, donc toujours susceptibles d'être désavoués, soit une vieille femme, le plus souvent une sorte de professionnelle de ces contacts secrets, une sage-femme ou quelque autre femme habituée à se déplacer de village en village. Dans les négociations difficiles entre des groupes éloignés, la déclaration des intentions incombe à un homme connu et prestigieux appartenant à une unité assez distante et distincte du groupe des preneurs pour apparaître comme *neutre* et être en mesure d'agir de complicité avec un personnage occupant à peu près la même position par rapport au groupe des donneurs (ami ou allié plutôt que parent) : la personne ainsi mandatée évite de procéder à une démarche expresse et s'arrange pour trouver une occasion de rencontrer une personne située « du côté de la jeune fille » et de s'ouvrir à elle des intentions de la famille intéressée. Quant à la demande officielle, elle est présentée par le moins responsable des responsables du mariage, c'est-à-dire le frère aîné et non le père, l'oncle paternel et non le grand-père, etc., accompagné, surtout s'il est jeune, d'un parent d'une autre ligne. Pour *ahallal*, ce sont des hommes de plus en plus proches généalogiquement du marié et de plus en plus prestigieux (soit, par exemple, dans un premier temps le frère aîné et l'oncle maternel, puis, dans un second temps, l'oncle paternel et un des notables du groupe, puis les mêmes accompagnés de plusieurs notables, ceux du groupe et ceux du village ainsi que le *taleb*, auxquels s'adjoindront plus tard les marabouts du village, puis le père accompagné des notables des villages proches et même de la tribu voisine, etc.) qui présentent leurs sollicitations à des hommes de la famille de la mariée de plus en plus éloignés généalogiquement et spatialement. Au terme, ce sont les plus grands et les plus lointains des parents de la jeune fille qui viennent intercéder auprès du père et de la mère de la jeune fille de la part des parents les plus proches et les plus prestigieux du jeune homme qui les ont eux-mêmes sollicités. Enfin, l'acceptation est proclamée devant le plus grand nombre d'hommes et portée à la connaissance du plus éminent des parents du jeune homme par le plus éminent des parents de la jeune fille qui a été sollicité pour appuyer la demande. Si, à mesure que les négociations avancent et qu'elles s'acheminent vers la réussite, la parenté usuelle peut céder la place à la parenté officielle, la hiérarchie sous le rapport de l'*utilité* étant à peu près exactement l'inverse de la hiérarchie sous le rapport de la légitimité généalogique, c'est d'abord que l'on n'a pas intérêt à « engager » d'emblée dans la négociation des parents qui, par leur position généalogique et sociale, engageraient trop fortement leurs mandants – cela tout particulièrement dans une situation d'infériorité conjoncturelle qui s'associe souvent à une supériorité structurale (du fait que l'homme se marie plutôt de haut en bas) – ; c'est ensuite que l'on ne peut demander à n'importe qui de se mettre dans la position de solliciteur exposé à un refus et, à plus forte raison, d'entrer dans des négociations peu glorieuses, souvent pénibles, parfois déshonorantes pour les deux parties (comme la pratique appelée *thaj'alts* et consistant à acheter contre de l'argent l'intervention de parents de la jeune fille demandée en mariage auprès des parents responsables de la décision) ; c'est enfin que, dans la phase *utile* des négociations, la recherche de l'efficacité maximale oriente les choix vers les personnes connues pour leur habileté ou pour leur autorité particulière auprès de la famille considérée ou pour leurs bonnes relations avec une personne capable d'influencer la décision. Et il est naturel que ceux qui ont réellement « fait » le mariage doivent se contenter, dans la phase officielle, de la place qui leur est assignée non par leur utilité mais par leur position dans la généalogie, se trouvant ainsi voués, comme on dit au théâtre, à « jouer les utilités » au profit des « grands rôles ». Ainsi, pour schématiser, la parenté de représentation s'oppose à la parenté usuelle comme l'officiel et le non-officiel (qui englobe l'officieux et le scandaleux) ; le collectif et le particulier (entendu comme le moins collectif) ; le public, explicitement codifié dans un formalisme magique ou quasi juridique, et le privé, maintenu à l'état implicite, voire caché ; le rituel, pratique sans sujet, susceptible d'être accomplie par des agents interchangeables parce que collectivement mandatés, et la stratégie, orientée vers la satisfaction des intérêts pratiques d'un agent ou d'un groupe d'agents particuliers. Les unités abstraites qui, produites par simple découpage théorique, comme ici la ligne d'unifiliation (ou ailleurs la classe d'âge), sont disponibles pour toutes les fonctions, c'est-à-dire pour aucune en particulier, n'ont d'équivalent pratique que les usages les plus *officiels* de la parenté : la parenté de *représentation* n'est autre chose que la représentation que le groupe se fait de lui-même et la représentation quasi théâtrale qu'il se donne de lui-même en agissant conformément à la représentation qu'il a de lui-même. A l'opposé, les groupes usuels n'existent que par et pour les fonctions particulières en vue desquelles ils sont *effectivement mobilisés* et ils ne subsistent que parce qu'ils ont été maintenus en état de marche par leur utilisation même et par tout un travail d'entretien (dont font partie les échanges matrimoniaux qu'ils rendent possibles) et parce qu'ils reposent sur une communauté de dispositions (habitus) et d'intérêts telle que celle que fonde l'indivision du patrimoine matériel et symbolique.

Utilité, conformité et utilité de la conformité

Traiter les relations de parenté comme quelque chose que l'on fait et dont on fait quelque chose, ce n'est pas seulement, comme les taxinomies en vigueur pourraient le faire croire, substituer une interprétation « fonctionnaliste » à une interprétation « structuraliste » ; c'est mettre radicalement en question, au nom d'une théorie de la pratique en tant que pratique, la théorie implicite de la pratique qui porte la tradition ethnologique à appréhender les relations de parenté « sous forme d'objet ou d'intuition », comme dit Marx, plutôt que sous la forme des pratiques qui les produisent, les reproduisent ou les utilisent par référence à des fonctions nécessairement pratiques [16]. Ce qui vaut des relations de filiation vaut, *a fortiori*, des relations d'affinité : en effet, c'est seulement quand l'on enregistre ces relations comme *fait accompli, post festum*, à la façon de l'ethnologue qui enregistre une généalogie, que l'on peut oublier qu'elles sont le produit de stratégies (conscientes ou inconscientes) orientées en vue de la satisfaction d'intérêts matériels et symboliques et organisées par référence à un type déterminé de conditions économiques et sociales. Lorsqu'on s'en tient aux coups déjà joués (quand ce n'est pas à ceux que l'idéologie indigène désigne comme les plus remarquables, tel le mariage avec la cousine parallèle patrilinéaire) et que l'on ne détient à leur propos que des informations généalogiques (c'est-à-dire la relation de parenté entre les conjoints), on se condamne à reprendre inconsciemment la théorie de la pratique qui s'impose toutes les fois que l'on s'efforce de dégager du produit les principes de sa production, de l'*opus operatum* le *modus operandi*. Par un paralogisme qui est au principe de tous les discours de la méthode, on fait comme si le chemin parcouru avait été produit selon les règles (l'académisme et la méthodologie ne faisant que tirer les conséquences de cette inconséquence lorsqu'ils veulent soumettre la production aux règles qu'ils ont rétrospectivement dégagées du produit).

La concurrence et les conflits auxquels donne lieu la transmission des prénoms sont une occasion d'observer les fonctions pratiques et politiques de ces marqueurs généalogiques : s'approprier ces indices de la position généalogique (Untel, fils d'Untel, fils d'Untel, etc.) qui sont en même temps des *emblèmes*, symbolisant tout le capital symbolique accumulé par une lignée, c'est en quelque sorte s'emparer d'un *titre* donnant des droits privilégiés sur le patrimoine du groupe. *Thaymats*, c'est-à-dire l'état des rapports de force et d'autorité entre les parents contemporains, commande ce que sera *thadjadith*, c'est-à-dire l'histoire collective ; mais cette projection symbolique des rapports de force entre des individus et des groupes en concurrence contribue encore à renforcer ces rapports de force en accordant aux dominants le droit à professer la mémoire intéressée du passé le mieux fait pour légitimer leurs intérêts présents. Donner à un nouveau-né le nom d'un grand ancêtre, ce n'est pas seulement accomplir un acte de piété filiale mais prédestiner en quelque sorte l'enfant ainsi désigné à « ressusciter » l'ancêtre éponyme (*isakrad djedi-s*, il a « ressuscité » son grand-père), c'est-à-dire à lui succéder dans ses charges et ses pouvoirs. On comprend que l'on préfère éviter de donner à un nouveau-né le nom d'un parent encore vivant : ce serait le « ressusciter » avant qu'il ne soit mort, lui lancer un défi injurieux et, chose plus grave, une malédiction (la présence des considérations magiques dans l'attribution des noms se voit aussi à maint autre indice tel le fait que, pour exorciser la menace de stérilité attachée à certains prénoms, on leur fait subir une légère déformation). Cela même lorsque la rupture d'indivision est consacrée par le partage solennel du patrimoine ou à la suite de l'éclatement de la famille consécutif à l'émigration en ville ou en France. On comprend dans la même logique qu'un père ne peut donner son prénom à son fils et que lorsqu'un fils porte le nom de son père, c'est qu'il est né peu de temps après la mort du père qui « l'a laissé dans le ventre de sa mère ». Mais, en ce domaine comme ailleurs, les échappatoires et les subterfuges ne manquent pas. Il arrive que l'on change le prénom initialement attribué à l'enfant, afin de lui donner un nom rendu disponible par la mort de son père ou de son grand-père (le premier nom, que la mère et les femmes de la famille continuent à utiliser, se trouvant alors réservé aux usages privés). Il arrive que le même prénom soit donné sous des formes légèrement différentes à plusieurs enfants, au prix d'une addition ou d'une suppression (*e. g.* Mohand Ourabah au lieu de Rabah ou l'inverse ; Akli au lieu de Mohand Akli ou l'inverse) ou d'une altération légère (Beza au lieu de Mohand Ameziane, Hamimi ou Dahmane à la place de Ahmed, Ouali ou Alilou à la place de Ali, ou encore Seghir ou Mohand Seghir, formes arabisées, à la place de Meziane ou Mohand Ameziane). De même, si l'on évite de désigner un enfant du même nom que son frère aîné, certaines associations de noms très proches les uns des autres ou dérivés d'un même nom sont très prisées (Ahcène et Elhocine, Ahmed ou Mohamed, Seghir ou bien Meziane et Moqrane, etc.) surtout si l'un de ces noms est celui d'un ancêtre.

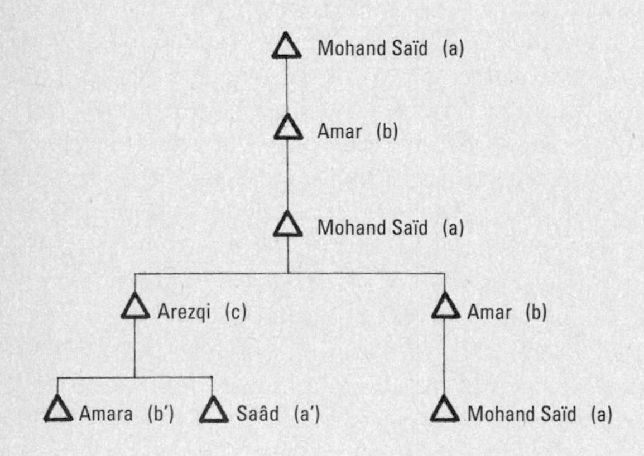

Mohand Saïd (III_a) *(cf. arbre généalogique ci-dessus)* a repris le nom de son grand-père I_a ; il a prénommé son premier fils d'un nouveau nom Arezqi et son deuxième fils du nom de son père Amar (IV_b). Arezqi voulant donner à son fils aîné le nom de son grand-père (Amar), alors que ce nom est toujours porté par son frère, ne pouvait le reprendre tel quel sans risque de confusion et surtout sans que la chose apparaisse comme discourtoise et, bien plus grave, comme une marque d'hostilité à l'égard de son frère, pour peu que s'en mêlent des réinterprétations magico-rituelles. Il ne lui reste plus qu'à recourir à une des variantes de Amar (IV_b) : *Amara* ($V_{b'}$). De même pour son second fils, le nom de Mohand Saïd, un moment disponible après la mort du père (III_a), ayant été repris par Amar (IV_b) qui l'a donné à son fils (V_a), il recourt à une variante *Saâd* ($V_{a'}$).

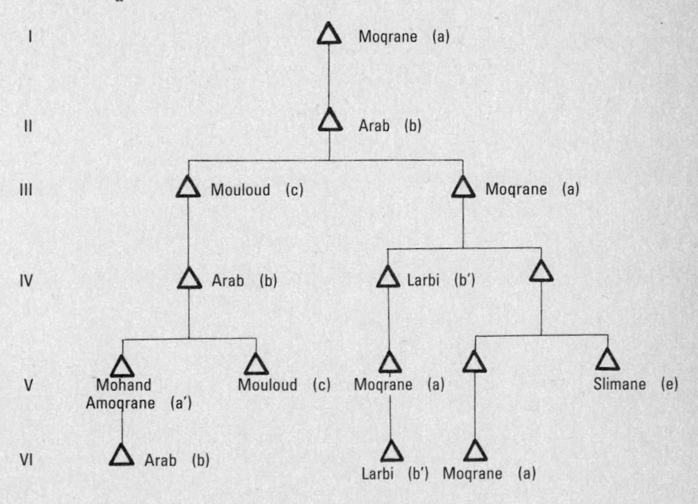

La descendance de Mouloud (III_c) *(cf. arbre généalogique ci-dessus)* a conservé le nom de Arab qui était porté par l'ancêtre II_b pour l'attribuer à IV_b et à VI_b ; elle s'est donné une variante, Mohand Amoqrane (V_a), du nom du premier ancêtre I_a ; la descendance de Moqrane (III_a) a fait le choix symétrique et complémentaire en reprenant le prénom Moqrane tel quel (I_a – III_a – V_a et VI_a) et en se donnant le prénom Larbi, variante de Arab ($IV_{b'}$ et $VI_{b'}$).

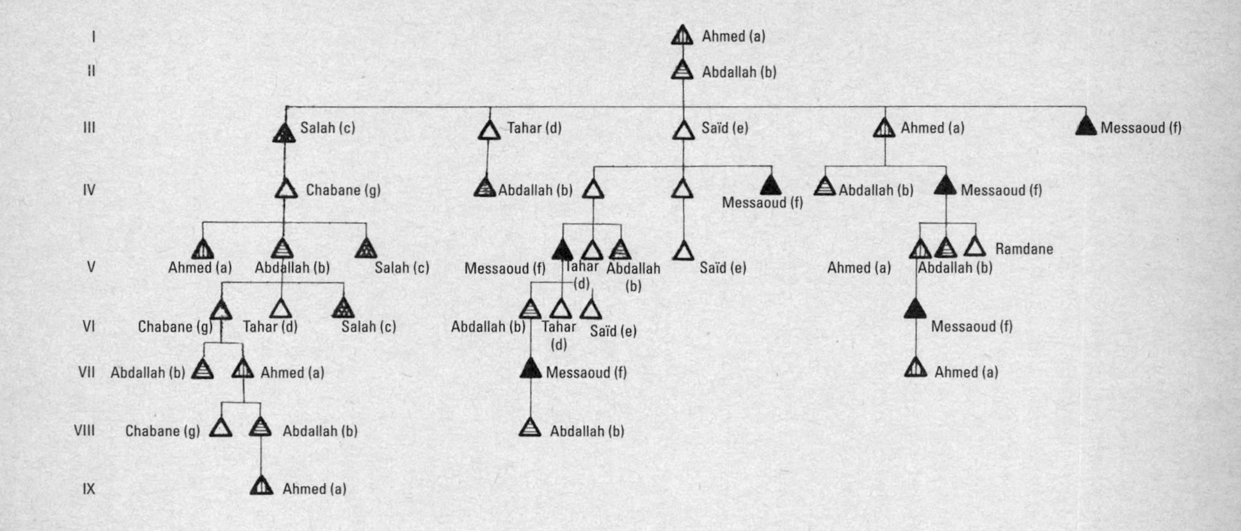
I
Ahmed (a)
II
Abdallah (b)
III
Salah (c)
Tahar (d)
Saïd (e)
Ahmed (a)
Messaoud (f)
IV
Chabane (g)
Abdallah (b)
Messaoud (f)
Abdallah (b)
Messaoud (f)
V
Ahmed (a)
Abdallah (b)
Salah (c)
Messaoud (f)
Tahar (d)
Abdallah (b)
Saïd (e)
Ahmed (a)
Abdallah (b)
Ramdane
VI
Chabane (g)
Tahar (d)
Salah (c)
Abdallah (b)
Tahar (d)
Saïd (e)
Messaoud (f)
VII
Abdallah (b)
Ahmed (a)
Messaoud (f)
Ahmed (a)
VIII
Chabane (g)
Abdallah (b)
Abdallah (b)
IX
Ahmed (a)

Du fait que le champ des prénoms exclus est d'autant plus grand que la famille est plus intégrée, on peut trouver dans la distribution des prénoms un indice du « sentiment » de la lignée. Le même nom ou des séries entières constituées des mêmes noms peuvent coexister dans une même généalogie en suivant des lignes parallèles : plus l'origine commune est éloignée (ou plus l'unité entre les sous-groupes est affaiblie), plus il paraît légitime d'utiliser les mêmes noms, perpétuant le souvenir des mêmes personnes dans des lignées de plus en plus autonomes.

La descendance de Abdallah (II_b) *(cf. arbre généalogique ci-contre)*, fils de Ahmed (I_a), s'est subdivisée en trois branches, une branche issue de Salah (III_c), une autre de Saïd (III_e) et la troisième de Ahmed (III_a). Chacune de ces branches reprend évidemment le nom de son fondateur, en sorte que l'on a pour Salah : III_c – V_c – VI_c – etc. ; pour Saïd : III_e – V_e – VI_e – etc., et pour Ahmed : III_a – V_a – VII_a – etc.

Outre ces noms qui pourraient constituer le « capital » propre à chacune des trois lignées, elles reprennent toutes un certain nombre de noms qui semblent appartenir au patrimoine commun à l'ensemble de la descendance, c'est-à-dire soit les noms des deux ancêtres Ahmed et Abdallah, soit les noms des hommes qui n'ont pas eu une descendance masculine capable de perpétuer leur souvenir. Parallèlement à la série inaugurée déjà à la troisième génération pour Ahmed (III_a), la descendance de Salah (III_c) comporte une seconde série de prénoms Ahmed (V_a – VII_a et IX_a) : Abdallah, à l'origine repris par la descendance de Ahmed (III_a) et de Tahar (III_d) qui se sont toutes les deux éteintes en IV_b et en VII_b et deux fois en VIII_b. Puisque aucun des deux hommes du niveau généalogique IV ayant porté le nom de Abdallah n'a eu de fils, ce nom ne peut être repris en ligne directe, pas plus que le nom Tahar (III_d) qui court d'ailleurs un plus grand risque d'être abandonné, car à l'inverse de Abdallah porté par l'ancêtre commun (II_b), il ne peut être repris par des descendants directs plus enclins que les collatéraux à reprendre et à entretenir le capital symbolique qu'il représente. Il faut donc qu'il y ait dans l'une ou l'autre famille profusion d'hommes pour que Tahar soit réutilisé (soit, dans la descendance de III_c, en VI_d, et dans la descendance de III_e en V_d et VI_d). Quant à Messaoud (III_f), faute de descendance, il est dispersé entre les différentes branches, soit dans la descendance de Saïd (III_e) : IV_f et VII_f, et dans la descendance de Ahmed (III_a) : IV_f et VI_f.

La distribution des noms selon les lignes et les niveaux généalogiques est un bon indice de l'aptitude du groupe à maintenir son intégration en surmontant les virtualités de crise qu'enferment tous les problèmes de succession, problèmes particulièrement difficiles à maîtriser : seule en effet une série miraculeuse de hasards pourrait harmoniser automatiquement l'ordre des décès ouvrant les vacances de noms et l'ordre des naissances ouvrant les droits à les revendiquer, de telle manière que la hiérarchie des préséances généalogiques soit respectée. Le maximum d'économie onomastique est ainsi atteint par une famille maraboutique de l'Ouarsenis fortement endogame, qui n'utilise que 14 prénoms masculins et 10 prénoms féminins, pour nommer 124 hommes et 84 femmes, manifestant ainsi l'indivision de son patrimoine symbolique. Pour échapper à la confusion qui en résulte même pour les proches qui disposent de différentes techniques d'identification (filiation, référence à une subdivision de la parenté, à une maison, sobriquet, etc.), on recourt à toute une série d'artifices, les uns à l'usage des intimes (soit les diminutifs et autres déformations des prénoms, Hand pour M'hand, ou Aqa pour Abdelkader, l'addition au nom du père du nom de la mère, le plus souvent membre de la lignée, en raison de l'endogamie élevée), les autres à l'usage des étrangers, à savoir l'énoncé complet des relations généalogiques (*e. g.* Djelloul M'hand Mohamed Abdelkader Ahmed Amar Ouali).

Il s'ensuit que les prénoms prestigieux, comme les terres les plus nobles, sont l'objet d'une concurrence réglée et que le « droit » à s'approprier le prénom le plus convoité, parce qu'il proclame continûment la relation généalogique à l'ancêtre dont la mémoire est conservée par le groupe et hors du groupe, se distribue selon une hiérarchie analogue à celle qui régit les obligations d'honneur en cas de vengeance ou les droits sur une terre du patrimoine en cas de vente : ainsi, le prénom se transmettant en ligne patrilinéaire directe, le père ne peut donner à un enfant le nom de son propre *'amm* ou de son propre frère (*'amm* de l'enfant) dans le cas où ces derniers ont laissé des fils déjà mariés, donc en mesure de reprendre le nom de leur père pour l'un de leurs fils ou petits-fils. Ici comme ailleurs, le langage de la norme et de l'obligation (doit, ne peut, etc.), plus commode parce que plus rapide, ne doit pas tromper : ainsi, on a pu voir un frère cadet profiter d'un rapport de force favorable pour donner à ses enfants le prénom d'un frère prestigieux, mort en ne laissant que des enfants très jeunes qui mirent par la suite leur point d'honneur à se réapproprier, au risque d'introduire la confusion, le prénom dont ils se considéraient comme les détenteurs légitimes. La concurrence est particulièrement évidente lorsque plusieurs frères souhaitent reprendre pour leurs enfants le prénom de leur père : alors que le souci de ne pas laisser un nom à l'abandon et de ne pas perpétuer le vide ainsi laissé commande que l'on donne le nom au premier garçon qui naît après la mort de son porteur, l'aîné peut en différer l'attribution afin de le décerner à l'un de ses petits-fils, au lieu de le laisser pour le fils d'un de ses frères plus jeune, sautant ainsi un niveau généalogique. Mais il peut arriver aussi, à l'inverse, qu'en l'absence de toute descendance masculine, un nom se trouve exposé à tomber en déshérence et que la charge de le « ressusciter » incombe d'abord aux collatéraux, ensuite plus largement à tout le groupe qui manifeste par là que son intégration et sa richesse en hommes le mettent en état de reprendre les noms de tous les ascendants directs et de réparer par surcroît les défaillances survenues ailleurs (une des fonctions du mariage avec la fille de *'amm*, quand celui-ci meurt sans descendance, étant de permettre à la fille de veiller à ce que le nom de son père ne disparaisse pas).

L'ethnologue est particulièrement mal placé pour soupçonner la distinction entre la parenté officielle et la parenté usuelle : n'ayant lui-même rien à faire de la parenté (au moins de la parenté des autres, qu'il prend, comme on dit, pour objet, c'est-à-dire pour un objet), sinon des usages cognitifs, il est disposé à prendre pour argent comptant les discours officiels que les informateurs sont enclins à lui proposer aussi longtemps qu'ils se perçoivent comme des porte-parole, mandatés pour porter la parole officielle du groupe sur le groupe. Le juridisme de l'ethnologue n'a rien à redire au juridisme de l'informateur. Et lorsque l'observateur se fait généalogiste, il n'a aucune raison d'entrevoir qu'il se laisse imposer la *définition officielle* de la réalité sociale qui, en tant que telle, domine ou refoule d'autres définitions : les efforts désespérés que plusieurs générations d'ethnologues ont déployés pour confirmer ou infirmer l'existence du « mariage préférentiel » avec la cousine parallèle sont là pour en témoigner. Dès que l'on pose le problème du mariage en termes strictement généalogiques, comme les informateurs ne cessent de le faire, en évoquant le mariage avec la *bent'amm*, les jeux sont faits ou, plus précisément, les limites du jeu sont définies : toutes les solutions au problème posé seront admises pourvu qu'elles s'expriment dans la langue généalogique... L'ethnologue ne pourrait briser la relation de connivence qui l'unit à l'idéologie officielle de ses informateurs (eux-mêmes le plus souvent des porte-parole « autorisés », désignés par le groupe pour leur « compétence », c'est-à-dire, dans le cas particulier, des *hommes* et des hommes *âgés* et *influents*) et rompre avec les présupposés impliqués dans le seul fait de construire le diagramme des relations de filiation, d'alliance et de germanité que l'on appelle généalogie, qu'à condition de situer cette espèce très particulière d'utilisation de la parenté par rapport aux différentes espèces d'usages que les agents peuvent en faire : lorsqu'il traite la terminologie indigène de la parenté comme un système fermé et cohérent de relations purement logiques, une fois pour toutes définies comme par construction dans et par l'axiomatique implicite d'une tradition culturelle, il s'interdit d'appréhender les différentes fonctions pratiques des termes et des relations de parenté qu'il met entre parenthèses sans le savoir ; il s'interdit du même coup de saisir le statut épistémologique d'une pratique qui, comme la sienne, suppose et consacre la neutralisation des fonctions pratiques de ces termes et de ces relations.

Faute de savoir ce que l'ethnologue fait lorsqu'il construit un arbre généalogique, schéma spatial susceptible d'être appréhendé *uno intuitu* et d'être parcouru indifféremment dans n'importe quel sens à partir de n'importe quel point, et capable de faire exister selon ce mode d'existence particulier qui est celui des objets théoriques, c'est-à-dire *tota simul*, en totalité dans la simultanéité, le réseau complet des relations de parenté à plusieurs générations, on ne peut se donner la connaissance de la pratique *en tant que pratique*, c'est-à-dire, dans le cas particulier, la connaissance des usages sociaux que les agents font pratiquement de leurs relations de parenté.

Ainsi, le calcul généalogique auquel les agents (assistés ou non de spécialistes) peuvent avoir recours dans les occasions officielles, pour mesurer le « degré » de parenté entre deux individus en remontant à leur ancêtre commun ou pour établir les préséances, remplit des fonctions directement pratiques, sans compter la fonction idéologique impliquée dans le seul fait de présenter comme des relations exclusivement généalogiques de filiation ou d'alliance des relations qui peuvent aussi être lues différemment (par exemple des relations de germanité) et qui sont toujours fondées *aussi* sur d'autres principes, par exemple économiques ou politiques, selon un procédé qui est mis en œuvre toutes les fois que l'on cherche dans les relations passées, rétrospectivement reconstruites pour les besoins de la cause, la raison d'être de relations présentes obéissant en réalité à de tout autres principes. D'autre part, les relations logiques que l'ethnologue construit sont aux relations usuelles, c'est-à-dire « pratiques » (au double sens du terme) parce que continûment pratiquées et, comme on dit, entretenues et cultivées, ce que l'espace géométrique d'une carte comme représentation imaginaire de tous les chemins et de tous les itinéraires théoriquement possibles est au réseau des chemins réellement entretenus, fréquentés, frayés, donc faciles à emprunter. Les relations officielles qui ne reçoivent pas un entretien continu, lors même qu'elles ne sont utilisées que de façon discontinue, tendent à devenir ce qu'elles sont pour le généalogiste, c'est-à-dire des relations théoriques, pareilles à des routes abandonnées sur une carte ancienne : dans cette logique, les échanges les plus importants ne sont pas ceux qui ont retenu l'attention des ethnologues par leur allure extraordinaire et ostentatoire et qui, ressortissant à la logique du défi, enferment la menace de la rupture, mais ceux qui passent inaperçus, les petits cadeaux qui marquent les moindres occasions de l'existence ordinaire et assurent la *continuité* des relations usuelles. Bref, les relations logiques de parenté auxquelles la tradition structuraliste accorde une autonomie à peu près entière par rapport aux déterminants économiques, et corrélativement une cohérence interne à peu près parfaite, n'existent sur le mode pratique que par et pour les usages officiels et officieux qu'en font des agents d'autant plus attachés à les maintenir en état de fonctionnement et à les faire fonctionner intensément – donc, en raison de l'effet de frayage, toujours plus facilement – qu'elles remplissent actuellement ou virtuellement des fonctions plus indispensables pour eux ou, dans un langage moins équivoque, qu'elles satisfont ou peuvent satisfaire des intérêts (matériels ou symboliques) plus vitaux.

Par opposition aux relations sans histoire que connaissent les généalogistes savants ou demi-savants, les relations usuelles sont définies par l'histoire dont elles sont le produit, celle des échanges économiques et symboliques qu'elles autorisent et qui les reproduisent en même temps que celle des situations dans lesquelles elles fonctionnent et dont les plus remarquables sont les cas de crime, de vente de terre ou de mariage. Sous peine de procéder à des découpages arbitraires, opérés abstraitement, en fonction des seuls critères généalogiques, il faut donc se donner, en même temps que la généalogie, la connaissance complète de l'état des transactions entre tous les individus qu'elle recense, c'est-à-dire toute l'histoire des échanges matériels et symboliques, fondement des solidarités inévitables, dans le déshonneur comme dans le prestige, dans la richesse comme dans la calamité. Soit un exemple *(cf. arbre généalogique, p. 112)*, celui du groupe désigné comme *akham* La'la, ensemble des descendants de La'la (V) ben Mohand Saïd (IV) ben Messaoud (III) ben Abbas (II) ben Djoudi (I) Nath Eldjoudi des Aït Messaoud. Tout se conjugue pour imposer la représentation de la lignée que propose la lecture de la généalogie : le discours même des agents qui aiment à invoquer la « communauté de sang » unissant tous les membres de *akham* La'la, les termes de référence qui marquent les relations de filiation directe (Untel, fils d'Untel) ou lointaine (Untel issu d'Untel – ici X… n La'la), la symbolique sciemment généalogique de l'attribution des prénoms qui permet d'affirmer la continuité de la lignée en « reproduisant » le père, le grand-père ou l'oncle – et aussi leur pouvoir – dans un successeur désigné (ici, Amara n La'la – IX – reprend le nom de son arrière-grand-père Amara n La'la – VI [3] –;

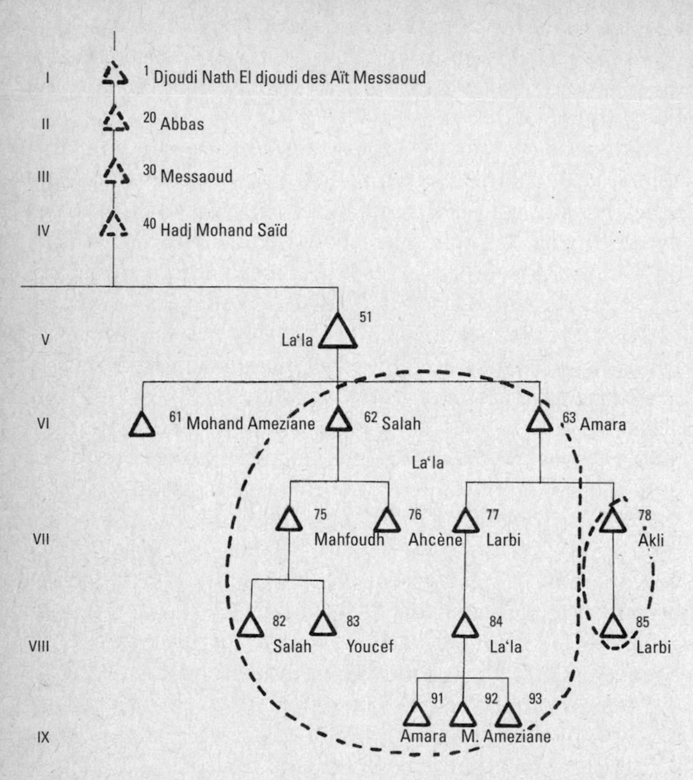

Mohand Ameziane n La'la – IX [2] – reprend celui de son arrière-grand-oncle – VI [1] – mort sans descendance ; Larbi La'la – VIII [1] – celui de son oncle – VII [3] –; Salah La'la – VIII [1] – celui de son grand-père – VI [2] –). Mais rien n'est aussi simple et les confirmations apparentes que l'ethnologue peut trouver dans les usages idéologiques de la parenté ne sauraient dissimuler tous les indices par lesquels le groupe rappelle qu'il ne traite pas comme membres d'une même famille l'ensemble des descendants de La'la : c'est ainsi que non seulement par souci de précision dans l'identification des sujets mais aussi par un effet de démystification exactement symétrique de l'effet de mystification idéologique que recherche l'annexion généalogique, les parents et les non-parents abandonnent la référence à l'ancêtre le plus lointain et le plus prestigieux pour invoquer la relation généalogique qui caractérise en propre chaque individu et le distingue de tous les autres, désignant par exemple La'la La'la – VIII^{3} –, actuellement chef de la plus grande des deux familles issues de La'la comme La'la n Amara (par référence à son grand-père, son père Larbi étant mort jeune) ou Akli – VII^{4} –, comme Akli n Amara. Cela est vrai même dans le cas où la terre est restée indivise : on pourra dire ainsi que la terre est « celle de la maison de X », tandis que les hommes seront désignés comme les « fils de Y et de Z » (eux-mêmes des fils de X). Les agents organisent leur pratique par rapport à la connaissance pratique des divisions utiles et ils utilisent comme un instrument de légitimation de l'ordre social la représentation généalogique que l'analyste traite comme un modèle théorique de la réalité sociale, faute de posséder la connaissance des principes d'unification et de division non généalogiques que seule l'histoire économique et sociale du groupe peut livrer. Ainsi, dans le cas particulier, l'unité généalogique que les agents peuvent invoquer, surtout dans cette situation officielle qu'est la relation avec l'ethnologue, s'est trouvée réellement divisée en deux « maisons », la maison de Akli n Amara (VII^{4}) et celle de La'la (VIII^{3}) du nom de leurs chefs respectifs, à la suite d'une crise que l'on peut appeler structurale puisqu'elle est survenue du vivant du dernier des fils de La'la (VI^{3}), à l'occasion de la transmission du pouvoir d'une génération à une autre : Amara n La'la (VI^{3}) a transmis le pouvoir qu'il détenait sur l'ensemble de la lignée à son petit-fils La'ala (VIII^{3}) déjà détenteur – et non point par hasard – du prénom de l'ancêtre, excluant Akli n Amara (VII^{4}) que son âge (il est le doyen de tous les hommes de la descendance de La'la) et sa relation de parenté avec le détenteur du pouvoir (il est le fils de Amara) désignaient comme l'héritier légitime. La'la n Amara, celui que l'on appelle le « fils de son grand-père » (par opposition à Akli qui n'est que le « fils de son père »), a reçu de celui-ci non seulement le privilège que constitue le fait d'être le successeur désigné dont le prénom n'est que la marque la plus visible, mais aussi une initiation spéciale aux responsabilités de « tête de la maison » (*aqaruy ukham*) : dès l'enfance, il a été détourné du travail de la terre et associé à ce que l'on pourrait appeler la politique étrangère de la famille, c'est-à-dire aux échanges économiques extérieurs, acquérant ainsi la maîtrise des techniques du marché, et aux décisions concernant les relations avec les autres groupes, s'appropriant ainsi la compétence, en particulier linguistique et rhétorique, qui définit l'« homme des assemblées » (*argaz ladjma'*), et l'autorité attachée à ce rôle. Dans la mesure où le capital symbolique, et en particulier la connaissance du jeu politique et économique, est un des facteurs déterminants de l'accès au pouvoir politique, au moins à l'intérieur de la lignée, la transmission différentielle de ce capital, ici comme ailleurs plus difficile à contrôler que la transmission du capital économique, est une des manières de tourner les préséances généalogiques. Ce cas pourtant fort simple permet d'apercevoir le caractère fondamentalement *problématique* de la relation entre les relations officielles et les relations usuelles, entre les unités officielles, publiques, et les unités usuelles, qui peuvent par exception coïncider.

Parler d'endogamie et vouloir même, dans une intention louable de rigueur, mesurer des taux d'endogamie, c'est faire comme s'il existait une définition purement généalogique de la lignée alors que chaque adulte mâle, à quelque niveau qu'il se trouve dans l'arbre généalogique, est un point de segmentation possible qui peut être effectivement actualisé en fonction d'un usage social particulier. Plus on situe le point d'origine loin dans le temps, et dans l'*espace* généalogique – et rien n'interdit, dans cet espace abstrait, de régresser à l'infini –, plus on recule les *frontières* de la lignée et plus la puissance *assimilatrice* de l'idéologie généalogique s'accroît, mais au détriment de sa vertu *distinctive*, qui augmente au contraire quand on rapproche l'origine commune : c'est ainsi que l'usage que l'on peut faire de l'expression *ath* (les descendants de, ceux de...) obéit à une logique relativiste ou mieux positionnelle tout à fait semblable à celle qui caractérise les usages du mot *cieng* selon Evans-Pritchard, le même individu pouvant, selon la circonstance, la situation, l'interlocuteur, donc selon la *fonction* assimilatrice et distinctive de l'appellation, se dire membre des Ath Abba (la maison, *akham*) ou des Ath Isa'd (*takharrubth*) ou des Ath Ousseb'a (*adhrum*) ou des Ath Yahia (*'arch*). Le relativisme absolu qui conférerait aux agents le pouvoir de manipuler sans aucune limite leur propre identité sociale ou celle des adversaires ou des partenaires qu'ils prétendent assimiler ou exclure en manipulant les limites de la classe dont les uns et les autres font partie aurait au moins le mérite de rompre avec le réalisme naïf de ceux qui ne savent pas caractériser un groupe autrement que comme une population définie par des frontières directement visibles. Toutefois, à rester enfermé dans la logique généalogique, on s'expose à ignorer que la structure d'un groupe (et par là l'identité sociale des individus qui le composent) dépend de la fonction qui est au principe de sa constitution et de son organisation. C'est ce qu'oublient aussi ceux qui s'efforcent d'échapper à l'abstraction généalogique en opposant la ligne d'unifiliation (*descent line*) qu'il vaut mieux appeler « ligne diagrammatique », avec Louis Dumont, pour marquer qu'elle n'existe que sur les diagrammes, et la ligne locale (*local line*) ou la ligne diagrammatique locale (*local descent group*), portion d'un ensemble d'unifiliation que l'unité de résidence autorise à agir collectivement en tant que groupe [17].

C'est encore succomber au réalisme que d'ignorer que les effets de la distance spatiale dépendent de la fonction en vue de laquelle s'instaure la relation sociale : si l'on peut admettre par exemple que l'utilité potentielle d'un partenaire tend à décroître avec la distance, il cesse d'en être ainsi toutes les fois que, comme dans le cas du mariage de prestige, le profit symbolique est d'autant plus grand que la relation s'établit entre personnes plus éloignées ; de même si l'unité de résidence contribue à l'intégration du groupe, l'unité que confère au groupe sa mobilisation en vue d'une fonction commune contribue à minimiser l'effet de la distance. Bref, quoique l'on puisse théoriquement considérer qu'il existe autant de groupes possibles que de fonctions, il reste que, comme on l'a vu dans le cas du mariage, on ne peut pas faire appel à n'importe qui pour n'importe quelle occasion, pas plus qu'on ne peut offrir ses services à n'importe qui pour n'importe quelle fin. Aussi pour échapper au relativisme sans tomber dans le réalisme, peut-on poser que les constantes du champ des partenaires potentiellement utiles, c'est-à-dire utilisables en fait, parce que spatialement proches, et utiles, parce que socialement influents, font que chaque groupe d'agents tend à maintenir à l'existence par un travail continu d'entretien un réseau privilégié de relations usuelles qui comprend non seulement l'ensemble des relations généalogiques maintenues en état de marche (appelées ici parenté usuelle) mais aussi l'ensemble des relations non généalogiques qui peuvent être mobilisées pour les besoins ordinaires de l'existence (ici appelées relations usuelles)[18].

S'il arrive que l'ensemble officiel des individus susceptibles d'être définis par la même relation au même ascendant situé au même niveau (quelconque) de l'arbre généalogique constitue un groupe usuel, c'est qu'en ce cas les découpages à base généalogique recouvrent au double sens du terme des unités fondées sur d'autres principes, écologiques (voisinage), économiques (indivision) et politiques. Que la valeur *descriptive* du critère généalogique soit d'autant plus grande que l'origine commune est plus rapprochée et l'unité sociale plus restreinte, cela ne signifie pas que son *efficacité unificatrice* s'accroisse corrélativement : en fait, on le verra, la relation la plus étroite généalogiquement, celle qui unit les frères, est aussi le lieu de la plus forte tension, et seul un travail de tous les instants peut maintenir la communauté d'intérêts. Bref, la simple relation généalogique ne suffit jamais à garantir par soi seule la détermination complète de la relation entre les individus qu'elle unit et elle ne revêt une telle valeur prédictive que lorsqu'elle est associée à la communauté d'intérêts que produit la possession en commun d'un patrimoine matériel et symbolique, comme vulnérabilité autant que comme propriété partagées. L'étendue de la parenté usuelle, intersection de l'ensemble des relations de parenté officielles et des relations usuelles, dépend de l'aptitude des membres de l'unité officielle à surmonter les tensions qu'engendre la concurrence des intérêts à l'intérieur de l'entreprise indivise de production et de consommation et à entretenir des relations pratiques conformes à la représentation officielle que s'en donne tout groupe qui se pense en tant que groupe intégré (*i. e.* à « faire de son frère un ami », pour reprendre les termes d'une opposition très présente dans la conscience commune), donc à cumuler les avantages que procure toute relation pratique et les profits symboliques qu'assure l'approbation socialement accordée aux pratiques conformes à la représentation officielle des pratiques.

On voit là une des manifestations de la dialectique de l'usuel et de l'officiel qui est sans doute le principe ultime de toutes les interactions sociales. La coïncidence de l'usuel et de l'officiel ne représente en effet qu'un état particulier des relations entre ces deux aspects de toute interaction sociale, mais un état privilégié, puisque, comme on l'a vu, elle permet de cumuler les profits de l'utilité et les bénéfices de la conformité : aussi comprend-on que, parmi les stratégies du second ordre qui doublent (et dissimulent) les stratégies, une des plus fréquentes consiste à simuler cette coïncidence. Les ethnologues auraient parlé moins naïvement le langage de la règle, celui qu'emploient les agents pour parler de leurs pratiques, s'ils avaient soupçonné l'existence des manipulations symboliques du sens objectif de la pratique par lesquelles on se « *met en règle* », comme on dit si bien, et qui trahissent que la pratique n'a pas la règle pour principe [19]... L'ethnologie gagnerait sans doute à se donner pour règle de tenir pour vrai que l'on n'obéit à la règle (lorsqu'elle existe en tant que telle) que dans la mesure où l'intérêt à lui obéir l'emporte de manière significative sur l'intérêt à lui désobéir. Mais, lors même qu'ils professent le matérialisme le plus radical, les ethnologues ne demandent qu'à se laisser prendre à l'équivoque savamment entretenue par laquelle tout groupe affirme son « point d'honneur spiritualiste » et fonde idéologiquement son unité en s'efforçant de se masquer et de masquer les déterminants réels de sa pratique ou, mieux, que sa pratique obéit à des déterminismes, et en particulier à des *intérêts* matériels ou symboliques : parler le langage de la *règle*, c'est croire et laisser croire que l'on ne connaît d'autre loi que celle que l'on s'est à soi-même prescrite ; c'est donner et se donner de ses mobiles la représentation la plus honorable, parce que la plus conforme à la définition que le groupe se fait des mobiles honorables, c'est-à-dire susceptibles d'être officiellement présentés et publiquement représentés.

Mais les stratégies visant à produire des *pratiques en règle* ne sont elles-mêmes qu'un cas particulier d'une classe de stratégies d'*officialisation* qui ont pour objectif de transmuer des mobiles et des intérêts « égoïstes », privés, particuliers (notions toujours relatives qui ne se définissent que dans la relation entre une unité et l'unité englobante, de niveau supérieur), en mobiles et en intérêts désintéressés, collectifs, publiquement avouables, bref légitimes. Dans une société dépourvue d'instances politiques constituées et dotées du monopole de fait de la violence légitime, une action proprement politique qui ne peut s'exercer que par l'effet d'officialisation suppose la *compétence* (au sens d'*aptitude collectivement reconnue à une autorité publique*) qui est indispensable pour manipuler la définition de la situation de manière à la rapprocher de la définition officielle de la situation propre à mobiliser le groupe le plus large possible, la stratégie inverse pouvant tendre à réduire la même situation à une simple affaire privée.

On peut voir dans la ritualisation de la violence qu'opèrent les jeux et les combats rituels (opposant des groupes fondés sur des bases purement onomastiques et mythiques, comme les ligues – *ṣfuf*, pluriel de *ṣuff*) une des manifestations les plus typiques de la dialectique de la stratégie et du rituel : bien que les combats fussent à peu près toujours motivés par une atteinte à des intérêts économiques ou symboliques – un vol de bête ou une injure à des membres du groupe, les bergers par exemple –, ils trouvaient leurs limites dans le modèle ritualisé qui s'appliquait de manière plus stricte encore dans les jeux saisonniers, dotés aussi d'une fonction rituelle, comme les jeux de balle appelés *kura* ou *qochra* (Aïn Aghbel) (les joueurs divisés en deux camps – est ou ouest – devaient, à l'aide de crosses de bois, faire pénétrer une balle, la *kura*, dans le camp adverse). On peut comprendre dans la même logique, c'est-à-dire comme manipulation symbolique de la violence visant à résoudre les tensions suscitées par le contact entre groupes étrangers, parfois traditionnellement hostiles, tous les rites, particulièrement stricts, auxquels donne lieu le mariage entre groupes lointains : la règle et le rituel sont de plus en plus nécessaires à mesure que l'on ne peut plus compter sur l'orchestration automatique des pratiques qu'assure l'homogénéité des habitus et des intérêts (par là s'explique, de façon générale, que la ritualisation des interactions croisse avec la distance entre les individus ou les groupes, donc avec la taille des groupes).

Disposer du capital d'autorité qui est nécessaire pour imposer la définition de la situation, en particulier dans les moments de crise où le jugement collectif chancelle, c'est être en mesure de mobiliser le groupe en collectivisant un incident privé par la solennisation et l'officialisation (en présentant par exemple l'injure adressée à une femme particulière comme une atteinte portée à la *ḥurma* de tout le groupe) aussi bien que de le démobiliser en désavouant l'individu ou le groupe qui est directement concerné et qui, faute de savoir se mettre en règle, se trouve réduit au statut de simple particulier, voué à apparaître comme privé de raison parce qu'il veut imposer sa raison privée, *idiôtès* en grec et *amahbul* en kabyle. En fait, les groupes demandent infiniment moins que ne le laisse croire le juridisme mais beaucoup plus cependant que les « casseurs de jeu » ne veulent leur accorder. Entre le *responsable*, qui est prédestiné à occuper les positions de porte-parole collectivement mandaté par l'excellence d'une pratique immédiatement conforme à la règle officielle parce que produite par un habitus réglé, et l'*irresponsable* qui, non content de transgresser les règles du jeu, en conteste publiquement la légitimité et prétend imposer ses propres règles, ils font une place pour le *transgresseur de bonne volonté* qui, en se mettant en règle et en accordant les apparences ou l'intention de la conformité, c'est-à-dire la *reconnaissance*, à la règle qu'il ne peut ni respecter ni refuser, contribue à l'existence, tout officielle, de la règle. On comprend que la politique offre à la dialectique de l'officiel et de l'utile son terrain d'élection : dans leur effort pour attirer sur eux-mêmes la délégation du groupe et pour la retirer à leurs concurrents, les agents en concurrence pour le pouvoir politique ne peuvent s'opposer que des stratégies rituelles et des rituels stratégiques, produits de la collectivisation symbolique des intérêts privés et de l'appropriation symbolique des intérêts officiels.

Mais la lutte pour le monopole de l'exercice légitime de la violence (c'est-à-dire, dans une société caractérisée par l'absence d'accumulation économique, pour l'accumulation du capital symbolique comme *crédit* collectivement reconnu) qui s'organise autour de l'opposition entre la raison collective et la raison privée, entre le responsable collectivement mandaté, entouré de la considération collective, et l'irresponsable déconsidéré, ne doit pas faire oublier l'opposition, nécessairement souterraine, entre l'officiel et l'officieux. La structure du système des catégories de pensée collectives pose, à titre d'axiome, que la concurrence pour le pouvoir officiel ne peut s'instaurer qu'entre les hommes, tandis que les femmes peuvent entrer dans la concurrence pour un pouvoir par définition voué à rester *officieux* ou même clandestin et occulte. On retrouve en effet, sur le terrain de la politique, la même division du travail qui confie aux hommes la religion, publique, officielle, solennelle, collective, et aux femmes la magie, secrète, clandestine et privée. Dans cette concurrence, les hommes ont pour eux tous les instruments officiels, à commencer par les représentations mythico-rituelles et les représentations de parenté, qui, par la médiation et la réduction de l'opposition entre l'officiel et le privé à l'opposition entre le dehors et le dedans, donc entre le masculin et le féminin, établissent une hiérarchisation systématique vouant les pratiques féminines et tout ce qui en advient à une existence honteuse, clandestine ou, au mieux, officieuse : lors même qu'elles détiennent le pouvoir réel, et c'est souvent le cas, en matière de mariage au moins, les femmes ne peuvent l'exercer complètement qu'à condition d'en laisser aux hommes toutes les apparences, c'est-à-dire la manifestation officielle, et de se contenter du pouvoir officieux de l'éminence grise, *pouvoir dominé* qui s'oppose au pouvoir officiel, en ce qu'il ne peut s'exercer que par procuration, sous couvert d'une autorité officielle, aussi bien qu'au refus subversif du briseur de jeu, en ce qu'il sert encore l'autorité dont il se sert.

Le statut véritable des relations de parenté, principes de structuration du monde social qui, en tant que tels, remplissent toujours une fonction politique, ne se voit jamais aussi bien que dans les usages différents que les hommes et les femmes peuvent faire du même champ de relations généalogiques et en particulier dans leurs « lectures » différentes des relations de parenté généalogiquement équivoques (relativement fréquentes du fait de l'étroitesse de l'aire matrimoniale). Il s'ensuit que dans tous les cas de relation généalogiquement équivoque, on peut toujours rapprocher le parent le plus éloigné ou se rapprocher de lui en mettant l'accent sur ce qui unit, c'est-à-dire sur la relation par les hommes (c'est le rôle du terme d'adresse *'amm*) tandis qu'on peut tenir à distance le parent le plus proche en portant au premier plan ce qui sépare, c'est-à-dire la relation secondaire par les femmes. L'enjeu de ces manipulations, qu'il serait naïf de considérer comme fictives sous prétexte qu'elles ne trompent personne, n'est autre chose, dans tous les cas, que la définition des limites pratiques du groupe que l'on peut ainsi faire passer, selon les besoins, au-delà ou en deçà de celui que l'on entend annexer ou exclure. On peut se faire une idée de ces habiletés en considérant les usages du terme *khal* (au sens strict, frère de la mère) : prononcé par un marabout à l'intention d'un paysan roturier et laïc, il exprime la volonté de se distinguer en marquant, dans les limites de la courtoisie, l'absence de toute relation de parenté légitime ; entre paysans, ce terme d'adresse manifeste l'intention d'instaurer une relation minimale de familiarité en invoquant une lointaine et hypothétique relation d'alliance. C'est la lecture officielle qui s'impose à l'ethnologue lorsque, encouragé par ses informateurs, il assimile à un mariage entre cousins parallèles la relation qui unit par

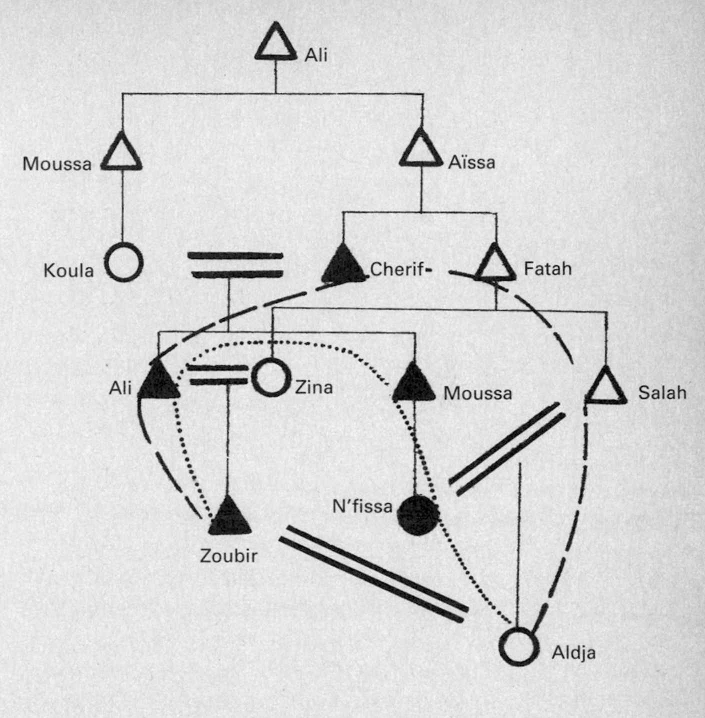

Cas 1

exemple les cousins parallèles patrilinéaires au second degré quand l'un d'eux est lui-même issu d'un mariage avec le cousin parallèle et *a fortiori* quand les deux sont le produit de pareilles unions (comme cela arrive en cas d'échanges de femmes – *labdil* ou en arabe, *ras-b-ras* tête pour tête – entre les fils de deux frères, l'un épousant la sœur de l'autre). La lecture masculine, c'est-à-dire dominante, qui s'impose avec une urgence particulière dans toutes les situations publiques, officielles, d'homme à homme, bref, dans toutes les relations d'honneur où un homme d'honneur parle à un homme d'honneur, privilé-

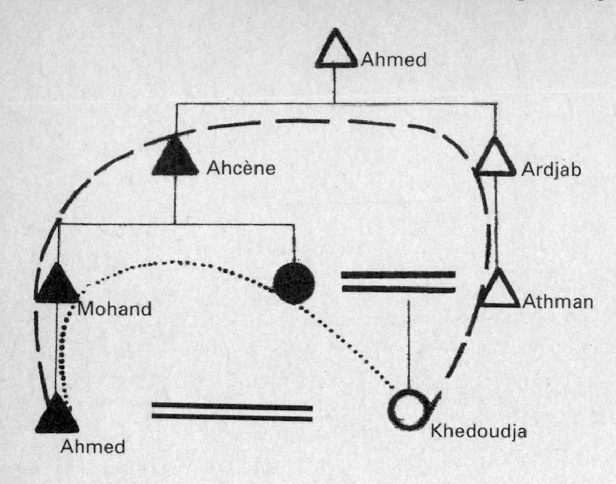

Cas 2

gie l'aspect le plus noble, le plus digne d'être proclamé publiquement, d'une relation à plusieurs faces, rattachant chacun des individus qu'il s'agit de situer à ses ascendants patrilinéaires et, par l'intermédiaire de ceux-ci, aux ascendants patrilinéaires qui leur sont communs. Elle laisse dans l'impensé, elle refoule dans l'impensable, c'est-à-dire dans l'innommable, l'autre cheminement possible, parfois plus direct, souvent plus facile pratiquement, celui qui consisterait à passer par les femmes : ainsi, la bienséance généalogique exige que l'on considère que Zoubir a épousé en Aldja la fille du fils du frère du père de son père ou la fille de la fille du frère de son père plutôt que la fille du frère de sa mère, même si, comme c'est le cas, c'est cette relation qui est à l'origine de ce mariage *(cas 1, p. 123)*; ou encore, pour citer un autre cas emprunté à la même généalogie, elle veut que l'on voie en Khedoudja la fille du fils du frère du père du père de son mari Ahmed, au lieu de la traiter comme une cousine croisée (fille de la sœur du père), ce qu'elle est tout autant *(cas 2, ci-contre)*. La lecture hérétique, qui privilégie les relations par les femmes, exclues du discours officiel, est réservée aux situations privées, quand ce n'est pas à la magie qui, comme l'injure, désigne l'homme voué à ses maléfices comme « fils de sa mère » et non comme « fils de son père » : la parenté par les femmes peut être perçue et professée, même par des hommes ou devant des hommes, mais hors des occasions publiques, dans l'intimité domestique ; en dehors des cas où des femmes parlent de relations de parenté d'une femme à d'autres femmes et où le langage de la parenté par les femmes s'impose comme allant de soi, ce langage peut aussi avoir cours dans la sphère la plus intime de la vie familiale, c'est-à-dire dans les conversations d'une femme avec son père et ses frères ou avec son mari, ses fils ou, à la rigueur, le frère de son mari, revêtant alors la valeur d'une affirmation de l'intimité du groupe des interlocuteurs en même temps que de l'appartenance, au moins symbolique, de la personne ainsi désignée à cette intimité. En fait, l'ethnologue est bien le seul à s'adonner à la recherche pure et désintéressée de tous les itinéraires possibles entre deux points de l'espace généalogique : dans la pratique, le choix de l'un ou l'autre cheminement, masculin ou féminin, qui oriente le mariage vers l'une ou l'autre lignée, dépend des rapports de force à l'intérieur de l'unité domestique et il tend à redoubler en le légitimant le rapport de force qui le rend possible.

Croyances collectives et mensonges pieux

Rien n'est plus difficile à définir que le statut du mariage avec la cousine parallèle et les ethnologues seraient tout à fait fondés à jouer avec les différents sens du mot « règle », s'ils savaient que sous apparence de produire la théorie de la pratique indigène ils ne font que reproduire un des produits les plus achevés de la dialectique de l'usuel et de l'officiel : le mariage avec la cousine parallèle représente-t-il l'idéal, à peu près jamais réalisé dans la pratique, du mariage accompli ou une norme éthique (en ce cas devoir d'honneur) qui s'impose à tout individu mariable mais dont la transgression est concevable (en cas de force majeure par exemple) ou encore une norme qui s'applique de manière absolue mais seulement sous certaines conditions, ou enfin un simple « coup » recommandé dans certaines situations ? En fait, il est à la fois tout cela, ce qui en fait un objet privilégié de manipulation. Dans le cas du mariage, les stratégies du second ordre visant à dissimuler les stratégies et les intérêts qu'elles poursuivent sous les apparences de l'obéissance à la règle trouvent leur principe dans l'ambiguïté d'une pratique qui est objectivement justiciable d'une double lecture, la lecture généalogique, que tout encourage, et la lecture économique et politique, que l'on n'a même pas besoin de décourager, au moins chez l'ethnologue, puisqu'elle supposerait établie la connaissance complète des échanges entre les groupes considérés. Mais le piège idéologique est à double fond et, ici comme ailleurs, l'ardeur démystificatrice se mystifie elle-même lorsqu'elle se laisse emporter par son élan : à prendre trop au sérieux les discours indigènes, on risque de donner un simple écran idéologique pour la norme ou la règle de la pratique ; à trop s'en défier, on risque d'ignorer la fonction sociale du mensonge socialement aménagé et encouragé, un des moyens dont disposent les agents pour corriger, par la seule habileté que leur donne une parfaite maîtrise des stratégies symboliques, les effets des stratégies imposées.

C'est ainsi que les actes les plus ritualisés en apparence de la négociation matrimoniale et les manifestations cérémonielles dont s'accompagne la célébration du mariage et qui, par leur plus ou moins grande solennité, ont pour fonction secondaire de déclarer la signification sociale du mariage (la cérémonie étant, en gros, d'autant plus solennelle que le mariage unit des familles plus élevées dans la hiérarchie sociale et plus éloignées dans l'espace généalogique) représentent autant d'occasions de déployer des stratégies visant à manipuler le sens objectif d'une relation jamais complètement univoque, soit en choisissant l'inévitable et, faisant de nécessité vertu, en se conformant scrupuleusement aux convenances, soit en masquant la signification objective du mariage sous le rituel destiné à le célébrer.

Il ne fait pas de doute que le mariage avec la cousine parallèle doit la position éminente qu'il occupe dans le discours indigène, et par voie de conséquence dans le discours ethnologique, au fait qu'il est le plus parfaitement conforme à la représentation mythico-rituelle de la division du travail entre les sexes, et, en particulier, de la fonction impartie à l'homme et à la femme dans les rapports entre les groupes. D'abord, parce qu'il constitue l'affirmation la plus radicale du refus de reconnaître la relation d'affinité en tant que telle, c'est-à-dire lorsqu'elle ne se présente pas comme un simple *redoublement* de la relation de filiation : on aime à louer l'effet propre du mariage entre cousins parallèles, à savoir le fait que les enfants qui en sont issus (« ceux dont l'extraction est sans mélange, dont le sang est pur » – *maḥḍ*) peuvent être rattachés à la même lignée en passant par le père ou par la mère (« là où il avait sa racine, il a pris ses oncles maternels » – *ichathel, ikhawel* – ; ou encore, en arabe, « son oncle maternel est son oncle paternel » – *khalu 'ammu*). Et l'on sait, d'autre part, la liberté qui est (théoriquement) laissée au mari de répudier son épouse, la situation de quasi étrangère qui est celle de l'épouse exogène aussi longtemps qu'elle n'a pas produit un descendant mâle et parfois au-delà, enfin l'ambivalence de la relation entre le neveu et l'oncle maternel (*khal*) : « celui qui n'a pas d'ennemis n'a qu'à attendre le fils de sa sœur » (c'est-à-dire celui qui peut toujours, au mépris de l'honneur, réclamer la part d'héritage de sa mère). Mais le refus de reconnaître la relation d'affinité (« La femme n'unit ni ne sépare », *thamaṭṭuth ur thazeddi ur theferreq*) trouve un renforcement, sinon un fondement, dans la représentation mythique de la femme, celle par qui l'impureté et le déshonneur menacent de s'introduire dans la lignée. Rien de parfaitement bon ne peut advenir par la femme ; elle ne peut apporter que le *mal* ou le *moindre mal*, sa méchanceté ne trouvant sa correction que dans sa faiblesse (« Dieu sait ce qu'il a créé en l'âne ; il ne lui a pas donné de cornes »). Ce moindre mal, ce bien dans le mal, c'est toujours par l'homme qu'il advient à la femme, par son action correctrice et protectrice. C'est dire que la femme ne vaut jamais que ce que valent les hommes de sa lignée. C'est dire aussi que la meilleure, ou la moins mauvaise des femmes, est la femme issue des hommes de la lignée, la cousine parallèle patrilinéaire, la plus masculine des femmes – dont la limite, impossible produit d'une imagination patriarcale, est Athéna, sortie de la *tête* de Zeus. « Épouse la fille de ton *'amm* : si elle te mâche, au moins elle ne t'avalera pas. » La cousine parallèle patrilinéaire, femme cultivée et redressée, s'oppose à la cousine parallèle matrilinéaire, femme naturelle, tordue, maléfique et impure, comme le *féminin-masculin* s'oppose au *féminin-féminin*, c'est-à-dire selon la structure (du type a : b : : b_1 : b_2) qui organise aussi l'espace mythique de la maison ou du calendrier agraire. On comprend que lorsqu'on ne peut pas annexer une femme à la lignée par l'intermédiaire d'un ancêtre masculin et l'assimiler à une cousine parallèle, on préfère la considérer comme l'étrangère, c'est-à-dire comme fille d'Untel (pour exprimer l'absence totale de relation généalogique, on dit : « Qu'es-tu pour moi ? Pas même le fils de la fille de la sœur de ma mère » – *mis illis khalti*)[20]. On comprend aussi que le mariage avec la fille du frère du père soit de tous les mariages le plus béni et le plus propre à attirer les bénédictions sur le groupe. On lui faisait jouer le rôle d'un rite d'ouverture de la saison des mariages, chargé comme le rite homologue en matière de labours, qui incombait en chaque village à une famille réputée pour sa vertu et sa *baraka*, d'exorciser la menace enfermée dans la mise en contact du masculin et du féminin, du feu et de l'eau, du ciel et de la terre, du soc et du sillon, sacrilège inévitable.

On peut voir une confirmation indirecte de la signification accordée au mariage entre cousins parallèles dans le fait que le personnage qui accomplit l'action homologue du mariage inaugural, celui qui porte chance à la guerre comme au labour, ne joue *aucun rôle politique* et que sa charge est purement *honorifique* ou, si l'on veut, symbolique, c'est-à-dire à la fois infime et respectée. Ce personnage doté de *baraka* est désigné sous les noms de *amezwar* (le premier), *aneflus* (l'homme de confiance) ou encore *aqdhim* (l'ancien), *amghar* (le vieux), *amas'ud* (le chanceux), ou plus précisément, *amezwar*, *aneflus, amghar nat-yuga* (le premier, l'homme de confiance, le vieux de la paire de bœufs ou de la charrue) ; le terme le plus significatif parce qu'il dit explicitement l'homologie, manifestée par mille autres indices, entre le labour et le mariage est incontestablement *boula'ras* (l'homme de la noce) ; c'est la même connotation qui se lit dans cette autre désignation, *mefthaḥ n ss'ad* (la clé de la chance, celui qui *ouvre*). Émile Laoust rappelle que plus généralement « les Berbères n'entreprennent aucun acte collectif, aucune expédition que groupés autour d'un *aneflus*, c'est-à-dire d'un individu à *baraka*… Ainsi, lorsqu'une caravane s'organise, commerçants et voyageurs se groupent autour d'un *anfelus n-umuddu* qui est à la fois leur guide et leur porte-bonheur. Il donne le signal des départs et des haltes ; il charge et décharge ses bêtes le premier. Avec lui, on est assuré de parcourir sans danger les régions et d'arriver, sain et sauf, au but. En période de troubles, la tribu marche au combat précédée de son *aneflus elbarud*. On le croit détenteur d'une *baraka* grâce à laquelle il reste invulnérable aux coups de l'ennemi et protège les combattants. Il porte *la'lam*, l'étendard, et tire les premiers coups de fusil, sa présence dans la mêlée est un gage de victoire. *Aneflus elhadert*, lui, donne avec son tambourin le signal des chants dans ces grandes réunions, *tinubga* (les invitations), entre tribus amies, au cours desquelles des bardes chantent les gestes [21] ». Le labour inaugural est effectué sur la terre la plus noble, destinée aux semailles les plus nobles (blé et fèves), et aussi la meilleure, vouée à la culture intensive par assolement triennal, sans jachère nue, fumée à chaque début de cycle, proche du village et parfois attenante à la maison, appartenant au patrimoine familial le plus ancien, etc. Au cas où le « porte-bonheur » est empêché, il doit au moins être présent ; en tout cas, jamais on ne confie le soin de tracer le premier sillon à un jeune, à un domestique ou à tout autre qui ne soit pas le maître de la terre sur laquelle débutent les labours.

La projection des catégories de la pensée mythique sur les relations de parenté produit des oppositions qui seraient relativement irréelles si les divisions qu'elles engendrent ne correspondaient à une division fondamentale de la politique domestique, celle qui oppose les intérêts de la mère, portée à renforcer sa position dans sa maison d'adoption en introduisant dans la famille une femme féminine-féminine, prise dans sa propre lignée, et les intérêts du père qui en réglant en homme, avec ses parents masculins, son propre frère ou tel autre parent patrilinéaire, le mariage de son fils renforce l'unité agnatique et du même coup sa position dans l'unité domestique. En effet, la femme importée (*thislith*), selon qu'elle est liée au père de son mari – et cela par son père, et plus généralement par un homme, ou par sa mère – ou à la mère de son mari et, là encore, par son père ou par sa mère, détient une force très différente dans le rapport de force avec la mère de son mari (*thamgharth*), ce rapport variant aussi, évidemment, selon le rapport généalogique de la *thamgharth* aux hommes de la lignée (*i. e.* au père de son mari) ; ainsi, la cousine parallèle patrilinéaire se trouve d'emblée dans une position de force lorsqu'elle a affaire à une « vieille » étrangère à la lignée, tandis qu'au contraire la position de la « vieille » peut se trouver renforcée, dans ses rapports avec *thislith*, mais aussi, indirectement, dans ses rapports avec son propre mari, lorsque *thislith* est la fille de sa propre sœur et, plus encore, de son propre frère. Le père et la mère ayant des intérêts structuralement opposés (sous un certain rapport), le mariage du fils est l'occasion d'un affrontement, nécessairement larvé, puisque la femme ne peut pas avoir de stratégie officielle, entre la mère et le père, celui-ci tendant à privilégier le mariage dans la lignée, c'est-à-dire celui que la représentation mythique, légitimation idéologique de la domination masculine, présente comme le meilleur, celle-là orientant vers sa propre lignée ses démarches secrètes, dont son mari sera invité, le moment venu, à sanctionner officiellement les résultats : les femmes ne déploieraient pas autant d'ingéniosité et d'efforts dans l'exploration matrimoniale que la division du travail entre les sexes leur abandonne le plus souvent, au moins jusqu'au moment où peut s'instaurer le dialogue officiel entre les hommes, si le mariage de leur fils n'enfermait la virtualité de la subversion de leur pouvoir, et à travers elle d'une crise de l'économie domestique aboutissant à la domination de la consommation (*lakhla ukham*, le vide de la maison), c'est-à-dire à terme à la rupture de l'indivision. C'est dire en passant que les intérêts du « vieux » (*amghar*) et de la « vieille » (*thamgharth*) ne sont pas nécessairement antagonistes : conscient de l'intérêt que présente pour lui le choix d'une jeune épouse (*thislith*) pleinement dévouée à une *thamgharth* elle-même dévouée à la lignée, *amghar* saura autoriser *thamgharth* à rechercher dans sa lignée une fille docile ; plus, toute la structure des relations pratiques entre les parents étant présente dans chaque relation particulière, il pourra délibérément choisir de prendre pour son fils la fille de sa propre sœur (cousine croisée patrilinéaire) ou même encourager, sans y paraître, sa femme à le marier avec la fille de son frère (cousine croisée matrilinéaire) plutôt que de renforcer l'emprise d'un frère déjà dominant (par son âge ou son prestige) en acceptant de prendre sa fille (cousine parallèle patrilinéaire).

Le mariage avec la cousine parallèle peut en certains cas s'imposer avec une nécessité qui n'est pas pour autant celle de la règle généalogique. Dans la pratique en effet ce mariage idéal est souvent un choix *forcé* que l'on s'efforce parfois de donner pour le choix de l'idéal, faisant ainsi de nécessité vertu. La « théorie » indigène, reprise avec empressement par le juridisme qui veut que tout individu dispose d'une sorte de « droit de préemption » sur sa cousine parallèle, n'est sans doute qu'une autre expression de l'idéologie de la masculinité qui accorde à l'homme la supériorité, donc l'initiative, dans toutes les relations entre les sexes et en particulier dans le mariage. Il suffit en effet de se rapprocher des situations réelles de la pratique pour apercevoir que le mariage avec la cousine parallèle est appréhendé comme une obligation plutôt que comme un droit : « Il n'est pas d'usage de refuser la fille de *'amm* à celui qui la demande en mariage. Mais il est inconvenant pour l'honneur de la famille qu'une fille tarde à trouver mari. Si elle attend trop, son cousin doit s'exécuter, conformément aux proverbes » (Aït Hichem). « Il faut épouser la fille de l'oncle paternel, même si elle est tombée à l'abandon » (Aïn Aghbel). Et nombre de proverbes vont dans le même sens : « Tourne avec le chemin, s'il tourne. Épouse la fille de ton *'amm*, si elle est délaissée (en friche) ». Variantes : « Prends le chemin, même s'il fait des détours ; prends la fille de ton *'amm* même si elle est délaissée. »

« La fille de *'amm*, même si elle est délaissée, le chemin de la paix (sûr), même s'il est détourné. » Comme le montre la métaphore (le chemin *tordu* qui s'oppose à la voie *droite*), le mariage avec la cousine parallèle est perçu le plus souvent comme un sacrifice imposé (à la façon du mariage avec la veuve du frère) que l'on a intérêt à transformer en soumission élective à un devoir d'honneur : « Si tu n'épouses pas la fille de ton *'amm*, qui la prendra ? C'est toi qui la prendras que tu le veuilles ou non. » « Serait-elle laide et de rien, son oncle paternel est tenu de la prendre pour son fils, par force ; s'il va chercher une étrangère pour son fils et laisse la fille de son frère, les gens riront de lui en disant : "il a été chercher une étrangère et il a laissé la fille de son frère." » Et, de fait, dans la pratique, le mariage avec la cousine parallèle ne revêt la signification et la fonction idéales que lui confère le discours officiel que dans les familles assez fortement intégrées pour souhaiter ce renforcement de l'intégration et ne s'impose en tout cas de façon absolue qu'en des cas de force majeure, tels que celui de la fille de l'*amengur*, celui qui « a failli », qui n'a pas eu d'héritier mâle. Dans ce cas, l'intérêt et le devoir se conjuguent pour commander le mariage entre les cousins parallèles puisque le frère de l'*amengur* et ses enfants hériteront en tout cas non seulement la terre et la maison de celui qui a « failli » mais aussi les obligations à l'égard de ses filles (en particulier en cas de veuvage ou de répudiation) et que d'autre part ce mariage est la seule façon d'écarter la menace que ferait courir à l'honneur du groupe et peut-être au patrimoine le mariage avec un étranger (*awrith*). Le mariage entre les cousins s'impose avec la même urgence lorsqu'il s'agit de « protéger » une fille tard mariée. « Qui a une fille et ne la marie pas en doit supporter la honte. » « Celui dont la fille grandit sans qu'elle se marie, mieux vaut pour lui mourir que vivre » (Aïn Aghbel). Ces déclarations obsessionnellement redites dans tous les entretiens à propos du mariage entre cousins font voir que, l'honneur, donc le déshonneur, étant indivis, le devoir du frère du père et de son fils coïncident, ici encore, avec l'intérêt. C'est dire que, même en ces situations limites où le choix de la cousine parallèle s'impose avec une rigueur extrême, il n'est pas besoin de faire appel à la règle éthique ou juridique pour rendre compte de pratiques qui sont le produit de stratégies consciemment ou inconsciemment orientées vers la satisfaction d'un type déterminé d'intérêts matériels ou symboliques. La morale de l'honneur est la morale de l'intérêt des formations sociales, des groupes ou des classes dont le patrimoine fait une place importante au capital symbolique : il faut n'avoir aucune idée de la perte terrible et durable que peut représenter pour un groupe une atteinte à l'honneur des femmes de la lignée pour faire de l'obéissance à une règle éthique ou juridique le principe des actions destinées à prévenir, à dissimuler ou à réparer l'outrage.

Même dans les situations extrêmes où les principes les plus fondamentaux de la pratique sont menacés de transgression, la désignation stratégique de la situation et de la riposte correspondante ne s'impose jamais avec la nécessité absolue d'un impératif éthique. Il suffit qu'une interrogation orientée par une théorie adéquate de la pratique parvienne à briser la structure de la relation d'enquête qui porte les informateurs à conférer aux impératifs hypothétiques de la stratégie la forme des impératifs catégoriques de la morale et à énoncer des *règles* ou des *coups*, comme fait celui qui veut transmettre à un profane les rudiments d'un jeu, pour que puissent s'exprimer les subterfuges et les échappatoires qui ne sont pas moins institutionnalisés que les « règles » correspondantes : « Certains, pour échapper à un mariage imposé, s'enfuient, parfois avec la complicité plus ou moins nette des parents qui peuvent ainsi refuser (ou revenir sur leur promesse) sans violer les principes : “Tu vois, notre fils s'est enfui. Nous ne pouvons pas perdre notre fils pour garder notre frère" » (variante : « Plutôt lui – l'engagement à l'égard du frère – que mon fils »).

Des mariages identiques sous le seul rapport de la généalogie peuvent avoir des significations et des fonctions différentes, voire opposées, selon les stratégies dans lesquelles ils se trouvent insérés et qui ne peuvent être ressaisies qu'au prix d'une reconstitution du système complet des relations entre les deux groupes associés et de l'état à un moment donné du temps de ces relations. Dès que l'on cesse de s'en tenir aux mariages déjà effectués que classe et compte le généalogiste pour s'intéresser aux stratégies conscientes et inconscientes et aux conditions objectives qui les ont rendues possibles et nécessaires, c'est-à-dire aux fonctions individuelles et collectives qu'elles ont remplies, on ne peut manquer d'apercevoir que deux mariages entre cousins parallèles peuvent n'avoir rien de commun selon qu'ils ont été conclus du vivant du grand-père paternel, commun, et, éventuellement, par lui (avec l'accord des deux pères, ou « par-dessus eux ») ou, au contraire, par accord direct entre les deux frères ; dans ce dernier cas, selon qu'ils ont été conclus alors que les futurs époux étaient encore enfants ou, au contraire, alors qu'ils étaient déjà en âge de se marier (sans parler du cas où la fille a déjà passé l'âge) ; selon que les deux frères travaillent et vivent séparément ou qu'ils ont maintenu l'indivision totale de l'exploitation (terre, troupeaux et autres biens) et de l'économie domestique (« marmite commune »), sans parler du cas où ils ne maintiennent que les apparences de l'indivision ; selon que c'est l'aîné (*dadda*) qui donne sa fille à son cadet ou, au contraire, qui prend sa fille, la différence d'âge et surtout de rang de naissance pouvant être associée à des différences de rang social et de prestige ; selon que le frère qui donne sa fille a un héritier mâle ou est *amengur* ; selon que les deux frères sont vivants au moment de la conclusion du mariage ou l'un des deux seulement et, plus précisément, selon que le survivant est le père du garçon, protecteur désigné de la fille qu'il prend pour son fils (surtout si elle n'a pas de frère adulte), ou, au contraire, le père de la fille qui peut user de sa position dominante pour procéder ainsi à une captation de gendre. Et comme pour ajouter à l'ambiguïté de ce mariage, que la cécité satisfaite aux impondérables de l'art de vivre étranger est seule à appréhender comme univoque, il n'est pas rare, on l'a vu, que l'obligation de se sacrifier pour se constituer en « voile des hontes » et pour protéger telle fille suspecte ou disgraciée incombe à un homme de la branche la plus pauvre de la lignée dont il est facile, utile et honorable de louer l'empressement à accomplir un devoir d'honneur à l'égard de la fille de son *'amm* ou même à exercer son droit de membre mâle de la lignée [22].

Les informateurs ne cessent de rappeler, par leurs incohérences et leurs contradictions mêmes, qu'un mariage ne se laisse jamais définir complètement en termes généalogiques et qu'il peut revêtir des significations et des fonctions différentes et même opposées, selon les conditions qui le déterminent ; que le mariage avec la cousine parallèle peut être le pire ou le meilleur des mariages selon qu'il est perçu comme électif ou forcé, c'est-à-dire d'abord selon la position relative des familles dans la structure sociale. Il peut être le meilleur (« épouser la fille de *'amm*, c'est avoir le miel dans la bouche »), et pas seulement du point de vue mythique mais sur le plan des satisfactions pratiques puisqu'il est le moins onéreux économiquement et socialement – les tractations, les transactions et les coûts matériels et symboliques se trouvant réduits au minimum – en même temps que le plus sûr ; on emploie, pour opposer le mariage proche au mariage lointain, le langage même par lequel on oppose l'échange entre paysans aux transactions du marché [23] ; il peut être aussi la pire des unions (« Le mariage des “oncles paternels” – *azwaj el la'mum* – en mon cœur est aigre ; je t'en prie, ô mon Dieu,

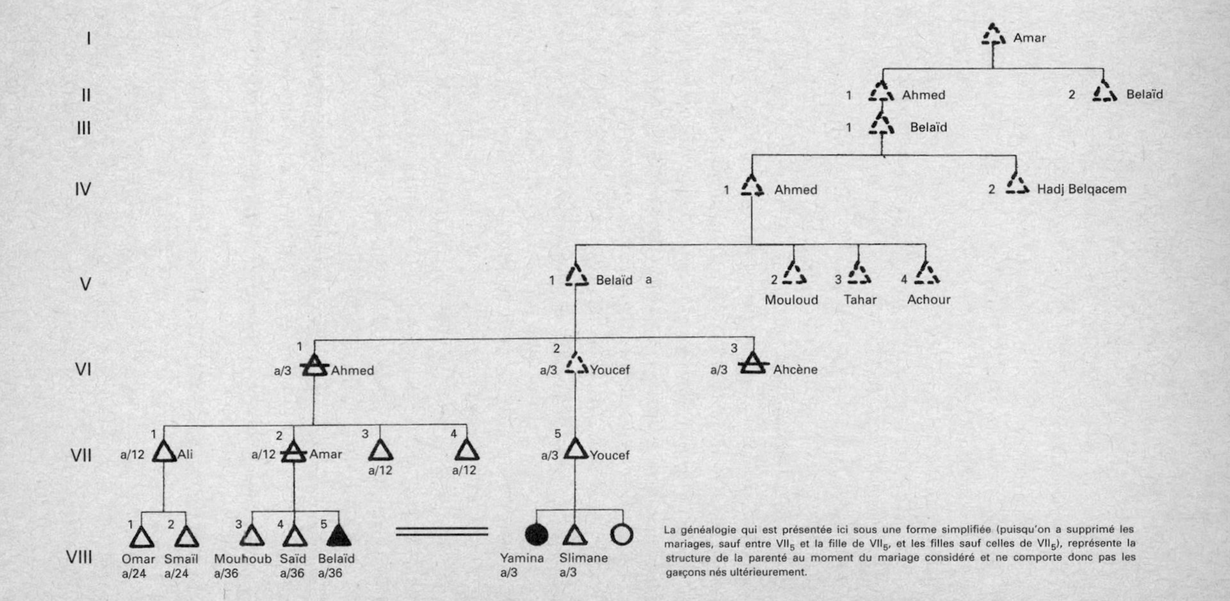

La généalogie qui est présentée ici sous une forme simplifiée (puisqu'on a supprimé les mariages, sauf entre VII_5 et la fille de VII_5, et les filles sauf celles de VII_5), représente la structure de la parenté au moment du mariage considéré et ne comporte donc pas les garçons nés ultérieurement.

préserve-moi de ce malheur[24] ») et aussi la moins prestigieuse lorsqu'il apparaît comme un pis-aller (« Sont venus des amis qui te surpassent, tu restes, toi qui es noir »), c'est-à-dire toutes les fois qu'il s'impose comme le seul moyen de pallier l'extinction d'une lignée ou de sauvegarder les liens familiaux menacés ou encore lorsqu'il est le fait de familles pauvres en hommes et en terres. Bref, l'incohérence apparente du discours des informateurs, où un objectivisme hautain ne verrait qu'une propriété constitutive de la représentation que tout agent se fait de sa propre pratique, attire en fait l'attention sur l'ambiguïté fondamentale d'un *mariage univoque généalogiquement* (c'est-à-dire idéologiquement) et, du même coup, sur les manipulations du sens objectif de la pratique et de son produit qu'autorise et favorise cette combinaison de l'ambiguïté et de l'univocité.

La seule victime de ces manipulations est sans doute l'ethnologue qui en rangeant dans la même classe tous les mariages avec la cousine parallèle patrilinéaire (et assimilés), quelle qu'en puisse être la fonction pour les individus et pour les groupes qui les contractent, assimile des pratiques qui peuvent différer par tous les aspects dont le modèle généalogique fait abstraction (*cf. arbre généalogique p. 137).* Il suffira d'un exemple pour donner une idée des inégalités économiques et symboliques qui peuvent se dissimuler sous la relation généalogique entre des cousins parallèles classificatoires (fille de fils de frère du père du père) en même temps que pour mettre au jour les stratégies proprement *politiques* qui se couvrent de la légitimité de cette relation. Les deux conjoints appartiennent à la « maison de Belaïd », c'est-à-dire à la descendance de Belaïd n Ahmed u Belaïd (V_1), grande famille indivise, une des plus grandes du village, tant par son volume (soit une dizaine d'hommes en âge de travailler et une quarantaine de personnes) que par son capital économique. Cette « maison » doit sa prospérité à un héritage particulièrement favorable, dont l'histoire rappelle que la distribution du patrimoine matériel entre les héritiers résulte des rapports de force entre les légataires ou entre les prétendants plutôt que de la stricte application d'une norme juridique. A l'occasion des deux ruptures d'indivision qu'il provoqua, la première autour de 1875 en refusant d'accepter l'autorité de son oncle, Hadj Belqacem (IV_2), et en contraignant son père, Ahmed (IV_1), à se séparer de son frère cadet, la seconde quelques années plus tard, avec ses propres frères (Mouloud, Tahar et Achour), Belaïd (V_1) parvint à s'arroger un certain nombre de privilèges usurpés : au lieu de laisser son père sortir de l'indivision avec le quart du patrimoine d'origine qui lui revenait en droit, il exigea pour son père le tiers du patrimoine (alors qu'un partage équitable lui aurait attribué le quart ainsi qu'à son frère Hadj Belqacem) ; avec ses frères, il prétexta que la part reçue au partage antérieur n'était que le « prix » payé pour l'exclure et acheter la paix et, malgré maintes pressions qui furent à peine capables de lui extorquer quelques petites parcelles médiocres, il s'appropria une part bien supérieure à ce qui lui était dû en stricte équité. Ainsi, dotée dès l'origine d'un patrimoine supérieur à celui des familles parentes, cette ligne n'a cessé de s'agrandir au fil des générations par des acquisitions que rendait possible le travail d'hommes nombreux labourant chaque année, à la saison des semailles, pendant plus de quarante jours avec, le plus souvent, deux charrues et deux paires de bœufs ; elle est une des dernières familles du village à pouvoir encore exhiber tous les symboles anciens de la richesse et de la grandeur paysannes : c'est ainsi qu'elle continue toujours à entretenir une paire de bœufs, à posséder un mulet, un troupeau d'ovins qui, si petit soit-il, est le dernier du pays, et surtout une vache élevée uniquement pour la production de lait ; c'est ainsi qu'elle a su aussi maintenir en activité les deux derniers moulins à eau de toute la région (un moulin d'hiver actionné par le courant d'un torrent et un moulin d'été mû par l'eau d'une source permanente). La famille doit son prestige exceptionnel au fait que, à cette richesse traditionnelle qu'elle est la dernière à avoir conservée pour les profits symboliques qu'elle apporte, mais aussi pour les rapports économiques non négligeables qu'elle procure, elle a été la première à ajouter toute une série de moyens de production non moins prestigieux, offerts par la technique moderne (un tracteur, en commun avec des associés) et enfin un commerce et une grande maison d'habitation de construction récente. Du fait que l'indivision n'est jamais que la division niée, refusée, les inégalités qui séparent les « parts » virtuelles et les apports respectifs des différentes lignes sont fortement ressenties : c'est ainsi que la ligne des descendants de Ahmed, d'où est issu le garçon, est infiniment plus riche en hommes que la ligne de Youcef, d'où est issue la fille et qui, corrélativement, est plus riche en terres, puisque par exemple les trois fils d'Amar (VII_2) recevraient, en cas de partage, le 1/12e du patrimoine commun (soit théoriquement 1/36e pour chacun d'eux) tandis que, au même niveau généalogique, l'unique descendant de Youcef (VIII_6) recevrait le 1/3. De la richesse en hommes, considérés comme force de reproduction, donc comme promesse d'une richesse en hommes encore accrue, sont corrélatifs, à condition qu'on sache faire valoir ce capital, tout un ensemble d'avantages dont le plus important est l'autorité dans la conduite des affaires intérieures et extérieures de la maison : « La maison des hommes, dit-on, surpasse la maison des bœufs » (*adham irgazen if akham izgaren*). La position éminente de cette ligne se désigne par le fait qu'elle a su et pu reprendre les prénoms des ancêtres de la famille, c'est-à-dire outre les Ahmed et Belaïd, qui alternent de génération en génération, le nom du plus lointain ancêtre, Amar, pourtant un peu oublié (VII_2). Le pouvoir politique peut se fonder, on le voit, sur d'autres principes que la richesse économique, qu'il s'agisse de la richesse en hommes ou de cette forme particulière de capital que constitue la maîtrise parfaite des stratégies politiques : ainsi, dans cette lignée même, c'est le troisième frère (VI_3) qui représente le groupe dans toutes les grandes rencontres extérieures, conflits ou solennités, tandis que l'aîné (VI_1) est le « sage », celui qui par ses médiations et ses conseils assure l'unité interne du groupe. Le chef de la troisième ligne (VII_5) se trouve totalement exclu du pouvoir, non pas tant à cause de la différence d'âge qui le sépare de ses oncles (puisque les fils de Ahmed – VI_1 –, pourtant beaucoup plus jeunes que lui, sont associés aux décisions), mais surtout parce qu'il s'est exclu lui-même de la compétition entre les hommes, de toutes les contributions exceptionnelles et même, dans une certaine mesure, du travail de la terre ; tout se passe comme si sa condition de garçon unique et, de surcroît, privé de père (celui-ci étant mort peu avant sa naissance) ou, comme on dit, de « fils de la veuve », entouré et choyé comme le seul espoir de la lignée par tout un entourage de femmes (mère, tantes, etc.), soustrait pour l'école aux jeux et aux travaux des autres enfants, l'avait prédisposé et disposé à se maintenir tout au long de sa vie dans une position marginale : d'abord engagé dans l'armée, puis ouvrier agricole à l'étranger, il s'autorise de la position favorable que lui assure la possession d'une part importante du patrimoine pour un faible nombre de bouches à nourrir pour se cantonner, à son retour au village, dans les travaux de surveillance, de jardinage et de gardiennage (des moulins, des jardins et des séchoirs à figues), ceux qui demandent le moins d'initiative et engagent le moins de responsabilité, bref les moins masculins des travaux masculins. Ce sont là quelques-uns des éléments qu'il faut prendre en compte pour comprendre la fonction politique, interne et externe, du mariage des deux cousins, Belaïd (VIII_5), dernier fils de Amar (VII_2), et Yamina, fille de Youcef (VII_5) : par ce mariage, que les détenteurs du pouvoir, Ahmed et Ahcène, ont conclu, comme à l'accoutumée, sans consulter Youcef, laissant sa femme protester vainement contre une union de peu de profit, la ligne dominante renforce sa position, resserrant ses liens avec la ligne riche en terres et cela sans rien compromettre de son prestige pour l'extérieur, puisque la structure du pouvoir domestique n'est jamais déclarée au-dehors et que le plus démuni des membres de la lignée participe encore de son rayonnement. Ainsi, la vérité complète de cette union réside dans sa double vérité qui suppose cette sorte de conscience double par laquelle un groupe peut se satisfaire de la vérité officielle qu'il se propose lui-même à lui-même : l'image officielle, celle d'un mariage entre cousins parallèles d'une grande famille soucieuse de manifester son unité par une union bien faite pour la renforcer en même temps que de témoigner son attachement à la plus sacrée des traditions ancestrales, coexiste sans contradiction – et cela même chez les étrangers au groupe, toujours assez informés, dans cet univers d'interconnaissance, pour n'être jamais dupes des représentations qu'on leur offre – avec la connaissance de la vérité objective d'une union qui sanctionne l'*alliance* forcée entre deux unités sociales assez attachées l'une à l'autre négativement, pour le meilleur ou pour le pire, c'est-à-dire généalogiquement, pour être contraintes d'unir leurs richesses complémentaires.

On pourrait multiplier à l'infini les exemples de ce double jeu de la mauvaise foi collective. Ainsi, dans tel autre cas *(cf. ci-contre)*, on présente comme mariage entre cousins parallèles, unanimement loué, l'union, organisée par le responsable de la fraction dominante de la lignée (M'hamed) entre un garçon (Abderrezaq) d'une ligne pauvre et une parente relativement éloignée (la fille du fils du fils du frère du père du père de son père), issue d'une autre ligne pauvre, qui, son père étant mort sans descendance masculine avant son mariage, se trouve placée sous la protection de la ligne dominante, moralement tenue de

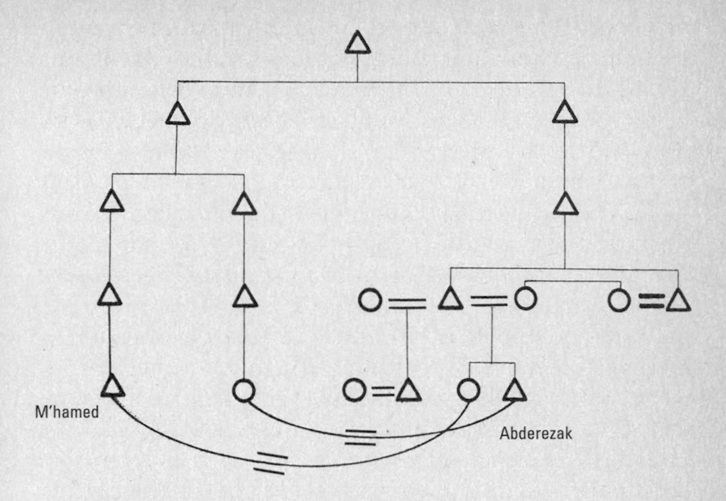

la marier : en invitant le parent pauvre à s'acquitter des obligations de longtemps contractées envers elle, la ligne dominante sauve l'honneur au moindre coût puisqu'elle évite ainsi d'avoir à sacrifier un de ses propres hommes ou de payer le prix d'un mariage extérieur, en même temps qu'elle attache à la lignée un homme qui, ayant été élevé par sa mère, veuve placée sous la protection du frère de son mari, continue à subir l'influence centrifuge de sa famille maternelle et cela d'autant plus fortement que son frère aîné a épousé une femme de cette même famille. On comprend que devant des produits aussi achevés de l'art de masquer les contraintes et les intérêts sous des expressions propres à détourner l'herméneutique spontanée vers les mobiles moins réels, mais plus avouables, de la morale et du devoir, le jugement collectif vacille.

Il n'est pas de cas où le sens objectif d'un mariage soit si fortement marqué qu'il ne laisse pas de place pour le travestissement symbolique. Ainsi le mariage de celui qu'on appelle *mechrut* (« qui est sous condition »), et par lequel un homme dépourvu de descendance masculine donne sa fille en mariage à un « héritier » (*awrith*) moyennant que celui-ci vienne résider dans sa maison, ne se rencontre que dans les contes ou dans les livres d'ethnographie sous la forme de cette sorte d'achat d'un gendre, embauché pour sa force de production et de reproduction, que les principes, mécaniquement appliqués, de la vision kabyle du monde porteraient à y voir [25]. Et ceux qui en parlent, en quelque région que ce soit, ont raison de dire que cette forme de mariage, inconnue chez eux, ne se rencontre qu'en d'autres contrées : en effet, l'examen le plus attentif des généalogies et des histoires de famille ne permet pas de découvrir un seul cas qui soit parfaitement conforme à la définition indigène (« je te donne ma fille, mais tu viendras chez moi »). Mais on peut tout aussi légitimement prétendre qu'il n'est pas une famille qui ne compte au moins un *awrith*, mais un *awrith* masqué sous l'image officielle de l'« associé » ou du « fils adoptif » : le mot *awrith*, l'« héritier », n'est-il pas un euphémisme officiel permettant de nommer décemment l'innommable, c'est-à-dire qui ne pourrait être défini, dans la maison qui l'accueille, que comme le mari de sa femme ? Il va de soi que l'homme d'honneur, averti des usages, rencontrera la complicité bienveillante de son propre groupe s'il s'efforce de présenter comme une adoption, une union qui, sous la forme cynique du contrat, représente l'inversion de toutes les formes honorables de mariage et qui, à ce titre, n'est pas moins déshonorante pour *awrith* (« c'est lui qui fait la mariée », dit-on) que pour des parents assez intéressés pour donner leur fille à cette sorte de domestique sans salaire : et comment le groupe ne s'empresserait-il pas d'entrer dans le jeu des mensonges intéressés qui tendent à dissimuler qu'il n'a pas su trouver le moyen honorable d'éviter à l'*amengur* de recourir à une telle extrémité pour éviter la « faillite » (*lakhla*) de sa famille ?

Mais les généalogies recèlent aussi des cas dont on a

peine à comprendre qu'ils bénéficient d'une semblable complicité. C'est ainsi que l'on trouve dans l'histoire sociale d'une lignée prestigieuse une série de captations de gendres qui ne sont pas perçus ni déclarés comme *mechrut*, bien que leur annexion ne soit pas imposée par la nécessité, mais, ce qui devrait redoubler le sentiment du scandale, par un effort quasi méthodique pour accroître le capital d'hommes. Sans doute, dans le cas du premier gendre, sa qualité de marabout contribua-t-elle à faire admettre le statut de « fils adoptif » que l'on entendait lui accorder, bien qu'il se fût mis en situation d'*awrith* en venant habiter dans la famille de sa femme (indice de l'ascendant pris par celle-ci) après un séjour de quelques mois dans sa propre famille (qu'on lui avait imposé pour que les apparences soient sauves). Mais on n'en eut pas moins recours à différents subterfuges pour résoudre le problème posé par sa présence dans la maison : on lui confia la tâche de meunier, ce qui permettait de le tenir éloigné ; conformément à ce qui se fait en pareil cas, on lui apportait la nourriture au moulin (d'hiver ou d'été) en sorte qu'il ne venait à la maison qu'en étranger. Puis il fut discrètement invité par les responsables de la lignée à aller travailler à l'extérieur, solution ingénieuse qui permettait d'avoir les profits de son travail en faisant disparaître la situation gênante créée par sa présence dans la famille de sa femme. Et si le fils que la même femme, devenue veuve et remariée, avait eu de son second mari et avait ramené dans sa propre lignée après la mort de celui-ci n'apparaît pas davantage comme un *awrith* lorsque, pour se l'attacher, ses oncles maternels le marient à une orpheline placée sous leur protection, c'est que, en élevant « comme leur fils » ce quasi-fils (qui continue à les appeler *khal* et non *dadda* et qui est encore appelé Ahmed u Agouni, du nom du village de son père) et en le mariant à une de leurs quasi-filles, ils ont donné assez de gages de leur adhésion à l'image officielle de l'*awrith* comme « héritier » et « fils adoptif » pour en imposer la reconnaissance collective. Ainsi les stratégies du second ordre qui tendent toutes à transmuer des relations utiles en relations officielles, donc à faire que des pratiques obéissant en réalité à d'autres principes paraissent se *déduire* de la définition généalogique, atteignent par surcroît une fin imprévue, en donnant une représentation de la pratique comme faite pour confirmer la représentation que l'ethnologue structuraliste se fait de la pratique.

L'ordinaire et l'extra-ordinaire

Ainsi, loin d'obéir à une norme qui désignerait, dans l'ensemble de la parenté officielle, tel ou tel conjoint obligé, la conclusion des mariages dépend directement de l'état des relations de parenté usuelles, relations par les hommes utilisables par les hommes, relations par les femmes utilisables par les femmes, et de l'état des rapports de force à l'intérieur de la « maison », c'est-à-dire entre les lignées unies par le mariage conclu à la génération précédente, qui inclinent et autorisent à cultiver l'un ou l'autre champ de relations.

Si l'on admet qu'une des fonctions principales du mariage est de reproduire les relations sociales dont il est le produit, on comprend immédiatement que les différentes espèces de mariage que l'on peut distinguer en prenant pour critère aussi bien les caractéristiques objectives des groupes réunis (leur position dans la hiérarchie sociale, leur éloignement dans l'espace, etc.) que les caractéristiques de la cérémonie elle-même, et en particulier sa solennité, correspondent très étroitement aux caractéristiques mêmes des différents types de relations sociales qui les ont rendues possibles et qu'ils tendent à reproduire.

La parenté officielle, publiquement nommée et socialement reconnue, est ce qui rend possibles et nécessaires les mariages officiels qui lui donnent la seule occasion de se mobiliser pratiquement comme groupe et de réaffirmer par là son unité, aussi solennelle et artificielle à la fois que les occasions de sa célébration. La parenté usuelle, quotidiennement entretenue et utilisée, est le terrain où se développent les mariages ordinaires voués par leur fréquence même à l'insignifiance du non-marqué et à la banalité du quotidien : incapables de se perpétuer par elles-mêmes, sinon sur le mode d'existence un peu irréel et artificiel qui est celui des relations officielles, ces relations usuelles doivent être *sans cesse* utilisées et ainsi réactivées pour de nouvelles utilisations. Et il est logique qu'un groupe consacre une part d'autant plus importante de son travail de reproduction des relations sociales à la reproduction des relations officielles qu'il est plus haut situé dans la hiérarchie sociale, donc plus riche en relations de cette sorte, tandis qu'à l'opposé les groupes les plus démunis, les parents pauvres, n'ont guère à dépenser en solennités et peuvent se contenter des mariages ordinaires que la parenté usuelle offre aux pauvres en parents officiels.

Parmi les biais inhérents à l'ethnologie spontanée des informateurs, le plus insidieux réside sans doute dans le fait qu'elle accorde une place disproportionnée aux mariages extraordinaires qui se distinguent des mariages ordinaires par une marque positive ou négative. Outre ces sortes de *curiosa* que l'ethnologue se voit souvent offrir par l'informateur de bonne volonté, tels le mariage par échange (*abdal*, deux hommes « échangent » entre eux leurs sœurs), par « ajout » (*thirni*, deux frères épousent deux sœurs, la seconde « s'ajoutant » à la première, le fils épouse la sœur ou même la fille de la seconde femme de son père) ou encore le lévirat, cas particulier des mariages par « réparation » (*thiririth*, de *err*, rendre ou reprendre), le discours indigène désigne les cas extrêmes : le mariage entre les cousins parallèles, le plus accompli mythiquement, et le mariage unissant les grands de deux tribus ou de deux clans différents, le plus accompli politiquement.

C'est ainsi que le conte, discours semi-ritualisé à fonction didactique, simple paraphrase en forme de parabole du proverbe ou du dicton qui lui sert de morale, retient exclusivement les mariages marqués et marquants. Soit d'abord, les différents types de mariage avec la cousine parallèle, qu'ils aient pour fin de préserver un héritage politique ou de pallier l'extinction d'une lignée (dans le cas de la fille unique). Et ensuite les mésalliances les plus flagrantes, comme le mariage du chat-huant et de la fille de l'aigle, modèle pur du mariage de bas en haut (au sens social, mais aussi au sens mythique, le haut s'opposant au bas comme le jour, la lumière, le bonheur, la pureté, l'honneur, s'opposent à la nuit, à l'obscurité, au malheur, à la souillure et au déshonneur) entre un homme situé en bas de l'échelle sociale, un *awrith*, et une femme issue d'une famille supérieure et dans lequel la relation d'assistance traditionnelle se trouve inversée du fait de la discordance entre les positions des conjoints dans les hiérarchies sociale et sexuelle. C'est celui qui donne, en ce cas le plus haut, qui doit aller au secours de celui qui a pris, en ce cas le plus bas : c'est l'aigle qui doit prendre sur le dos son gendre, le chat-huant, pour lui éviter une défaite humiliante dans la compétition avec les aiglons ; situation scandaleuse que dénonce le proverbe : « lui donner sa fille et lui ajouter du blé ».

Contre ces représentations officielles, auxquelles la tradition ethnographique elle-même contribue en consacrant ses descriptions aux seuls cas remarquables, ceux qui donnent lieu au déploiement du cérémonial le plus extraordinaire, comme dit Weber, l'observation et la statistique établissent que la grande majorité des mariages, dans tous les groupes observés, appartiennent à la classe des mariages ordinaires, noués le plus souvent à l'initiative des femmes, dans l'aire de la parenté usuelle ou des relations usuelles qui les rendent possibles et qu'ils contribuent à renforcer[26]. Les mariages conclus dans cette aire, entre familles unies par des échanges fréquents et anciens, selon des voies frayées depuis longtemps et continûment entretenues pendant des générations, sont ceux dont on n'a rien à dire, comme de tout ce qui a toujours été ainsi de tout temps, ceux qui ne semblent pas avoir d'autre fonction, hors la reproduction biologique, que la reproduction des relations sociales qui les rendent possibles[27]. Ces mariages qui sont généralement célébrés sans cérémonie sont aux mariages extra-ordinaires – conclus par les hommes entre tribus ou villages différents, ou, plus simplement, hors de la parenté usuelle, et toujours scellés de ce fait par des cérémonies solennelles – ce que les échanges de la vie ordinaire, les petits cadeaux (*thuntichin*) qu'échangent les femmes et qui « nouent l'amitié », sont aux échanges extra-ordinaires des occasions extra-ordinaires, dons solennels et solennellement proclamés (*lkhir*), qui incombent à la parenté de représentation. Les mariages extra-ordinaires ont en commun avec le mariage entre cousins parallèles (qui se distingue par là et par là seulement[28] des mariages ordinaires) d'exclure les femmes, à la différence des mariages ordinaires qui supposent à peu près toujours leur intervention. Par opposition au mariage conclu entre les frères ou, en tout cas, entre les hommes de la lignée, avec la bénédiction du patriarche, le mariage lointain se donne officiellement comme politique : conclu en dehors du champ des relations usuelles, célébré par des cérémonies qui mobilisent de vastes groupes, il n'a de justification que politique comme on voit dans le cas limite des mariages destinés à sceller une paix ou une alliance entre les « têtes » de deux tribus[29]. Plus communément, il est le mariage du marché, lieu neutre, d'où les femmes sont exclues et où les lignées, les clans et les tribus se rencontrent, toujours sur le qui-vive. Et ce n'est pas par hasard qu'il est « publié » sur le marché par le crieur (*berraḥ*) à la différence des autres mariages qui, ne rassemblant que les parents, excluent les invitations solennelles. Il traite la femme comme un instrument politique, comme une sorte de gage, ou comme une monnaie d'échange, propre à procurer des profits symboliques. Occasion de procéder à l'exhibition publique et officielle, donc parfaitement légitime, du capital symbolique de la famille, de donner, si l'on peut dire, une *représentation* de sa parenté, et d'accroître par là même ce capital, au prix de dépenses très importantes, il obéit dans tous ses moments à la recherche de l'accumulation de capital symbolique : ainsi le mariage avec un étranger coupé de son groupe et réfugié dans le village est totalement déconsidéré tandis que le mariage avec un étranger habitant au loin est prestigieux parce qu'il témoigne de l'ampleur du rayonnement de la lignée ; de même, à l'inverse des mariages ordinaires qui suivent des « frayages » anciens, les mariages politiques ne sont pas et ne peuvent pas être répétés, parce que l'alliance se dévaluerait en devenant ordinaire, donc banale. Par là encore, il est fondamentalement masculin et il oppose souvent le père et la mère de l'épousée, moins sensible au profit symbolique qu'il peut procurer et plus attentive aux inconvénients qu'il peut présenter pour sa fille vouée à la condition d'exilée (*thaghribth*, l'exilée, l'égarée à l'ouest). « Le mariage au loin, c'est l'exil » (*azwaj lab' adh d'anfi*) ; « Mariage à l'extérieur, mariage d'exil » (*azwaj ibarra, azwaj elghurba*), disent souvent les mères dont la fille a été donnée à un groupe étranger où elle n'a aucune connaissance (*thamusni*) et encore moins de parenté même éloignée (*arriḥa*, une odeur – de terre natale) ; c'est ce que chante aussi la mariée qui a fait ce mariage d'exil : « Ô montagne, ouvre la porte pour l'exilée. Qu'elle voie le pays natal. La terre étrangère est sœur de mort. Pour l'homme comme pour la femme. » Dans la mesure où il met en relation, par l'intermédiaire des familles et des lignées directement concernées, de vastes groupes, clans ou tribus, il est de part en part officiel et il n'est rien dans la célébration qui ne soit strictement ritualisé et magiquement stéréotypé : cela sans doute parce que l'enjeu est si grave, les risques de rupture si nombreux et si grands, que l'on ne peut se fier à l'improvisation réglée des habitus orchestrés et qu'il faut faire de chaque action l'exécution d'une partition.

Les mariages conclus dans cette sorte de sous-marché privilégié (celui de l'*akham*), que l'autorité de l'ancien et la solidarité des agnats constituent en zone franche d'où toute surenchère et toute concurrence se trouvent d'emblée exclues, se distinguent sans aucun doute par un coût matériel et symbolique incomparablement plus faible que celui des mariages extra-ordinaires. La plupart du temps, l'union s'impose comme allant de soi et, lorsqu'il n'en est pas ainsi, l'intercession discrète des femmes de la famille suffit à la réaliser. La célébration du mariage est réduite au strict nécessaire. En premier lieu, les dépenses (*thaqufats*) entraînées par la réception du cortège nuptial dans la famille de la jeune fille sont très réduites (soit, en gros, deux décalitres de semoule de blé, un demi-litre de beurre, du café et du sucre, dix kilos de viande achetée au marché ou fournie par la bête sacrifiée) ; la cérémonie d'*imensi*, où sera remis le douaire, regroupe seulement (au moins pour les mariages conclus à l'intérieur de la parenté pratique) les représentants les plus importants des deux familles qui s'allient (soit une vingtaine d'hommes) ; le trousseau de la mariée (*ladjaz*) se réduit à trois robes, deux foulards et quelques autres objets d'emprunt (une paire de chaussures, un *haïk*) ; le montant du douaire, négocié à l'avance en fonction de ce que les parents de la jeune fille doivent acheter au marché pour doter leur fille (un matelas, un oreiller, une malle, à quoi s'ajoutent les couvertures, produits de l'artisanat familial, qui se transmettent de mère en fille) est remis sans grande cérémonie et sans bluff ni camouflage (entre 15 000 et 20 000 anciens francs) ; quant aux dépenses de la noce, on les réduit au minimum en faisant coïncider la fête avec l'Aïd : le mouton traditionnellement sacrifié à cette occasion couvre les besoins de la noce et les invités, retenus chez eux en cette occasion, sont plus nombreux à s'excuser. A ces mariages ordinaires que la vieille morale paysanne entoure d'éloges (par contraste avec les mariages qui, comme « celui des filles de veuves » – *thudjal* –, dépassent les limites socialement reconnues à chaque famille), les mariages extra-ordinaires s'opposent sous tous les rapports. Pour concevoir l'ambition d'aller chercher au loin une épouse, il faut y être prédisposé par l'habitude d'entretenir des relations hors de l'ordinaire, donc par la possession des aptitudes, en particulier linguistiques, qui sont indispensables en ces occasions : il faut disposer d'un fort capital de relations lointaines, particulièrement dispendieuses, qui seules peuvent fournir les infirmations sûres et procurer les médiateurs nécessaires à la conclusion du projet. Bref, pour pouvoir mobiliser ce capital au moment utile, il faut avoir investi beaucoup et depuis longtemps. Ainsi, par exemple, pour ne considérer que ce cas, les chefs de famille maraboutique que l'on est allé prier de servir d'intercesseurs sont payés en retour de mille manières : le *taleb* du village et à plus forte raison le personnage religieux de rang plus élevé qui participe au cortège des *iqafafen* est habillé et chaussé de neuf par le « maître de la noce » – les dons qui lui sont traditionnellement offerts, en argent lors des fêtes religieuses, en vivres lors des récoltes, sont en quelque sorte proportionnés à l'importance du service rendu ; le mouton de l'Aïd qu'on lui offre cette année-là n'est qu'une compensation de la « honte » (*iḥachem udhmis*, il a couvert son visage de honte) qu'il a encourue en allant solliciter un laïc (qui, si puissant soit-il, ne détient pas « en son cœur » la science coranique) et en consacrant le mariage par sa foi et sa science. L'accord conclu (en supposant qu'il n'ait entraîné aucune *thaj'alts* versée à l'un quelconque des parents proches de la jeune fille), la cérémonie de l'« engagement » (*asarus*, le dépôt du gage, *thimristh*) qui a fonction de rite d'appropriation (*a'ayam*, la désignation, ou encore *a'allam*, le marquage, semblable à celui de la première parcelle labourée, ou mieux, *amlak*, l'appropriation au même titre que la terre) est à elle seule déjà comme une noce. On y vient chargé de cadeaux non seulement à l'intention de la mariée (qui reçoit le « gage » qu'on lui destine, un bijou de valeur, et de l'argent de tous les hommes qui la voient ce jour-là – *tizri*), mais aussi à l'intention de toutes les autres femmes de la maison ; on y ajoute des vivres (semoule, miel, beurre, etc.), des têtes de bétail, qui seront égorgées et consommées par les invités ou constituées en un capital appartenant à la mariée. On y vient en nombre, les hommes de la famille annonçant leur force par les coups de fusil qu'ils tirent comme au jour du mariage. Toutes les fêtes célébrées dans l'intervalle qui sépare cette fête de la noce sont autant d'occasions d'apporter à *thislith* sa « part » (*el ḥaq*) : de grandes familles séparées par une grande distance ne peuvent se contenter d'échanger quelques plats de couscous ; on y joint des cadeaux à la mesure de ceux qu'ils unissent. Accordée, c'est-à-dire « donnée » (*athnafka* : « elle a été donnée »), « appropriée » (*malkants* : « ils l'ont appropriée ») et « rappelée au souvenir » (*thaswafkar* : « elle est rappelée ») par les multiples « parts » qu'on lui a réservées, la jeune fille n'est pas pour autant acquise : on met un point d'honneur à accorder à sa famille le temps qu'il lui plaît d'attendre et de faire attendre. La célébration du mariage constitue évidemment le point culminant de l'affrontement symbolique des deux groupes et aussi le moment des plus fortes dépenses. On dépêche dans la famille de la jeune fille *thaqufats*, soit deux quintaux de semoule et un demi de farine au moins, de la viande (sur pied) en abondance – dont on sait qu'elle ne sera pas toute consommée –, du miel (20 litres), du beurre (10 litres). On cite un mariage où l'on a conduit dans la famille de la jeune fille un veau, cinq moutons sur pied et une carcasse de mouton (*ameslukh*). La délégation des *iqafafen* était, il est vrai, de quarante hommes portant fusils, auxquels il faut ajouter tous les parents et tous les notables que leur âge dispense de tirer des coups de feu, soit une cinquantaine d'hommes. Le trousseau de la mariée qui en ce cas peut compter jusqu'à une trentaine de pièces se double d'autant de pièces offertes aux diverses autres femmes de la famille. Et si l'on entend souvent dire qu'entre grands il n'y a pas de *chrut* (conditions exigées par le père pour sa fille avant d'accorder sa main), c'est parce que le statut des familles constitue par soi une assurance que les « conditions » ailleurs explicitement stipulées seront ici dépassées en tout cas. Bien que le montant du douaire soit toujours soumis à un contrôle social rigoureux, les mariages exceptionnels peuvent ignorer les limites tacitement imposées par le groupe. A preuve, des formules qui aujourd'hui sont lancées comme des défis : « Pour qui te prends-tu ? Pour celle de quatorze (*am arba' tach*) ? », allusion aux *quatorze réaux* dont était payé le douaire de la femme la plus chèrement payée, celle qui a su devenir la maîtresse de maison de la famille la plus riche, la plus nombreuse en hommes. Pour les femmes mariées autour de 1900-1910, la même expression leur attribue un douaire de *40 douros* qui, selon les équivalences populaires (nous l'avons eue pour « l'équivalent de deux paires de bœufs », *elḥaq nasnath natsazwijin*), devait représenter le prix de deux paires de bœufs ; à la veille de la Seconde Guerre mondiale, le montant normal du douaire se situait autour de 2 000 francs. Un mariage prestigieux célébré en 1936 avec beaucoup de faste, en présence de la quasi-totalité des hommes de la tribu (avec une troupe de *tbal* qui ont joué pendant trois journées et deux nuits), a coûté à son responsable, outre toutes ses liquidités, la valeur d'une de ses meilleures terres (de quatre journées de labour). Il avait dû égorger, pour nourrir les invités, deux bœufs, un veau et six moutons. En fait, le coût économique n'est sans doute que peu de chose, comparé au coût symbolique de *imensi*. Le rituel de la cérémonie de remise du douaire est l'occasion d'un affrontement total des deux groupes dans lequel l'enjeu économique n'est qu'un indice et un prétexte. Exiger un douaire élevé pour donner sa fille ou payer un douaire élevé pour marier son fils, c'est dans les deux cas affirmer son prestige et, par là, acquérir du prestige : les uns et les autres entendent prouver ce qu'ils « valent », soit en faisant voir à quel prix les hommes d'honneur, qui savent apprécier, évaluent leur alliance, soit en manifestant avec éclat à quel prix ils s'estiment au travers du prix qu'ils sont prêts à payer pour avoir des partenaires dignes d'eux. Par une sorte de marchandage inversé, qui se dissimule sous les dehors d'un marchandage ordinaire, les deux groupes s'accordent tacitement pour surenchérir sur le montant du douaire, parce qu'ils ont le même intérêt à élever cet indice indiscutable de la valeur symbolique de leurs produits sur le marché des échanges matrimoniaux.

Toutefois, l'opposition entre le très près et le très loin en dissimule une autre qui contribue à conférer au mariage avec la cousine parallèle son ambiguïté. Les mariages les plus lointains sont totalement dépourvus d'équivoque, puisque, jusqu'à une époque récente au moins, il était exclu que l'on pût se marier au loin pour des raisons négatives, faute de pouvoir trouver à se marier près ; comme tous les mariages proches, le mariage avec la cousine parallèle, le seul qui soit positivement et officiellement *marqué* parmi les mariages ordinaires, peut revêtir des significations opposées, selon qu'il est électif ou forcé. S'il se rencontre parfois chez ceux qui se distinguent par quelque marque de distinction positive et élective, il apparaît aussi dans les lignées les plus pauvres ou les lignes les

Types de mariage et types de cérémonie

	Mariages dans la famille *indivise*	Mariages ordinaires dans			Mariages extra-ordinaires
		la parenté pratique	les relations pratiques proches	les relations pratiques lointaines (frayages)	
L'exploration					
1 *Aqalab*	–	–	–	+	–
2 *Anqadh*	–	–	–	–	+
La négociation					
3 *Assiwat wawal*	–	–	–	+	–
4 *Akhṭab*	–	+	++	+++	++++
5 *Ahallal*	–	–	+	++	+++
6 *Aqbal*	–	+	+	+	++
L'« engagement »					
7 *Asarus af thislith*	–	–	–	+	+++
8 *Elḥaq n'thislith*	–	–	+	++	+++
9 *Amlak thislith*	o	o	+	++	+++
10 *Ahayi*	+	+	++	+++	++++
11 *Aghrum*	+	+	++	+++	++++
La consécration					
12 *Aquffi*	–	–	+	++	+++
13 *Awran*	–	–	+	++	+++
14 *Imensi*	+	+	+	++	+++
15 *Aṭbal*	–	+	+	+	++
16 *El barudh*	+	+	+	++	+++
17 *El ghart*	–	–	+	++	+++
18 *A'arut*	+	+	++	+++	++++
19 *Achachchi*	+	+	++	+++	++++
20 *El khir*	+	+	++	+++	++++
21 *Lahdhiyath*	–	–	+	++	++++

Ce tableau synoptique des caractéristiques pertinentes du cérémonial modal correspondant à chacun des types de stratégie matrimoniale ne doit pas faire oublier qu'un des principes des stratégies du second ordre consiste à donner à la célébration d'un mariage d'un type déterminé au moins certains des traits d'un mariage appartenant à un degré supérieur de solennité.

1 *Aqalab :* la recherche (de la jeune fille).
C'est l'affaire des femmes exclusivement (sauf quand il arrive que la recherche soit simulée à des fins stratégiques).

2 *Anqadh :* l'examen (de la jeune fille).
L'« examen » de la jeune fille (confié à une vieille, proche de la famille) a lieu lorsqu'on ne sait rien de la famille et qu'il n'est pas possible de s'informer indirectement. On peut voir dans le fait d'offrir à l'« examinatrice » ne serait-ce qu'à boire, et dans le fait d'accepter de boire, un indice des dispositions favorables des femmes au mariage projeté.

3 *Assiwat wawal :* la « déclaration des intentions ».
La démarche consistant à « faire parvenir la parole » marque le début du processus de négociation, dans les mariages lointains. Si la réponse n'est pas donnée sur-le-champ, elle ne peut plus être négative sous peine d'offense. Hors ces cas, ce premier acte est déjà une demande à peine voilée.

4 *Akhṭab :* la demande officielle.
A peine allusive, parfois sur le mode de la plaisanterie, dans la parenté pratique, formulée explicitement et directement par le responsable même du mariage, dans l'aire des relations pratiques ; précédée de longues démarches secrètes dans le cas des mariages extra-ordinaires.

5 *Ahallal :* l'intercession des médiateurs (*inattafen*).
Hors de la parenté, il faut « payer » en hommages, en sollicitations (présentés par des médiateurs de plus en plus haut placés dans les relations généalogiques et dans la hiérarchie du prestige).

6 *Aqbal :* l'accord.
Il est d'autant plus solennel qu'il s'est fait plus longtemps attendre.

7 *Asarus af thislith :* l'« engagement de la mariée ».
Cette cérémonie, qui n'a lieu qu'en l'absence de relation de parenté et lorsque le mariage doit être différé, devient une sorte de « petite noce » dans les mariages extra-ordinaires.

8 *Elḥaq n'thislith :* la part de la mariée.

Don obligé, solennel (pour soi et en raison des occasions qui imposent de *penser* à la jeune fille, les grandes fêtes annuelles), coûteux, dans les relations entre les groupes éloignés ; modeste, mais plus fréquent, se distinguant à peine des multiples cadeaux que les femmes échangent ordinairement entre elles (denrées alimentaires) dans l'aire des relations pratiques (anneau, ceinture, etc.).

9 *Amlak thislith :* la mariée gagée.

C'est l'intervalle de temps qui court de l'« engagement » à la célébration du mariage. Dans les mariages lointains, la famille de la jeune fille prolonge le plus longtemps possible cette période afin de conserver l'avantage qu'elle a sur ses partenaires.

10 *Ahayi :* les préparatifs.

Moins importants dans le cas des mariages ordinaires, cérémonies féminines et rites propitiatoires (comme pour le premier labour : plat de blé et fèves cuites ; fête de l'arrivée du trousseau de la mariée et de la bête à immoler) ; premières manifestations solennelles annonçant officiellement le mariage à l'intérieur de la « maison » ou de la parenté proche.

11 *Aghrum :* la « galette ».

Repas que le groupe des parents offre à la famille du jeune homme (et parfois aussi de la jeune fille) avec tous les individus désignés pour faire partie du cortège (*iqafafen*).

12 *Aquffi :* le cortège.

L'escorte qui va chercher la mariée est d'autant plus importante et elle est composée d'hommes d'autant plus prestigieux, que le mariage est plus extraordinaire.

13 *Awran* : les présents (« la farine »).

Dans les grands mariages, la délégation des vieux de la farine (*imgharen wuren*) dont les membres sont choisis (particulièrement les femmes) avec soin, part en grande pompe, avec un mulet portant bien en vue les présents.

14 *Imensi :* le souper.
Repas au cours duquel les deux groupes se rencontrent en leur totalité et procèdent à l'échange du *douaire*. Simple rencontre entre parents et « intimes » dans les mariages ordinaires, qui donnent lieu au versement d'un douaire relativement faible, voire symbolique (en cas de mariage dans la famille indivise), *imensi* est un affrontement d'honneur, marqué par des joutes oratoires, dans les mariages de prestige, où le douaire peut atteindre des sommes très élevées.

15 *Aṭbal :* les musiciens professionnels.
C'est la plus grande célébration que l'on puisse faire d'un mariage : incompatible avec un mariage unissant deux familles parentes, il est blâmé en ce cas.

16 *El barudh :* la « poudre », les coups de fusil.
Pratique généralisée lors même qu'il n'y a pas de cortège nuptial.

17 *El ghart :* le tir à la cible.
Dans les rencontres avec les groupes étrangers, c'est affaire d'honneur que de « faire toucher » la cible posée, comme un défi, sur le chemin des hommes du cortège. Dans les mariages ordinaires, c'est un simple jeu entres parents et intimes.

18 *A'arut :* les invitations.

19 *Achachchi :* la distribution des « assiettes ».
Elle est limitée à la parenté dans les mariages ordinaires.

20 *El khir :* les dons en argent (offerts à la mariée et au marié).

21 *Lahdhiyath :* les cadeaux (offerts aux femmes de la famille de la mariée).

La participation des femmes aux cérémonies (*urar*, chants et danses par lesquelles elles fêtent la mariée, application du henné et préparatifs de la mariée dans sa maison, application du henné dans la maison du marié, etc.) est à peu près invariable quelle que soit la solennité du mariage.

plus pauvres des lignées dominantes (les clients) qui, en recourant à ce type d'union, le plus économique, délivrent le groupe au meilleur compte (ne serait-ce qu'en évitant les mésalliances) de l'obligation de marier deux de ses membres particulièrement désavantagés sur le marché matrimonial. Ayant toujours pour effet objectif de renforcer l'intégration de l'unité minimale et corrélativement sa distinction par rapport aux autres unités, il est plutôt le fait de groupes caractérisés par une forte volonté d'affirmer leur intégration négative, c'est-à-dire leur *distinction*. Peut-être se trouve-t-il prédisposé par son ambiguïté fonctionnelle à jouer le rôle de beau mariage du pauvre : on comprendrait alors qu'il soit utilisé surtout par ceux qui, à la façon du noble ruiné incapable de marquer autrement que sur le terrain symbolique son souci de ne pas déroger, trouvent dans l'affectation du rigorisme un moyen d'affirmer leur distinction, au prix d'une sorte de double négation, comme telle ligne coupée de son groupe d'origine et soucieuse de maintenir son originalité, telle famille prétendant affirmer les traits distinctifs de sa lignée par une surenchère de rigueur (c'est à peu près toujours le cas d'une famille particulière dans les communautés maraboutiques), tel clan entendant marquer sa distinction à l'égard du clan opposé par un respect plus rigoureux des traditions (c'est le cas des Aït Madhi à Aït Hichem), etc. Dans la mesure où il peut apparaître comme le mariage le plus sacré et, dans certaines conditions, le plus « distingué », il est la forme de mariage extra-ordinaire que l'on peut s'offrir au moindre coût, sans avoir à dépenser pour la cérémonie, à entrer dans des négociations hasardeuses et à verser un douaire trop important : aussi n'est-il pas de manière plus réussie de faire de nécessité vertu, de se mettre en règle, c'est-à-dire en accord avec la règle, de ne rien faire pour empêcher de croire que la règle est au principe de l'action.

Mais un mariage quel qu'il soit ne prend son sens que

par rapport à l'ensemble des mariages compossibles (c'est-à-dire, plus concrètement, par rapport au champ des partenaires possibles) ; en d'autres termes, il se situe sur un continuum qui va du mariage entre cousins parallèles au mariage entre membres de tribus différentes, le plus risqué mais aussi le plus prestigieux, et se trouve donc nécessairement caractérisé sous les deux rapports, par un certain degré de renforcement de l'intégration et un certain degré d'élargissement des alliances. Ces deux mariages marquent les points d'intensité maximale des deux valeurs que tout mariage s'efforce de maximiser, soit, d'un côté, l'intégration de l'unité minimale et la sécurité, et, de l'autre côté, l'alliance et le prestige, c'est-à-dire l'ouverture vers le dehors, vers les étrangers. Le choix entre la fission et la fusion, entre le dedans et le dehors, entre la *mutualité* comme partage des ressources communes, et la *réciprocité* comme échange de ressources distinctes mais équivalentes, entre la sécurité et l'aventure, s'impose à propos de chaque mariage : s'il assure le maximum d'intégration au groupe minimal, le mariage avec la cousine parallèle ne fait que redoubler la relation de filiation par la relation d'alliance, gaspillant ainsi, par cette sorte de redondance, le pouvoir de créer des alliances nouvelles que représente le mariage ; le mariage lointain, au contraire, ne peut procurer des alliances prestigieuses qu'en sacrifiant l'intégration de la lignée et la relation entre les frères, fondement de l'unité agnatique. C'est ce que répète obsessionnellemnt le discours indigène. Le mouvement centripète, c'est-à-dire l'exaltation du dedans, de la sécurité, de l'autarcie, de l'excellence du sang, de la solidarité agnatique, appelle toujours, même pour s'y opposer, le mouvement centrifuge, l'exaltation de l'alliance de prestige. Sous les dehors de l'impératif catégorique se dissimule toujours le calcul de maximum et de minimum, la recherche du maximum d'alliance compatible avec le maintien ou le renforcement de l'intégration entre les frères. Cela se voit à la syntaxe du discours, qui est toujours celle de la *préférence* : « Mieux vaut cacher son *point d'honneur* que de le dévoiler aux autres » ; « Je ne sacrifie pas *adhrum* (la lignée) à *aghrum* (la galette) ». « Le dedans est mieux que le dehors. » « Première folie (audace, coup risqué) : donner la fille de *'amm* aux autres hommes ; deuxième folie : aller au marché sans bien ; troisième folie : rivaliser avec les lions sur la cime des montagnes. » Ce dernier dicton est le plus significatif puisque, sous l'apparence d'une condamnation absolue du mariage lointain, il reconnaît expressément la logique dans laquelle il se situe, celle de l'exploit, de la prouesse, du prestige. Il faut un prestige fou et une audace folle pour oser se rendre au marché sans argent avec l'intention d'y faire des achats comme il faut un courage fou pour défier les lions, les étrangers courageux auxquels les fondateurs de la cité doivent arracher leur femme, d'après nombre de légendes d'origine.

Stratégies matrimoniales et reproduction sociale

Les caractéristiques d'un mariage et, en particulier, la position qu'il occupe en un point déterminé du continuum qui va du mariage politique au mariage avec la cousine parallèle dépendent des objectifs que se donne la stratégie collective comme intégration des fins conférées au mariage considéré par les différents agents intéressés et des moyens que ces agents peuvent mettre au service de cette stratégie ; plus précisément, étant donné que les objectifs dépendent eux-mêmes très étroitement des moyens disponibles, l'analyse des opérations qui ont conduit aux différents mariages renvoie à l'analyse des conditions qui devaient être remplies pour qu'ils fussent possibles, c'est-à-dire concevables et réalisables : à la façon d'une partie de cartes, dont l'issue dépend d'une part de la donne, des cartes détenues (la valeur de celles-ci étant elle-même définie par les règles du jeu, caractéristiques de la formation sociale considérée), et, d'autre part, de l'habileté des joueurs, la logique et l'efficacité des stratégies matrimoniales dépendent d'une part du capital matériel et symbolique dont disposent les familles en présence, c'est-à-dire, plus précisément, de leur richesse en instruments de production et en hommes, ceux-ci étant considérés à la fois comme force de production et de reproduction, comme force politique et par là comme force symbolique, et, d'autre part, de la compétence qui permet aux responsables de ces stratégies de maximiser le profit procuré par un placement habile de ce capital, c'est-à-dire de la maîtrise pratique de l'axiomatique économique (au sens le plus large du terme) implicitement inscrite dans un mode de production déterminé, qui est la condition de la production des pratiques considérées comme « raisonnables » dans le groupe et positivement sanctionnées par les lois objectives du marché (des biens matériels comme des biens symboliques). La stratégie collective qui conduit à tel ou tel « coup » (dans le cas du mariage ou en tout autre domaine de la pratique) n'est autre chose que le produit d'une combinaison des stratégies des agents intéressés qui tend à accorder à leurs intérêts respectifs le poids correspondant à leur position au moment considéré dans la structure des rapports de pouvoir domestique. Il est remarquable en effet que les négociations matrimoniales sont réellement l'affaire de tout le groupe, chacun jouant son rôle à son moment et pouvant de ce fait contribuer à la réussite ou à l'échec du projet : ce sont d'abord les femmes, chargées des contacts officieux et révocables, qui permettent d'entamer les négociations semi-officielles, conduites par les hommes, sans risquer quelque rebuffade humiliante ; ce sont les notables les plus représentatifs de la parenté de représentation qui, agissant en tant que garants expressément *mandatés* de la volonté de leur groupe et en tant que porte-parole explicitement *autorisés*, apportent leur médiation et leur intercession en même temps qu'un témoignage éclatant du capital symbolique d'une famille capable de mobiliser des hommes aussi prestigieux ; ce sont en définitive les deux groupes dans leur totalité qui interviennent dans la décision en soumettant à une discussion passionnée les projets matrimoniaux, les comptes rendus de l'accueil accordé aux propositions des délégués et l'orientation à donner aux négociations ultérieures. C'est dire en passant et à l'intention des ethnologues qui s'estiment satisfaits lorsqu'ils ont caractérisé un mariage par sa seule détermination généalogique que, au travers de la représentation quasi théâtrale que donne la parenté de représentation à l'occasion du mariage, les deux groupes procèdent à une enquête systématique visant à établir l'univers complet des variables caractéristiques non seulement des deux conjoints (âge et surtout écart des âges, histoire matrimoniale antérieure, rang de naissance, rapports de parenté théorique et pratique avec le détenteur de l'autorité dans la famille, etc.) mais aussi de leur groupe, à savoir l'histoire économique et sociale des familles qui s'allient et des groupes plus larges auxquels elles appartiennent, le patrimoine symbolique, et notamment le capital d'honneur et d'hommes d'honneur dont elles disposent, la qualité du réseau d'alliances sur lequel elles peuvent compter et des groupes auxquels elles sont traditionnellement opposées, la position de la famille dans son groupe – particulièrement importante parce que l'étalage de parents prestigieux peut dissimuler une position dominée par un groupe éminent – et l'état des relations qu'elle entretient avec les autres membres de son groupe, c'est-à-dire le degré d'intégration de la famille (indivision, etc.), la structure des rapports de force et d'autorité dans l'unité domestique (et en particulier, s'agissant de marier une fille, dans l'univers féminin), etc.

Les pratiques observées dans une formation sociale orientée vers la reproduction simple de ses propres fondements, c'est-à-dire vers la reproduction biologique du groupe et la production de la quantité de biens nécessaires à sa subsistance et à sa reproduction biologique et, indissociablement, vers la reproduction de la structure des rapports sociaux et idéologiques dans lesquels et par lesquels s'accomplit et se légitime l'activité de production, peuvent être analysées comme le produit des stratégies (conscientes ou inconscientes) par lesquelles les individus ou les groupes visent à satisfaire les intérêts matériels et symboliques associés à la possession d'un patrimoine matériel et symbolique, tendant par là à assurer la reproduction de ce patrimoine et, du même coup, de la structure sociale. Plus précisément, les stratégies des différentes catégories d'agents dont les intérêts peuvent s'opposer à l'intérieur de l'unité domestique (entre autres occasions, lors du mariage) ont pour principe les systèmes d'intérêts qui leur sont objectivement assignés par la nature et la valeur du patrimoine qu'ils détiennent, c'est-à-dire par le système des principes constitutifs d'un *mode de reproduction* déterminé qui régissent la fécondité, la filiation, la résidence, l'héritage et le mariage et qui, concourant à remplir la même fonction, à savoir la reproduction biologique et sociale du groupe, sont objectivement concertés [30].

Dans une économie caractérisée par la distribution relativement égalitaire des moyens de production (le plus souvent possédés en indivision par le lignage) et par la faiblesse et la stabilité des forces productives qui excluent la production et l'accumulation de surplus importants, donc le développement d'une différenciation économique nettement marquée (bien que l'on puisse voir dans les prélèvements en travail que représentent les « corvées-entraides » une forme *déguisée* de vente de la force de travail), l'exploitation familiale a pour but l'entretien et la reproduction de la famille, non la production de valeurs.

Si l'on veut à toute force voir dans *thiwizi* (aide) une corvée (afin, par exemple, de mieux faire entrer la réalité dans les cadres d'une définition réaliste et réifiée des modes de production), il faut au moins prendre en compte le fait que cette corvée se *déguise* sous les dehors de l'*entraide*. Dans les *faits*, *thiwizi* profite surtout aux plus riches et aussi au *taleb* (dont la terre est labourée et semée en commun) : les pauvres n'ont pas besoin d'aide pour la récolte ; mais *thiwizi* peut aussi bénéficier à un pauvre dans le cas de la construction d'une maison (transport des pierres et de poutres). « Une personne respectée demande *thiwizi* pour tel jour. On nourrit les participants le matin à la maison avant qu'ils ne partent travailler. On leur donne aussi de la nourriture qu'ils emportent sur le lieu du travail. Il arrive que l'on fasse appel à tout le village pour une grosse récolte d'olives. Cela représente une dépense assez importante [...]. L'homme qui a déplu est exclu de *thiwizi* : il est interdit de l'aider, même à charger son mulet. L'entraide (*thiwizi*) est indispensable. L'homme mis à l'écart ne peut rien faire » (Beni Aïdel). La mise en quarantaine est une sanction terrible et qui n'est pas seulement symbolique : du fait de la déficience des techniques, nombre d'activités seraient impossibles sans l'aide du groupe (ainsi la construction d'une maison, avec le transport des pierres, ou le transport des roues du moulin qui mobilisait une quarantaine d'hommes se relayant sans cesse pendant plusieurs jours) ; en outre, dans cette économie de l'insécurité, un capital de services rendus et de dons octroyés constitue la meilleure et la seule assurance contre les « mille contingences » dont dépend, comme le remarque Marx, la conservation ou la perte des conditions de travail, depuis l'accident qui frappe une bête, jusqu'aux intempéries brutales qui anéantissent la récolte. Dans de telles conditions, l'abondance d'hommes constituerait sans doute une surcharge si, adoptant un point de vue strictement économique, on y voyait seulement des « bras » et, du même coup, des « ventres » (cela d'autant plus que la Kabylie a connu de tout temps une main-d'œuvre flottante de pauvres qui, à l'époque des grands travaux, se constituaient en équipes passant de village en village). En fait, l'insécurité politique qui s'entretient elle-même en engendrant les dispositions exigées par la riposte à la guerre, à la rixe, au vol ou à la vengeance (*reqba*) est sans doute au principe de la valorisation des hommes comme « fusils », c'est-à-dire non seulement comme force de travail mais aussi comme puissance guerrière : la terre ne vaut que par les hommes qui la cultivent mais aussi la défendent. Si le patrimoine de la lignée, que symbolise le nom, se définit non seulement par la possession de la terre et de la maison, biens précieux, donc vulnérables, mais par la possession de moyens d'en assurer la protection, c'est-à-dire les hommes, c'est que la terre et les femmes ne sont jamais réduites au statut de simple instrument de production ou de reproduction et, moins encore, de marchandises ou même de « propriétés » : les agressions contre la terre, contre la maison ou contre les femmes sont des agressions contre leur maître, contre son *nif*, c'est-à-dire son *être*, tel que le groupe le définit, et pas seulement contre son avoir. La terre aliénée comme le viol ou le meurtre non vengés représentent des formes différentes de la même offense, qui appellent dans tous les cas la même riposte du point d'honneur : de même qu'on « rachète » le meurtre, mais, dans la logique de la surenchère symbolique, en frappant s'il se peut la personne la plus proche du meurtrier ou le notable le plus en vue du groupe, de même on « rachète » *à tout prix* une terre ancestrale, même peu féconde, pour effacer ce défi permanent lancé au point d'honneur du groupe[31] ; de même que, dans la logique du défi reçu ou lancé, la meilleure terre, à la fois techniquement et symboliquement, est la plus intégrée au patrimoine, de même, l'homme en qui l'on peut atteindre le plus solennellement, donc le plus cruellement, le groupe, est celui qui en est le plus représentatif.

Parce que les hommes constituent une force politique et symbolique qui est la condition de la protection et de l'expansion du patrimoine, de la défense du groupe contre les empiétements de la violence, en même temps que de l'imposition de sa domination et de la satisfaction de ses intérêts, et parce que la seule menace contre la puissance du groupe, en dehors de la stérilité des femmes, est la fragmentation du patrimoine matériel et symbolique qui résulte de la discorde entre les hommes, les stratégies de fécondité qui visent à produire le plus d'hommes possible et le plus vite possible (par la précocité du mariage) et les stratégies éducatives qui tendent à inculquer une adhésion exaltée à la lignée et aux valeurs d'honneur, expression transfigurée du rapport objectif entre les agents et un patrimoine matériel et symbolique extrêmement vulnérable et toujours menacé, concourent à renforcer l'intégration de la lignée et à détourner vers l'extérieur les dispositions agressives : « La terre c'est du cuivre (*neḥas*), les bras c'est de l'argent. » L'ambiguïté même de ce dicton – *neḥas* signifie aussi jalousie – introduit au principe de la contradiction que la coutume successorale engendre en *attachant* les hommes à la terre. Bien qu'elles s'orientent objectivement vers les mêmes fonctions, les stratégies successorales, qui visent à attacher le plus d'hommes possible au patrimoine en leur assurant l'égalité devant l'héritage et en garantissant l'unité du patrimoine par l'exhérédation des femmes, introduisent une contradiction inévitable non seulement en menaçant la terre ancestrale d'émiettement en cas de division égale entre des héritiers très nombreux, mais surtout en plaçant au cœur même du système le principe d'une compétition pour le pouvoir sur l'économie et la politique domestiques : compétition et conflit entre le père et les fils, que ce mode de transmission du pouvoir condamne à un état d'irresponsabilité aussi longtemps que vit le patriarche (nombre de mariages entre cousins parallèles étant conclus par le « vieux » sans que les pères soient consultés) ; compétition et conflit entre les frères ou entre les cousins, qui au moins lorsqu'ils deviennent pères à leur tour, sont inévitablement voués à se découvrir des intérêts antagonistes[32]. Les stratégies des agnats sont dominées par l'opposition entre les profits symboliques de l'unité politique et de l'indivision économique qui la garantit et les profits matériels de la rupture, sans cesse rappelés par l'esprit de calcul qui, refoulé chez les hommes, peut plus ouvertement s'exprimer chez les femmes, structuralement prédisposées à être moins sensibles aux profits symboliques procurés par l'unité politique et à s'adosser plus librement à des pratiques proprement économiques. Le prêt entre femmes est considéré comme le symbole du commerce sans honneur ; et, de fait, il est plus près de la vérité économique de l'échange que le commerce masculin. De l'homme qui se laisse trop facilement aller à emprunter, surtout de l'argent (par opposition à l'homme d'honneur soucieux de ne pas gaspiller son capital de « crédit »), on dit que « pour lui le prêt (*arrṭal*) est pareil à celui des femmes ». C'est l'homme qui a désacralisé et désenchanté la relation d'honneur entre l'emprunteur et le prêteur, celui qui, à force de pâlir de honte toutes les fois qu'il a sollicité un prêt, a le « visage jaune ». L'opposition entre les deux « économies » est si marquée que, dans le langage des hommes, l'expression *err arrtal*, qui est employée aussi pour exprimer le fait d'accomplir la vengeance, signifie *restitution de don*, échange, tandis qu'elle signifie « rendre le prêt » dans le langage des femmes. Les conduites de prêt sont effectivement plus fréquentes et plus naturelles chez les femmes qui prêtent et empruntent n'importe quoi pour n'importe quel usage ; il s'ensuit que la vérité économique, contenue dans le donnant donnant, affleure plus nettement dans les échanges féminins qui connaissent des échéances précises (« jusqu'à l'accouchement de ma fille ») et le calcul précis des quantités prêtées. Bref, les intérêts *symboliques et politiques* attachés à l'unité de la propriété foncière, à l'étendue des alliances, à la force matérielle et symbolique du groupe des agnats, et aux valeurs d'honneur et de prestige qui font *akham amoqrane*, la grande maison, militent en faveur du renforcement des liens communautaires ; au contraire, comme le montre le fait que la fréquence des ruptures d'indivision n'a cessé de croître corrélativement à la généralisation des échanges monétaires et à la diffusion (corrélative) de l'esprit de calcul, les intérêts *économiques* (au sens étroit) et en particulier ceux qui touchent à la consommation poussent à la rupture d'indivision.

L'affaiblissement des forces de cohésion, qui est corrélatif de l'effondrement des cours des valeurs symboliques, et le renforcement des forces de disruption, qui est lié à l'apparition de sources de revenus monétaires et à la crise consécutive de l'économie paysanne, conduisent au refus de l'autorité des anciens, de la vie paysanne dans ce qu'elle a d'austère et de frugal, et à la prétention de disposer du profit de son travail pour le consacrer à des biens de consommation plutôt qu'à des biens symboliques, capables d'assurer plus de prestige ou de rayonnement à la famille. On le verra par ces quelques témoignages : « Je sais qu'un jour ou l'autre ça arrivera (la rupture). C'est inévitable. Il n'y a pas deux frères maintenant qui vivent ensemble (*zaddi*), à plus forte raison nous qui ne sommes pas issus du même ventre. Je jure que je ne sais même plus quel lien de parenté me lie à *dadda* Braham. Un jour ou l'autre, ça arrivera, d'autant plus que chacun au fond de lui-même souhaite cela, chacun s'imagine se donner trop de peine pour les autres. "Si je n'avais pas ma femme et mes enfants, je ne me donnerais pas tant de peine", ou encore, j'aurais escaladé le "trône divin" (le septième ciel). Dès que l'on raisonne ainsi, ça y est, c'est fini. C'est le ver dans le fruit. Que Dieu accorde sa miséricorde à pareille maison ! Car en ce raisonnement les hommes rejoignent les femmes, ils leur prêtent main-forte et c'est fini. Toutes les femmes souhaitent cela, elles sont ennemies de *zaddi*, parce qu'elles sont habitées par le diable; elles s'efforcent de contaminer les hommes. Avec cette disposition d'esprit, elles ne manquent pas de réussir. Ce qui nous sauve, nous, et fait perpétuer l'indivision, c'est que nous avons su nous adapter; chacun de nous s'est fait une spécialité, d'où pas d'empiétement, pas d'autorité trop rigide, chacun est maître de son domaine, en a la responsabilité. Pas de lutte d'autorité, ni masculine, ni féminine. Tous les hommes chez nous vont au marché quand il leur plaît et aucune des femmes de chez nous ne porte "la clé des réserves à sa ceinture". Et puis, nous sommes la dernière maison indivise (*izdin*) des Aït Amara. Comment accepter le risque d'émiettement quand les Aït Ali sont encore unis, Aït Ahmed aussi ou encore Akham Youcef. Il n'y a qu'à voir ce qui advient des Aït Hamana et des Aït Chikh : leurs champs s'étendent jusqu'aux portes des demeures (*thamurth ar-thimira*, du pays jusqu'aux barbes) et malgré cela c'en est fini d'eux ; ils ne sont plus une grande maison (*akham amoqrane*), ce ne sont pas des "maisons". » Et la description de l'effondrement des valeurs anciennes met au jour, mieux que toutes les analyses, les fondements sur lesquels elles reposaient : « Si l'on veut cuisiner avec un Butagaz, il faut être quatre dans la famille. Quand on fait à manger pour vingt personnes, on ne peut utiliser cette commodité... ou alors il faut une bouteille par souper. Si on veut vivre à vingt, il faut accepter d'aller chercher du bois, de le couper, de le déterrer, il faut accepter le *kanoun*, sa fumée, sa saleté. Si on veut les commodités, il faut renoncer à *zaddi*. La même chose en tout : l'habillement, le savon, le travail, etc. J'ai envie de manger une côtelette rôtie, il faut que je sois seul, que je l'achète comme en ville dans un petit paquet, que je la prépare discrètement. Même la maison que je dois habiter doit elle aussi être petite, juste pour moi. Personne ne pourra voir ce que je fais ou ce que je mange. Quand on est tous ensemble, il faut accepter le régime commun, dans les années fastes, c'est la grande marmite tous les quatre ou cinq mois, dans laquelle on peut faire bouillir dix kilos de viande. Il faut choisir. Regarde Abderrahman, c'est un enfant, il y a une quinzaine d'années son père est mort. Parce que sa mère veut pouvoir partir en ville chez sa sœur (la vie est meilleure là-bas), parce que lui aussi veut travailler sur les chantiers et garder pour lui son argent, il a refusé de vivre avec son frère aîné qui pourrait être son père. Et pourtant il a demandé à prendre sa part dans l'héritage, il l'a eue. Il ne s'est trouvé personne pour lui dire non, personne pour trouver la chose anormale. Avant, personne n'osait demander la rupture. Il y avait l'autorité des vieux. On le battait celui-là, on le chassait, on le maudissait : "il est cause de faillite" (*lakhla ukham*, le vide de la maison, la friche de la maison). "Il cherche cause au partage" (*itsabib ibbatu*), on refuse de lui "donner le partage". Maintenant, chacun le sait, les maisons de veuves sont plus prospères que celles des hommes (d'honneur). L'enfant d'hier brigue le commandement ! »

Même dans le cas où le détenteur du pouvoir domestique a de longue date préparé sa succession par la manipulation des aspirations, par l'orientation de chacun des frères vers la « spécialité » qui lui convenait dans la division du travail domestique, la concurrence pour le pouvoir domestique est à peu près inévitable, et, surtout, dans les cas où l'aîné n'est pas expressément désigné pour le rôle de chef de la maison, elle ne peut se sublimer en compétition d'honneur qu'au prix d'un contrôle incessant des hommes sur eux-mêmes et du groupe sur chacun d'eux ; mais les forces de cohésion que constituent l'indivision de la terre et l'intégration de la famille – autant d'institutions qui se renforcent mutuellement – se heurtent continûment aux forces de fission telles que la « jalousie » que suscite la distribution inégale des pouvoirs ou des responsabilités ou encore la discordance entre les contributions respectives à la production et à la consommation (« le travail du laborieux a été mangé par celui qui est adossé au mur »)[33]. En général, l'autorité en matière économique, répartition des travaux ou contrôle des dépenses et gestion du patrimoine, et en matière politique incombe en fait ou en droit à un seul, lui conférant le monopole des profits symboliques que procurent les sorties au marché, la présence aux assemblées de clan ou aux réunions plus exceptionnelles de notables de la tribu, les invitations habituellement adressées à l'homme de la maison qui est tenu pour le plus responsable et le plus représentatif, etc. Et cela sans parler du fait que ces charges ont pour effet de dispenser celui qui les assume des travaux continus, qui ne souffrent ni délai, ni interruption, c'est-à-dire les moins nobles.

Objectivement unis, pour le pire sinon pour le meilleur, les frères sont subjectivement divisés, jusque dans la solidarité : « Mon frère, disait un informateur, est celui qui défendrait mon honneur si mon point d'honneur venait à être en défaut, donc celui qui me sauverait du déshonneur mais en me faisant honte ; mon frère, disait un autre, rapportant les propos d'une personne de sa connaissance, est celui qui, si je mourais, pourrait épouser ma femme et qui serait loué pour cela. » L'homogénéité du mode de production des habitus (c'est-à-dire des conditions matérielles d'existence et de l'action pédagogique) produit une homogénéisation des dispositions et des intérêts qui, loin d'exclure la concurrence, peut en certains cas l'engendrer en inclinant ceux qui sont le produit des mêmes conditions de production à reconnaître et à rechercher les mêmes biens, dont toute la rareté peut tenir à cette concurrence. Groupement monopoliste défini, comme dit Max Weber, par l'appropriation exclusive d'un type déterminé de biens (terres, noms, etc.), l'unité domestique est le lieu d'une concurrence pour ce capital ou, mieux, pour le pouvoir sur ce capital. Il est significatif que les coutumiers qui n'interviennent qu'exceptionnellement dans la vie domestique favorisent explicitement l'indivision (*thidukli bukham* ou *zeddi*) : « Les gens qui vivent en association de famille s'ils se battent, ne paient pas d'amende. S'ils se séparent, ils paient comme les autres [34]. »

Clé de voûte de la structure familiale, la relation entre les frères en est aussi le point le plus faible, que tout un ensemble de mécanismes visent à soutenir et à renforcer, à commencer par le mariage entre cousins parallèles, résolution idéologique, qui peut en certains cas se réaliser dans les pratiques, de la contradiction spécifique de ce mode de reproduction. Tout se passe en effet comme si cette formation sociale avait dû s'accorder officiellement cette possibilité, refusée par la plupart des sociétés comme incestueuse, pour résoudre idéologiquement la tension qu'elle porte en son centre même. On aurait sans doute mieux compris l'exaltation du mariage avec la *ben'amm* si l'on avait noté que *ben'amm* a fini par désigner l'ennemi ou, du moins, l'ennemi intime, et que l'inimitié se dit *thaben'ammts*, « celle des enfants de l'oncle paternel ». En fait, les forces de cohésion idéologique trouvent leur point d'application dans la personne de l'ancien, *djedd*, dont l'autorité, fondée sur le pouvoir d'exhérédation et sur la menace de malédiction et surtout sur l'adhésion aux valeurs symbolisées par *thadjadith*, ne peut assurer l'équilibre entre les frères qu'en maintenant entre eux (et leurs épouses) la plus stricte égalité tant dans le travail (les femmes assurant par exemple à tour de rôle le travail domestique, la préparation des repas, le transport de l'eau, etc.) que dans la consommation. Aussi longtemps que se maintient ce facteur de cohésion positif, qui disparaît brutalement lorsque le père meurt alors que tous ses fils sont à l'âge d'homme et qu'aucun d'eux ne dispose d'une autorité affirmée (en vertu de l'écart d'âge ou de tout autre principe), la tension inscrite dans la relation entre les frères se transfère dans la relation entre le père et les fils.

Cette opposition entre un principe d'intégration autoritaire et positif (fondé sur *djedd* ou *thadjadith*) et une relation égalitaire de concurrence et de compétition entre les contemporains se retrouve à tous les niveaux de la structure sociale : la force relative, extrêmement variable, des tendances à la fusion et à la fission dépend primordialement, au niveau de l'unité domestique aussi bien qu'au niveau d'unités plus larges, comme le clan ou la tribu, du rapport qui s'instaure entre le groupe et les unités extérieures, l'insécurité fournissant un principe de cohésion négatif capable de suppléer à la déficience des principes positifs[35]. « Je hais mon frère, mais je hais celui qui le hait. » La solidarité négative et forcée que crée la vulnérabilité partagée et qui se renforce toutes les fois que surgit une menace dirigée contre le patrimoine matériel ou symbolique possédé en indivision repose sur le même principe que la tendance à la division qu'elle contrarie provisoirement, celui de la concurrence entre les agnats, en sorte que, de la famille indivise aux unités politiques les plus larges, la cohésion sans cesse exaltée par l'idéologie mythique et généalogique ne dure guère plus que les rapports de force capables de contenir les intérêts particuliers. « Séparez-les pour que la haine ne les sépare pas » ou « la séparation sépare les causes de la haine ».

Ayant ainsi rappelé les principes qui définissent les systèmes d'intérêts des différentes catégories d'agents engagés dans les rapports de force domestiques aboutissant à la définition d'une stratégie collective en matière de mariage, il suffit de poser que les agents sont d'autant plus enclins à servir le fonctionnement du système que le fonctionnement du système sert plus complètement leurs intérêts pour comprendre les principes fondamentaux des stratégies qui s'affrontent à l'occasion du mariage[36]. S'il est vrai que le mariage représente une des occasions principales de conserver, d'augmenter ou d'amoindrir (par la mésalliance) le capital d'autorité que confère une forte intégration et le capital de prestige attaché à un réseau d'alliés étendu (*nesba*), il reste que tous les membres de l'unité domestique qui interviennent dans la conclusion du mariage ne reconnaissent pas au même degré leurs intérêts particuliers dans l'intérêt collectif de la lignée.

Du fait qu'ils sont le produit de stratégies élaborées, dont on attend plus et autre chose que la simple reproduction biologique, c'est-à-dire des alliances externes ou internes destinées à reproduire les rapports de force domestiques et politiques, du fait, en particulier, que l'on attache une attention particulière au choix des « oncles maternels », sorte de placement à court et à long terme, les mariages ne peuvent être dissous à la légère (les relations les plus anciennes et les plus prestigieuses étant évidemment les mieux protégées contre la rupture inconsidérée) et, en cas de répudiation inévitable, on recourt à toutes sortes de subterfuges pour éviter de dilapider le capital d'alliances. Il arrive qu'on aille « supplier » les parents de la femme pour qu'ils la rendent, mettant le divorce sur le compte de la jeunesse, de l'étourderie, de la brutalité verbale, de l'irresponsabilité d'un mari trop jeune pour savoir apprécier le prix des alliances ; on invoque le fait que la formule n'a pas été prononcée trois fois, mais une seule fois par étourderie, sans témoins. Le divorce devient *thutchḥa* (la femme qui s'est fâchée et est rentrée chez ses parents) ; on va jusqu'à offrir de célébrer une nouvelle noce (avec *imensi* et trousseau). Si la répudiation s'avère définitive, il y a plusieurs manières de se « séparer » : plus le mariage a été important, solennel, plus on y a « investi », plus on a donc intérêt à sauvegarder les rapports avec ceux dont on se sépare (soit par solidarité parentale, soit par solidarité de voisinage, soit par calcul intéressé), et plus la rupture est discrète ; on n'exige pas le douaire immédiatement de même qu'on ne le refuse pas (la répudiation *baṭṭal* – « gratuite » – étant une offense grave), on attend même que la femme soit remariée ; on évite de faire des comptes trop stricts, et d'associer au règlement du divorce des témoins, surtout étrangers.

La tradition successorale qui exclut la femme de l'héritage, la vision mythique du monde qui ne lui accorde qu'une existence diminuée et ne lui octroie jamais la pleine participation au capital symbolique de sa lignée d'adoption, la division du travail entre les sexes qui la voue aux tâches domestiques, laissant à l'homme les fonctions de représentation, tout concourt à identifier les intérêts des hommes aux intérêts matériels et surtout symboliques de la lignée, et cela d'autant plus complètement qu'ils détiennent une autorité plus grande au sein du groupe des agnats. Et, de fait, les mariages d'hommes que sont le mariage avec la cousine parallèle et le mariage politique témoignent sans aucune équivoque que les intérêts des hommes sont plus directement identifiés aux intérêts officiels de la lignée et que leurs stratégies obéissent plus directement au souci de renforcer l'intégration de l'unité domestique ou le réseau d'alliances de la famille, contribuant dans l'un et l'autre cas à accroître le capital symbolique de la lignée.

Le mariage avec la cousine parallèle est une affaire d'hommes, conforme aux intérêts des hommes, c'est-à-dire aux intérêts supérieurs de la lignée, conclue à l'insu des femmes, souvent *contre leur volonté*, lorsque les épouses des deux frères s'entendent mal, l'une ne souhaitant pas introduire chez elle la fille de l'autre, l'autre ne voulant pas placer sa fille sous l'autorité de sa belle-sœur (ce qui ne les empêche pas de faire de nécessité vertu et de se conduire en femmes d'honneur attachées à ne contrarier en rien les projets des hommes). Cela va tellement de soi que la recommandation rituelle du père à ses fils : « N'écoutez pas votre femme, restez unis entre vous ! » s'entend naturellement : « Mariez vos enfants entre eux. » Il n'avait pas encore commencé à marcher que son père le maria. Un soir, après avoir soupé, Arab s'en fut chez son frère plus âgé (*dadda*). Ils bavardèrent. La femme de son frère tenait sa fille sur ses genoux ; la petite fille se mit à tendre les bras vers son oncle qui la prit en disant : « Que celle-ci Dieu en fasse celle d'Idir ! N'est-ce pas ainsi *dadda*, tu ne refuseras pas ? » Son frère lui répondit : « Que veux-tu, aveugle ? – La lumière ! – Si tu m'ôtes le souci qu'elle me procure, que Dieu te délivre de tes soucis. Je te la donne avec son grain et sa paille, pour rien ! » (Yamina Aït Amar Ou Saïd, *ibid.*). Quant aux femmes, ce n'est pas par hasard que les mariages dont elles sont responsables appartiennent à la classe des mariages ordinaires ou, plus exactement, qu'on leur laisse seulement la responsabilité des mariages sans histoire et sans cérémonie[37] : étant exclues de la parenté de représentation, elles se trouvent renvoyées vers la parenté utile et vers les usages utiles de la parenté, investissant dans la recherche d'un parti pour leur fils ou leur fille plus de réalisme économique (au sens restreint) que les hommes[38]. C'est sans doute lorsqu'il s'agit de marier une fille que les intérêts masculins et féminins ont le plus de chances de diverger : outre que la mère est moins sensible que le père à la « raison de famille » qui porte à traiter la fille comme *instrument* du renforcement de l'intégration du groupe des agnats ou comme monnaie d'échange symbolique, permettant d'instaurer des alliances prestigieuses avec les groupes étrangers, c'est aussi que, en mariant sa fille dans sa propre lignée et en intensifiant ainsi les échanges entre les groupes, elle tend à renforcer sa position dans l'unité domestique. Le mariage du fils pose avant tout pour la vieille maîtresse de maison la question de sa domination sur l'économie domestique en sorte que son intérêt ne se trouve ajusté à celui de la lignée que négativement, dans la mesure où, en prenant une fille là où elle a été prise elle-même, elle suit la voie tracée par la lignée et dans la mesure surtout où le conflit entre les femmes résultant d'un mauvais choix menacerait à terme l'unité du groupe des agnats.

L'intérêt des hommes, toujours dominant officiellement et, tendanciellement au moins, dans les faits, s'impose d'autant plus complètement que l'intégration du groupe des agnats est plus forte (c'est ce que l'on signifie indirectement lorsque, parmi les arguments en faveur de l'indivision, on invoque le fait qu'elle permet une meilleure surveillance des femmes) et que la lignée du père est au moins égale dans la hiérarchie sociale à celle de la mère. Il est en effet à peine exagéré de prétendre que toute l'histoire matrimoniale du groupe est présente dans les transactions internes à propos de chaque projet de mariage : l'intérêt de la lignée, c'est-à-dire l'intérêt masculin, qui commande que l'on évite de placer un homme dans une position dominée au sein de la famille en le mariant à une fille nettement au-dessus de sa condition (l'homme, dit-on, peut élever la femme, mais non l'inverse ; on donne – une fille – à un supérieur ou un égal, on prend – une fille – chez un inférieur) a donc d'autant plus de chances de s'imposer que celui qui a la responsabilité (au moins officielle) du mariage n'a pas été lui-même marié au-dessus de sa condition. Tout un ensemble de mécanismes, parmi lesquels le montant du douaire et les frais de la noce, d'autant plus lourds que le mariage est plus prestigieux tendent à exclure les alliances entre groupes trop inégaux sous le rapport du capital économique et symbolique (les cas fréquents où la famille d'un des deux conjoints est riche d'une espèce de capital – *e. g.* en hommes – tandis que l'autre possède plutôt l'autre espèce de richesse – *e. g.* la terre – ne constituent pas des exceptions, bien au contraire) : « On s'allie, dit-on, avec ses égaux » (« *tsnassaben* (*naseb*) *medden widh m'adhalen* »). Bref, la structure des relations objectives entre les parents responsables de la décision matrimoniale, en tant qu'homme ou femme et en tant que membre de telle ou telle lignée, contribue à définir la structure de la relation entre les lignées unies par le mariage projeté [39]. En fait, il serait plus juste de dire que la relation déterminante, entre la lignée de l'individu à marier et la lignée offrant un partenaire possible, est toujours médiatisée par la structure des rapports de pouvoir domestique. En effet, pour caractériser complètement la relation multidimensionnelle et multifonctionnelle, irréductible à la relation de parenté, entre les deux groupes, il ne suffit pas de prendre en compte la distance spatiale et la distance économique et sociale qui s'établit entre eux au moment du mariage, sous le rapport du capital économique et aussi du capital symbolique (mesuré au nombre d'hommes et d'hommes d'honneur, au degré d'intégration de la famille, etc.) ; il faut aussi faire intervenir l'état, au moment considéré, de la comptabilité de leurs échanges matériels et symboliques, c'est-à-dire toute l'histoire des échanges officiels et extraordinaires, réalisés ou du moins consacrés par les hommes, comme les mariages, mais aussi des échanges officieux et ordinaires, continûment assurés par les femmes, avec la complicité des hommes et parfois à leur insu, médiation par où se préparent et se réalisent les relations objectives qui prédisposent deux groupes à s'apparier. Si le capital économique est relativement stable, le capital symbolique est plus labile : la disparition d'un chef de famille prestigieux, sans parler de la rupture d'indivision, suffit, en certains cas, à l'affecter fortement. Corrélativement, c'est toute la représentation que la famille entend donner d'elle-même, les objectifs qu'elle assigne à ses mariages – alliance ou intégration – qui suivent les fluctuations de la fortune symbolique du groupe. Ainsi, en l'espace de deux générations, une grande famille *(cf. arbre généalogique, p. 182)*, dont la situation économique allait pourtant en s'améliorant, est passée de mariages d'hommes, unions dans la parenté proche ou unions extra-ordinaires (mariages réglés par les hommes, hors de l'aire familiale à des fins d'alliance) à des mariages ordinaires, le plus souvent tramés par les femmes, dans leurs réseaux propres de relations : ce changement de politique matrimoniale a coïncidé avec la mort des deux frères les plus âgés (Hocine II_2 et Laïd II_3), l'absence prolongée des hommes les plus âgés (partis pour la France) et l'affaiblissement de l'autorité de *thamgarth*, devenue aveugle, le pouvoir de fait tombant aux mains de Boudjemâa (III_3) et, par intermittence, de Athman (IV_5). En fait, la succession de la *thamgharth*, celle qui fait régner l'ordre et le silence (*ta'a n thamgharth, da-susmi* – l'obéissance à la vieille est silence), n'ayant pas été assurée, la structure des rapports entre les épouses reflète la structure des rapports entre les époux, laissant vacante la position de maîtresse de maison : les mariages, dans ces conditions, tendent à aller vers les lignées respectives des différentes femmes.

Les caractéristiques structurales qui définissent génériquement la valeur des produits d'une lignée sur le marché des échanges matrimoniaux sont évidemment spécifiées par des caractéristiques secondaires telles que le statut matrimonial de l'individu à marier, son âge, etc. Ainsi les stratégies matrimoniales du groupe et le mariage qui peut en résulter varient du tout au tout selon que l'homme à marier est un célibataire « en âge de se marier » ou au contraire ayant déjà « passé l'âge », ou un homme déjà marié qui cherche une co-épouse, ou encore un veuf ou un divorcé qui cherche à se remarier (la situation variant selon qu'il a ou qu'il n'a pas d'enfants de son premier mariage). Pour une fille, les principes de variation sont les mêmes, avec la différence que la *dévaluation* entraînée par les mariages antérieurs est infiniment plus grande (en raison du prix attaché à la virginité et bien qu'une réputation d'« homme qui répudie » soit au moins aussi nuisible au demeurant qu'une renommée de « femme à répudier »). Ce n'est là qu'un des aspects de la dissymétrie entre la situation de la femme et celle de l'homme devant le mariage : « L'homme, dit-on, reste toujours un homme quel que soit son état (à la différence de la femme qui peut

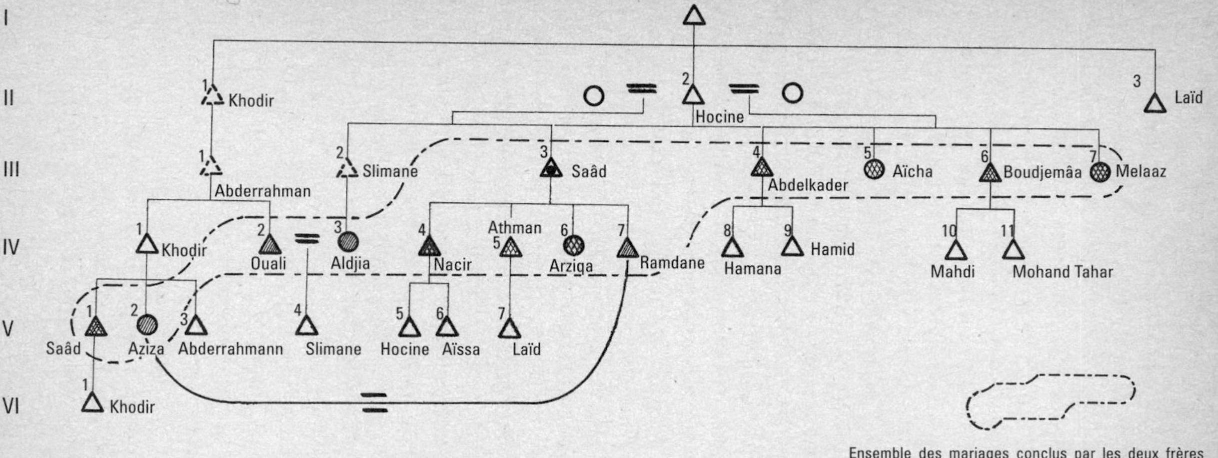

Hommes morts avant la conclusion des mariages considérés

Hommes ayant fait des mariages ordinaires

Hommes et femmes de la maison mariés à l'intérieur de la famille indivise

Hommes et femmes de la maison ayant fait des mariages extra-ordinaires

Homme marié dans sa famille maternelle à des fins de politique domestique

Ensemble des mariages conclus par les deux frères Hocine (II_2) et Laïd (II_3), entre 1940 et 1950 (les autres mariages ayant été conclus après leur mort, par leurs successeurs, *i.e.* postérieurement à 1960).

se disqualifier et se jeter dans la honte, *'ar*) ; c'est à lui de choisir. » Ayant l'initiative de la stratégie, il peut attendre : il est assuré de trouver une épouse, même s'il doit payer la rançon de ce retard en épousant une femme qui a déjà été mariée, ou de statut social inférieur, ou affligée de quelque infirmité. La fille étant traditionnellement « demandée » et « donnée » en mariage, ce serait le comble du ridicule pour un père de rechercher un parti pour sa fille. Autre différence, « l'homme peut attendre la femme (que la femme soit en âge), la femme ne peut attendre l'homme » : celui qui doit placer des femmes peut jouer avec le temps pour perpétuer l'avantage conjoncturel que lui donne sa position de sollicité, mais dans des limites restreintes sous peine de voir son produit dévalué comme suspect d'être « invendable » ou par le seul effet du vieillissement. Une des contraintes les plus importantes parmi celles qui s'imposent aux stratégies matrimoniales est l'urgence du mariage, qui tend évidemment à affaiblir le jeu. Parmi les raisons de presser le mariage, il y a le grand âge des parents, qui souhaitent assister à la noce de leur fils et avoir une bru (*thislith*) pour s'occuper d'eux, ou la crainte de voir donnée à un autre une fille sur laquelle on a jeté son dévolu (pour éviter cela, les parents « présentent un soulier », « marquant » ainsi la fille dès son plus jeune âge, et parfois font même dire la *fatiha*). Le garçon unique est aussi marié tôt, afin qu'il perpétue la lignée le plus rapidement possible. Le profit symbolique que procure le fait de se remarier, après un divorce, avant l'ancien conjoint, porte souvent chacun des conjoints à conclure un mariage dans la précipitation (les mariages ainsi contractés ayant peu de chances d'être stables, ce qui explique que certains hommes ou femmes soient « voués » à des mariages répétés). La situation de la veuve est très différente selon qu'elle n'a pas eu d'enfants ou qu'elle a « laissé » des enfants chez son ancien mari ou qu'elle a gardé des enfants (auquel cas elle est moins libre, donc moins aisée à marier). Cas intéressant de stratégie, elle peut, selon les cas, être épousée par la famille de son mari (ce qui représente la conduite *officielle*, particulièrement recommandée si elle a des enfants mâles) ou remariée par la famille de son père (pratique plus fréquente lorsqu'elle est sans enfants) ou remariée par la famille de son mari. Il est difficile de déterminer l'univers des variables (parmi lesquelles, sans doute, des traditions locales) qui déterminent le « choix » de l'une ou l'autre de ces stratégies. Mais il faut aussi avoir à l'esprit, contre la tradition qui traite chaque mariage comme une unité isolée, que le mariage (au sens actif d'opération consistant à marier, à placer sur le marché matrimonial) de chacun des enfants d'une même unité familiale (*i. e.*, selon les cas, des enfants du même père ou des petits-enfants du même grand-père) dépend du mariage de tous les autres et varie donc en fonction de la *position occupée* par chacun des enfants à l'intérieur de la *configuration* particulière de l'ensemble des enfants à marier, elle-même caractérisée par sa taille et sa structure selon le sexe. Ainsi, s'agissant d'un homme, sa situation est d'autant plus favorable que la relation de parenté qui l'unit au détenteur statutaire de l'autorité sur le mariage est plus étroite (elle peut aller de celle du fils au père, à celle du frère cadet à l'aîné, ou même à la relation entre cousins éloignés). En outre, bien qu'on ne reconnaisse officiellement aucun privilège à l'aîné (des garçons évidemment), tout concourt à le favoriser au détriment des cadets, à le marier le premier et le mieux possible, c'est-à-dire plutôt à l'extérieur, les cadets étant voués à la *production* plutôt qu'aux *échanges* du marché ou de l'assemblée, au travail de la terre plutôt qu'à la politique extérieure de la maison. Sa situation est toutefois très différente selon qu'il est l'aîné de plusieurs garçons ou qu'il porte tous les espoirs de la famille, étant fils unique ou suivi de plusieurs filles[40]. Alors que la famille qui compte beaucoup de filles, surtout mal « protégées » (par des garçons), donc peu cotées parce que procurant peu d'alliés et vulnérables, est dans une position défavorable et se voit contrainte de contracter des dettes envers les familles qui reçoivent ses femmes, la famille riche en hommes dispose d'une très grande liberté de jeu : elle peut choisir de placer de façon différente chacun des garçons selon la conjoncture, d'accroître les alliances grâce à l'un d'eux, de renforcer l'intégration grâce à un autre et même de se faire un obligé de tel cousin qui n'a que des filles en lui en prenant une pour un troisième fils [41]. Dans ce cas, l'habileté du responsable peut se donner libre cours et concilier, comme en se jouant, l'inconciliable, le renforcement de l'intégration et l'élargissement des alliances. Au contraire, celui qui n'a que des filles ou qui a trop de filles est condamné aux stratégies *négatives* et toute son habileté doit se limiter à tendre le marché en manipulant la relation entre le champ des partenaires possibles et le champ des concurrents possibles, en opposant le proche et le lointain, la demande du proche à la demande de l'étranger (pour la refuser sans offense ou pour faire attendre), de façon à se réserver de choisir le plus noble.

On aura sans doute vu combien est artificielle la distinction entre les fins et les moyens des stratégies collectives en matière de mariage : tout se passe, en effet, comme si, objectivement orientées vers la recherche du renforcement ou de l'accroissement de l'intégration dans les limites du maintien de l'extension des alliances (ou l'*inverse*, selon que l'accent principal est mis sur l'une ou l'autre orientation), ces stratégies dépendaient à la fois dans leur logique et leur efficacité du capital matériel et symbolique de l'unité sociale considérée, c'est-à-dire non seulement de la valeur de son patrimoine matériel, mais aussi de la valeur de son patrimoine symbolique qui dépend elle-même d'une part du volume et de l'intégration du groupe des agnats (marquée entre autres choses par l'indivision de la production et de la consommation des biens matériels) et, d'autre part, du capital d'alliances dont elle dispose, l'une et l'autre forme de capital symbolique dépendant évidemment de toute l'histoire matrimoniale. Il s'ensuit que tout mariage *tend* à reproduire les conditions qui l'ont rendu possible [42]. Objectivement orientées vers la conservation ou l'augmentation du capital matériel et symbolique possédé en indivision par un groupe plus ou moins étendu, les stratégies matrimoniales font partie du système des stratégies de reproduction, entendu comme l'ensemble des stratégies par lesquelles les individus ou les groupes tendent objectivement à reproduire les rapports de production associés à un mode de production déterminé en travaillant à reproduire ou à augmenter leur position dans la structure sociale [43].

On se trouve fort loin de l'univers pur, parce que infiniment appauvri, des « règles de mariage » et des « structures élémentaires de la parenté ». Ayant défini le système des principes à partir desquels les agents produisent des pratiques matrimoniales réglées et régulières et comprennent pratiquement les pratiques matrimoniales des autres agents, on pourrait demander à une analyse statistique des informations pertinentes d'établir les poids des variables structurales ou individuelles qui leur correspondent objectivement. En fait, l'important est que la pratique des agents devient intelligible dès que l'on peut construire le système des principes et des lois de combinaison de ces principes (ou, dans un autre langage, le système des variables et des opérateurs) qu'ils mettent en pratique lorsqu'ils repèrent de façon immédiate les individus socio-logiquement appariables dans un état donné du marché matrimonial ; ou, plus précisément, lorsque, à propos d'un homme déterminé, ils désignent par exemple les quelques femmes qui, à l'intérieur de la parenté pratique, lui sont en quelque sorte *promises*, et celles qui lui sont *permises* à la rigueur, et cela de manière si claire et si indiscutable que toute déviation par rapport à la trajectoire la plus probable, un mariage dans une autre tribu par exemple, est ressentie comme un défi lancé à la famille concernée, mais aussi à tout le groupe.

Notes

Chapitre I

1. Ce texte a paru sous le titre « The Sentiment of Honour in Kabyle Society » in *Honour and Shame*, J. Peristiany ed., Chicago, The University of Chicago Press, Londres, Weidenfeld and Nicholson, 1966.
2. Pour le vocabulaire kabyle de l'honneur, se reporter à la page 62. *Bahdel*, c'est jeter dans la honte, déshonorer, dominer quelqu'un complètement, le battre à plate couture, le ridiculiser, bref, c'est pousser la victoire au-delà des limites raisonnables. *Bahdel* est plus ou moins répréhensible selon l'adversaire et surtout selon ce qui lui est reproché. A propos de *amahbul*, on ne dit pas : « J'ai peur qu'il me ridiculise (*bahdel*) (verbe) », mais « je ne vais pas me ridiculiser (mon esprit, moi-même) avec lui ». *Chemmeth* a à peu près le même sens et les mêmes emplois (*ichemmeth iman-is* : il se déshonore).
3. « Celui qui dénude son frère, dit le proverbe, se dénude lui-même », « Il s'injurie lui-même (c'est-à-dire son frère ou sa famille), l'âne vaut mieux que lui » (*Its' ayar imanis, daghyul akhiris*).
4. La moustache, employée comme terme descriptif pour situer l'âge (« sa barbe point », « sa moustache point »), est un symbole de virilité, composante essentielle du *nif* ; de même la barbe, surtout autrefois. Pour parler d'un outrage profond, on disait : « Untel m'a rasé la barbe (ou la moustache). »
5. D'un homme peu soucieux de son honneur, on dit : « C'est un nègre. » Les Noirs n'ont pas et n'ont pas à avoir d'honneur. Ils étaient tenus à l'écart des affaires publiques ; s'ils

pouvaient participer à certains travaux collectifs, ils n'avaient pas le droit de prendre la parole aux réunions de l'assemblée ; en certains endroits, il leur était même interdit d'y assister. C'eût été se couvrir de honte aux yeux des autres tribus que d'écouter les avis d'un « nègre ». Tenus à l'écart de la communauté ou bien clients de grandes familles, ils exerçaient des professions réputées viles, telles que boucher, marchand de peaux ou musicien ambulant (*Aït Hichem*).

6. Le *nif* est, au sens propre, le nez et ensuite le point d'honneur, l'amour-propre ; on dit aussi, dans le même sens, *thinzarin* (ou *anzaren*, selon les régions), pluriel de *thinzerth*, la narine, le nez (cf. aussi n. 10).
7. On voit la fonction sociale des marabouts. Ils procurent l'issue, la « porte » (*thabburth*) comme disent les Kabyles, et autorisent à mettre fin au combat sans que le déshonneur et la honte retombent sur l'un ou l'autre des partis. La société, par une sorte de mauvaise foi indispensable pour assurer son existence même, fournit à la fois les impératifs de l'honneur et les voies obliques qui permettent de les tourner sans les violer, au moins apparemment.
8. Un vieillard du village d'Aïn Aghbel, dans la région de Collo, nous donnait pendant l'été 1959 une description en tout point semblable.
9. « Souvenirs d'un vieux Kabyle » – « Lorsqu'on se battait en Kabylie », *Bulletin de l'enseignement des indigènes de l'Académie d'Alger*, janv.-déc. 1934, p. 12-13.
10. Par différents procédés, les vieilles sorcières enchantaient les œufs afin qu'ils demeurent « vierges ». Pour rompre le charme, on perçait les œufs avec une aiguille (cf. Slimane Rahmani, « Le tir à la cible et le *nif* en Kabylie », *Revue africaine*, t. XCIII, 1er et 2e trimestres 1949, p. 126-132). Dans la logique du système rituel, le fusil et le coup de feu (comme l'aiguille) sont associés à la sexualité virile. Tout semble indiquer que, comme en nombre d'autres sociétés (cf. par exemple G. Bateson, *Naven*, Stanford University Press, 1936, p. 163), le nez (*nif*), symbole de la virilité masculine, est aussi un symbole phallique.
11. G. Marcy, « Les vestiges de la parenté maternelle en droit coutumier berbère et le régime des successions toua-

règues », *Revue africaine*, n° 85, 1941, p. 187-211. Un des paradoxes de la communication est qu'il faut encore communiquer pour signaler le refus de communiquer et toute civilisation dispose d'une symbolique de la non-communication. C'est essentiellement, chez les Kabyles, le fait de tourner le dos – par opposition au fait de *faire face* (*qabel*), attitude propre à l'homme d'honneur –, de refuser de parler (« Ils ne se parlent pas : c'est comme entre chat et rat »). Pour exprimer l'agression symbolique ou la provocation, on dit : « Je pisse sur toi » (*a k bachegh*) ; « je te compisse le chemin ». De celui qui n'a pas égard pour l'honneur de sa famille, on dit : « Il urine sur le pan (de son vêtement). » On dit aussi, dans un sens plus fort, *edfi*, salir (au sens propre, appliquer de la bouse de vache sur les bourgeons pour les protéger des bêtes). Entre femmes, le défi ou l'injure s'exprime par le fait de « retrousser sa robe » (*chemmer*).

12. Cf. le premier récit, p. 19-21. « Une famille est perdue, dit-on, si elle ne compte pas au moins un voyou. » L'homme d'honneur ne pouvant condescendre à relever les injures d'un individu indigne et n'étant pas pourtant à l'abri de ses offenses, surtout en ville, il faut qu'il puisse lancer un voyou contre un autre voyou.
13. Cf. le deuxième récit, p. 21-22.
14. Si l'ensemble des analyses qui sont proposées dans cette étude renvoient sans cesse le lecteur occidental à sa tradition culturelle, il ne faut pas cependant minimiser les différences. C'est pourquoi, sauf dans les cas où ils s'imposaient, comme ici, nous nous sommes donné pour règle d'éviter de suggérer les rapprochements de peur d'inciter à des identifications ethnocentriques, fondées sur des analogies superficielles.
15. Le cousin d'un mari complaisant (appelé *radhi*, le consentant, ou *multa'lem*, celui qui sait) disait un jour à un autre : « Que veux-tu, quand tu as un frère qui n'a pas de *nif*, tu ne peux lui mettre un *nif* de terre ! » Et il continuait : « Si mon cousin était invalide, il serait normal que je le venge ; s'il n'avait pas d'argent, que je paie pour le venger. Mais il entasse et s'en moque. Je ne vais pas aller à Cayenne ou me ruiner pour lui ! » (*El Kalaa*). La crainte de la justice

française, l'affaiblissement du sentiment de solidarité familiale et la contagion d'un autre système de valeurs ont entraîné les Kabyles à renoncer bien souvent à l'ancien code d'honneur. Dans l'ancienne société, l'honneur était indivis, comme la terre familiale. Parallèlement à la tendance à rompre l'indivision de la propriété familiale qui s'est manifestée de plus en plus fortement, le sentiment s'est développé que la défense de l'honneur est affaire proprement individuelle.

16. D'un homme qui tarde à accomplir un devoir, on dit en Béarn : il faudra bien qu'il le fasse « par honte ou par honneur » ; autrement dit, la crainte de la honte lui imposera ce que ne peut lui inspirer le sens de l'honneur.
17. Réduire à leur fonction de communication – ne serait-ce que par le transfert de schèmes et de concepts empruntés à la linguistique ou à la théorie de la communication – des phénomènes tels que la dialectique du défi et de la riposte et, plus généralement, l'échange de dons, de paroles ou de femmes, ce serait ignorer l'ambivalence structurale qui les prédispose à remplir une fonction politique de domination dans et par l'accomplissement de la fonction de communication.
18. La *ḥurma* étant sous un certain aspect identifiable au *ḥaram*, au sacré objectif, elle peut être violée par mégarde. On a vu par exemple que le vol dans une maison habitée était particulièrement grave et exigeait vengeance parce qu'il constituait une atteinte à la *ḥurma* ; le vol ou la fraude sur le marché constituent seulement un défi et une atteinte à l'amour-propre de celui qui en est victime. Le village a aussi sa *ḥurma* qui peut être violée lorsque par exemple un étranger vient causer le scandale.
19. Ou encore : « *Essar*, c'est une graine de navet. » La graine de navet, minuscule et ronde, est extrêmement labile. *Essar* désigne aussi la grâce d'une femme ou d'une jeune fille.
20. Voici, selon un vieux Kabyle des Aït 'idel qui le tenait de son père, le portrait de l'homme d'honneur, portrait en tout point identique à celui que me fit un membre de la tribu des Issers, ce qui donne à croire qu'il s'agit d'un personnage mythique et exemplaire dont l'aventure est chaque fois située dans un environnement familier : « Il y avait

une fois un homme qui s'appelait Belkacem ou Aïssa et qui, en dépit de sa pauvreté, était respecté pour sa sagesse et sa vertu. Son rayonnement s'exerçait sur plusieurs tribus. Chaque fois qu'il survenait un différend ou un combat, il servait de médiateur et apaisait le conflit. Les Ben Ali Chérif, grande famille de la région, étaient jaloux de son influence et de son prestige, d'autant plus qu'il se refusait à leur rendre hommage. Un jour, les gens de la tribu décident de tenter de les réconcilier. Ils invitent le plus âgé des Ben Ali Chérif en même temps que Belkacem ou Aïssa. Lorsque ce dernier entra, le vieillard, déjà assis, lui dit ironiquement : "Que tes *arkasen* (pluriel de *arkas*, chaussures rustiques de laboureur) sont beaux !" Belkacem répondit : "L'usage veut que les hommes regardent les hommes en face, au visage, et non aux pieds. C'est le visage, l'honneur de l'homme, qui compte." A des étrangers qui lui demandaient comment il avait acquis son influence sur la région, Belkacem répondit : "J'ai gagné d'abord le respect de ma femme, puis de mes enfants, puis de mes frères et de mes parents, puis de mon quartier, puis de mon village ; le reste n'a fait que suivre." »

21. C'est dans cette logique que se comprend la réprobation qui entoure le célibataire. Ainsi à l'égalité en honneur correspond une sorte d'égalité en vulnérabilité qui s'exprime par exemple dans l'expression souvent employée pour rappeler à l'ordre le prétentieux : « Ta mère ne vaut pas mieux que ma mère » (cette formule ironique ne devant pas être confondue avec l'injure, « ma mère vaut mieux que ta mère » : je te surpasse en tout puisque je te surpasse même sur ce point, alors que toutes les femmes se valent).
22. Autrefois, en certaines régions de Grande Kabylie, la *thajma'th* (assemblée) obligeait les hommes de la tribu, sous peine d'amende, à acheter un fusil afin qu'ils pussent défendre leur honneur et celui du groupe. Celui qui ne s'exécutait pas, malgré l'amende, était mis à l'index, méprisé de tous, et considéré comme « une femme ».
23. Le lien qui unit le *nif* et la virilité est particulièrement manifeste dans les jeux rituels tels que le tir à la cible qui est pratiqué à l'occasion de la naissance d'un *garçon*, de la circoncision et du mariage (cf. n. 10).

24. Le seuil, point de rencontre entre deux mondes antagonistes, est le lieu d'une foule de rites et tout entouré d'interdits. En certaines régions de Kabylie, seuls les parents peuvent le franchir. En tout cas, on ne saurait y entrer sans être prié. Le visiteur s'annonce par un cri (comme dans le Sud de la France) ou bien en toussant ou en battant des pieds. La coutume veut, en certaines régions (*El Kseur, Sidi Aïch*), que le parent éloigné ou le parent par les femmes (par exemple le frère de l'épouse) qui est introduit pour la première fois dans la maison remette une offrande symbolique appelée « la vue » (*thizri*). Le village est aussi un espace sacré ; on n'y entre qu'à pied.
25. On raconte qu'autrefois les femmes allaient seules au marché : mais, tant elles sont bavardes, le marché se prolongeait jusqu'au marché de la semaine suivante. Alors les hommes descendirent un jour avec des bâtons et mirent fin aux palabres de leurs femmes… On voit que le « mythe » « explique » la division actuelle de l'espace et des tâches en invoquant la « mauvaise nature » des femmes. Lorsque l'on veut signifier que le monde va à l'envers, on dit que « les femmes vont au marché ».
26. Traditionnellement, le port du voile et la claustration (*laḥdjubia*) ne s'imposaient que dans le cas du cheikh de la mosquée du village (auquel le village assurait, entre autres services, l'approvisionnement en bois et l'entretien de *thanayamts*, chargées du transport de l'eau), de quelques familles maraboutiques qui n'habitent pas sur un *azib* (*i. e.* dans une sorte de hameau isolé) et de certains chefs de familles importantes qui distinguent une des femmes de la maison (généralement la plus jeune de leurs épouses) en en faisant *thanaḥdjabth.*
27. Tout se passe comme si la femme ne pouvait vraiment accroître l'honneur des agnats, mais seulement le conserver intact par sa bonne conduite et sa respectabilité ou bien le perdre (*ekkes el'ardh :* ôter la réputation) par sa conduite. Ce qui peut accroître l'honneur du groupe, c'est seulement l'alliance, par le mariage, avec les parents mâles de la femme.
28. Le tabou de la nudité est absolu, même dans les relations sexuelles. On sait d'autre part que le déshonneur est décrit

comme mise en état de nudité (« il m'a dévêtu, il m'a enlevé mes vêtements, il m'a dépouillé »).

29. Cf. É. Laoust, *Étude sur le dialecte berbère du Chenoua comparé avec celui des Beni Menacer et des Beni Salah*, Paris, Leroux, 1912, p. 15.
30. « La dignité de la fille, dit un proverbe arabe, n'existe que lorsqu'elle est avec son père. »
31. Cf. A. Picard, *Textes berbères dans le parler des Irjen* (Kabylie, Algérie, Typo-litho, 1961), qui reprend à son compte cette étymologie.
32. On peut trouver une vérification de ces analyses dans le fait que la généralisation des échanges monétaires et de l'attitude calculatrice qui en est corrélative fait apparaître le « marchandage – joute d'honneur » à propos du douaire comme honteux et ridicule en constituant l'échange intéressé comme tel et en détruisant l'ambiguïté structurale de l'échange traditionnel.

Chapitre II

1. Ce texte a paru dans *Échanges et Communications*, mélanges offerts à Claude Lévi-Strauss, Mouton, 1969.
2. Le lieu du sommeil et des relations sexuelles semble varier, mais à l'intérieur seulement de la « partie obscure » de la maison : toute la famille peut coucher sur la soupente, surtout en hiver, ou seulement les femmes sans époux (veuves, divorcées, etc.) et les enfants, ou encore contre le mur de l'obscurité, ou encore sur la partie haute du mur de séparation pour l'homme, la femme couchant sur la partie basse, du côté de la porte, et allant dans l'obscurité rejoindre son mari.
3. Toutes les descriptions de la maison berbère, même les plus précises et les plus méthodiques (comme celle de R. Maunier, « Le Culte domestique en Kabylie » et « Les Rites de la construction en Kabylie », in *Mélanges de sociologie nord-africaine* [Paris, Alcan, 1930], p. 120-177) ou les plus riches en notations sur l'organisation intérieure de l'espace (comme celles de É. Laoust : *Mots et Choses berbères*, Paris, 1920, p. 50-53, et *Étude sur le dia-*

lecte berbère du Chenoua, *op. cit.*, p. 12-15, ou celles de H. Genevoix, *L'Habitation kabyle*, Fort-National, Fichier de communication berbère, n° 46, 1955) présentent, dans leur minutie extrême, des lacunes systématiques, en particulier en ce qui concerne la localisation et l'orientation des choses et des activités, parce qu'elles n'appréhendent jamais les objets et les actions comme parties d'un système symbolique. Seul le postulat que chacun des phénomènes observés tient sa nécessité et son sens de sa relation avec tous les autres pouvait conduire à une observation et à une interrogation capables de susciter, par leur intention systématique, les faits qui échappent à l'observation désarmée et que les observateurs ne peuvent livrer spontanément parce qu'ils leur paraissent aller de soi. Ce postulat trouve sa validation dans les résultats mêmes de la recherche qu'il fonde : la position particulière de la maison à l'intérieur du système des représentations magiques et des pratiques rituelles justifie l'abstraction initiale par laquelle on l'a arrachée à ce système plus vaste pour la traiter comme système.

4. A cette exception près, les murs sont désignés par deux noms différents selon qu'ils sont considérés de l'extérieur ou de l'intérieur. L'extérieur est crépi à la truelle par les hommes tandis que l'intérieur est blanchi et décoré à la main par les femmes. Cette opposition entre les deux points de vue est, on le verra, fondamentale.

5 On dit, à propos d'un père qui a beaucoup de filles : « il se prépare de mauvais jours » et de même : « la jeune fille c'est le crépuscule » ou encore « la jeune fille c'est le mur de l'obscurité ».

6 L'implantation de la maison dans l'espace géographique et dans l'espace social et aussi son organisation intérieure sont un des « lieux » où s'articulent la nécessité symbolique et la nécessité technique. C'est peut-être dans des cas où, comme ici, les principes de l'organisation symbolique du monde ne peuvent s'appliquer en toute liberté et doivent en quelque sorte composer avec des contraintes externes, celles de la technique par exemple, qui imposent la construction de la maison perpendiculairement aux courbes de niveau et face au soleil levant (ou, en d'autres

cas, celles de la structure sociale, qui veulent que toute nouvelle maison soit édifiée dans un quartier particulier, défini par la généalogie), que le système symbolique déploie toute son aptitude à réinterpréter dans sa logique propre les données que d'autres systèmes lui proposent.

7. L'opposition entre la partie réservée à la réception et la partie intime (qui se retrouve dans la tente nomade, séparée par une tenture en deux parties, l'une ouverte aux hôtes, l'autre réservée aux femmes) s'exprime dans tel rite de pronostication : lorsqu'un chat, animal bénéfique, entre dans la maison portant sur lui une plume ou un brin de laine blanche et qu'il se dirige vers le foyer, cela présage l'arrivée d'invités auxquels on offrira un repas avec de la viande ; s'il se dirige vers l'étable, cela signifie qu'on achètera une vache si l'on est au printemps, un bœuf si l'on est à la saison des labours.

8. L'homologie du sommeil et de la mort s'exprime explicitement dans le précepte qui veut que l'on se couche un moment sur le côté droit, puis sur le côté gauche parce que la première position est celle du mort dans la tombe. Les chants funèbres représentent le tombeau, « la maison de sous la terre », comme une maison inversée (blanc / obscur, haut / bas, ornée de peintures / grossièrement creusée) en exploitant au passage telle homonymie associée à une analogie de forme : « J'ai trouvé des gens creusant une tombe, / De leur pioche ils sculptaient les murs, / Ils y faisaient des banquettes (*thiddukanin*). / Avec un mortier inférieur à la boue », dit un chant de veillée mortuaire (cf. H. Genevoix, *op. cit.*, p. 27). *Thaddukant* (pluriel *thiddukanin*) désigne la banquette adossée au mur de séparation et opposée à celle qui s'appuie sur le mur de pignon (*addukan*), et aussi la banquette de terre sur laquelle repose la tête de l'homme dans la tombe (le léger creux où l'on dépose la tête de la femme étant appelé *thakwath*, comme les petites niches creusées dans les murs de la maison et servant à ranger les menus objets).

9. Chez les Arabes, pour opérer le rite magique de la ferrure destiné à rendre les femmes inaptes aux rapports sexuels, on fait passer la fiancée à travers la chaîne détendue du métier à tisser, du dehors vers le dedans, c'est-à-dire du

centre de la pièce vers le mur contre lequel travaillent les tisseuses ; la même manœuvre exécutée en sens inverse détruit la ferrure (cf. W. Marçais et A. Guiga, *Textes arabes de Takrouna*, Paris, Leroux, 1925, p. 395).

10. É. Laoust rattache à la racine *zett* (tisser) le mot *tazettat* qui, chez les Berbères du Maroc, désigne la protection accordée à tout individu voyageant en territoire étranger ou la rétribution reçue par le protecteur en échange de sa protection (*op. cit.*, p. 126).
11. Cf. *infra*, p. 19-60.
12. Lors de sa première entrée dans l'étable, la nouvelle paire de bœufs est accueillie et conduite par la maîtresse de maison.
13. La construction de la maison qui a toujours lieu à l'occasion du mariage d'un fils et qui symbolise la naissance d'une nouvelle famille est interdite en mai, comme le mariage. Le transport des poutres, identifiées, on le verra, au maître de la maison, est appelé *tha'richth*, comme la soupente et comme le brancard sur lequel on transporte le mort ou une bête blessée qui sera abattue loin de la maison, et donne lieu à une cérémonie sociale dont la signification est tout à fait semblable à celle de l'enterrement. Par son caractère impérieux, par la forme cérémonielle qu'il revêt et par l'étendue du groupe qu'il mobilise, ce travail collectif (*thiwizi*) n'a d'équivalent que l'enterrement : les hommes se rendent sur les lieux de la coupe, après avoir été appelés du haut de la mosquée comme pour un enterrement. On attend de la participation au transport des poutres, acte pieux toujours effectué sans contrepartie, autant de *hassana* (mérite) que de la participation aux activités collectives liées aux funérailles (creuser la tombe, extraire les dalles de pierre ou les transporter, aider à porter le cercueil ou assister à l'enterrement).
14. M. Dewulder, « Peintures murales et pratiques magiques dans la tribu des Ouadhias », *Revue africaine*, 1954, p. 14-15.
15. Le jour de *tharurith wazal* (8 avril du calendrier julien), tournant décisif de l'année agraire, entre la saison humide et la saison sèche, le berger va très tôt, le matin, puiser de l'eau et en asperge la poutre centrale ; lors des moissons,

la dernière gerbe, coupée selon un rituel spécial (ou un épi double), est suspendue, pour y rester toute l'année, à la poutre centrale.

16. De la jeune mariée qui s'adapte bien à la nouvelle maison, on dit *tha'mmar*, c'est-à-dire, entre autres sens (cf. n. 29), « elle est pleine » et « elle emplit ».
17. Chez les Berbères de l'Aurès, la consommation du mariage a lieu le lundi, le jeudi ou le samedi, jours fastes. La veille, les jeunes filles de la fraction du marié empilent contre le pilier central *hiji*, six outres teintes en rouge, vert, jaune et violet (représentant la mariée) et une septième blanche (le marié), toutes remplies de grains. Au pied de *hiji*, une vieille jette du sel pour chasser les mauvais génies, plante une aiguille dans le sol pour accroître la virilité du marié et pose une natte orientée vers l'est qui sera la couche des jeunes mariés pendant une semaine. Les femmes de la parenté du marié parfument *hiji*, tandis que sa mère jette, comme on fait au moment des labours, une pluie de dattes que les enfants se disputent. Le lendemain, la mariée est portée par un proche parent du marié au pied de *hiji* où la mère jette à nouveau farine, dattes, blé gonflé, sucre et miel.
18. On place, en certaines régions, le soc de la charrue dans la fourche du pilier central, la pointe tournée vers la porte.
19. On sait que l'hôte remet à la maîtresse de maison une somme d'argent que l'on appelle « la vue » : il en est ainsi non seulement lorsqu'on est invité pour la première fois dans une maison mais aussi lorsque au troisième jour du mariage on rend visite à la famille de l'épouse.
20. La dualité de rythme liée à la division entre saison sèche et saison humide se manifestant entre autres choses dans l'ordre domestique, l'opposition entre la partie basse et la partie haute de la maison prend en été la forme de l'opposition entre la maison proprement dite, où les femmes et les enfants se retirent pour dormir et où l'on entrepose les réserves, et la cour où l'on installe le foyer et le moulin à bras, où l'on prend les repas et où l'on se tient à l'occasion des fêtes et des cérémonies.
21. Les relations entre hommes doivent se nouer au dehors : « Les amis sont les amis du dehors et non ceux du *kanun*. »

22. « La poule, dit-on, ne pond pas au marché. »
23. L'opposition entre la maison et la *thajma'th* se lit clairement dans la différence entre les plans des deux constructions : tandis que la maison s'ouvre par la porte de la façade, la maison d'assemblée se présente comme un long passage couvert, entièrement ouvert aux deux pignons, que l'on traverse de part en part.
24. Cette structure se retrouve dans d'autres domaines du système mythico-rituel, par exemple dans la structure de la journée et de l'année.
25. « Les jours blancs » désignent les jours heureux. Une des fonctions des rites de mariage est de rendre la femme « blanche » (aspersion de lait, etc.).
26. Le forgeron est l'homme qui, comme la femme, passe toute sa journée à l'intérieur, auprès du feu.
27. Le foyer est le lieu d'un certain nombre de rites et l'objet d'interdits qui en font l'opposé de la partie obscure. Par exemple, il est interdit de toucher aux cendres pendant la nuit ; de cracher dans le foyer, d'y laisser tomber de l'eau ou d'y verser des larmes (Maunier). De même les rites destinés à obtenir un changement de temps et fondés sur une inversion utilisent l'opposition entre la partie sèche et la partie humide de la maison : par exemple, pour passer de l'humide au sec, on place un peigne à tasser la laine (objet fabriqué par le feu et associé au tissage) et une braise ardente sur le seuil pendant la nuit ; inversement, pour passer du sec à l'humide, on asperge d'eau les peignes à tasser et à carder, sur le seuil, pendant la nuit.
28. Le village a aussi sa *ḥurma*, que tout visiteur doit respecter. De même que l'on doit se déchausser pour entrer dans une maison, une mosquée ou une aire à battre, de même on doit mettre pied à terre quand on entre dans un village.
29. *'ammar*, c'est, s'agissant d'une femme, être économe et bonne ménagère ; c'est aussi fonder un foyer et être plein. A *'ammar* s'oppose celui dont on dit *ikhla*, homme dépensier, mais aussi stérile et isolé ou encore *enger*, célibataire et stérile, c'est-à-dire, en un sens, sauvage, incapable, comme le chacal, de fonder une maison.
30. A l'inverse, l'entrée dans la maison des nouvelles pierres du foyer, à des dates inaugurales, est remplissement, intro-

duction du bon et du bien ; aussi les prévisions faites en ces circonstances portent-elles sur la prospérité et la fécondité : si l'on trouve un ver blanc sous une des pierres, il y aura une naissance dans l'année ; une herbe verte, une bonne récolte ; des fourmis, un troupeau accru ; un cloporte, de nouvelles têtes de bétail.

31. Pour consoler quelqu'un, on dit : « il vous laissera la *baraka* », s'il s'agit d'une grande personne, ou « la *baraka* n'est pas sortie de la maison », s'il s'agit d'un bébé. Le mort est placé près de la porte, la tête tournée vers la porte ; l'eau est chauffée du côté de l'étable et le lavage est fait à l'entrée de l'étable ; les tisons et les cendres de ce feu sont dispersés hors de la maison ; la planche qui a servi à laver le mort reste pendant trois jours devant la porte ; après l'enterrement, on plante trois clous dans la porte du vendredi au samedi suivant.
32. La vache doit passer sur un couteau et des fèves déposées sur le seuil ; des gouttes de lait sont versées sur le foyer et sur le seuil.
33. On dépose parfois aussi dans le vase qui recevra le lait une pierre que le jeune berger a ramassée lorsqu'il a entendu le coucou pour la première fois et qu'il a posée sur sa tête. Il arrive aussi que l'on tire le lait au travers de l'anneau de la pioche ou que l'on jette une pincée de terre dans le vase.
34. On peut aussi l'asperger d'eau ou lui faire boire de l'eau et du lait.
35. A la porte sont suspendus différents objets qui ont en commun de manifester la double fonction du seuil, barrière sélective, chargée d'arrêter le vide et le mal, tout en laissant entrer le plein et le bien et en prédisposant à la fécondité et à la prospérité tout ce qui franchit le seuil vers l'extérieur.
36. Alors qu'à la naissance la fille est enveloppée dans un foulard de soie, doux et souple, le garçon est emmailloté avec les liens secs et rugueux qui servent à nouer les gerbes moissonnées.
37. Il va de soi qu'une orientation inverse (celle que l'on aperçoit en regardant par transparence le plan de la maison) est possible, quoique rare. On dit explicitement que tout ce qui vient de l'ouest porte malheur et une porte tournée dans

cette direction ne peut recevoir que l'obscurité et la stérilité. En fait, si le plan inverse du plan « idéal » est rare, c'est d'abord que les maisons secondaires, lorsqu'elles se disposent à angle droit autour de la cour, sont souvent de simples pièces de séjour, dépourvues de cuisine et d'étable, et que la cour est souvent fermée, du côté opposé à la façade de la maison principale, par le dos de la maison voisine, elle-même tournée face à l'est.

38. On sait que les deux *ṣuf*, ligues politiques et guerrières qui se mobilisaient dès qu'un incident venait à éclater (et qui entretenaient des rapports variables, allant de la superposition à la dissociation complète, avec les unités sociales fondées sur la parenté), étaient nommés *ṣuf* du haut (*ufella*) et *ṣuf* du bas (*buadda*), ou *ṣuf* de droite (*ayafus*) et *ṣuf* de gauche (*azelmadh*), ou encore *ṣuf* de l'est (*acherqi*) et *ṣuf* de l'ouest (*aghurbi*), cette dernière appellation, moins usuelle, ayant été conservée pour désigner les camps des jeux rituels (dont les combats traditionnels entre les *ṣuf* tenaient leur logique) et survivant aujourd'hui dans le vocabulaire des jeux enfantins.

39. On se rappelle que c'est du côté du métier à tisser, partie noble de la maison, que le maître de maison reçoit (*qabel*) son hôte.

40. Il faut donc ajouter les quatre points cardinaux et les quatre saisons à la série des oppositions et des homologies présentée ci-dessus (l'appartenance et l'adéquation de ces significations au système mythico-rituel dans son ensemble étant par ailleurs démontrables) ; … culture : nature : : est : ouest : : sud : nord : : printemps : automne : : été : hiver.

41. En certaines régions de Kabylie, la jeune épousée et un jeune garçon circoncis (à l'occasion de la même fête) doivent se croiser sur le seuil.

42. On comprend par là que le seuil soit associé, directement ou indirectement, aux rites destinés à déterminer une inversion du cours des choses en opérant une inversion des oppositions fondamentales, les rites destinés à obtenir la pluie ou le beau temps par exemple ou ceux qui sont pratiqués aux seuils entre des périodes (par exemple la nuit précédant *En-nayer*, premier jour de l'année solaire, où l'on enterre des amulettes au seuil de la porte).

43. La correspondance entre les quatre coins de la maison et les quatre points cardinaux s'exprime clairement dans certains rites propitiatoires observés dans l'Aurès : lors du renouvellement du foyer, au jour de l'An, la femme chaouïa fait cuire des beignets, partage le premier cuit en quatre morceaux, qu'elle jette en direction des quatre coins de la maison. Elle fait de même avec le plat rituel du premier jour du printemps (cf. M. Gaudry, *La Femme chaouïa de l'Aurès*, Paris, Librairie orientaliste L. Geuthner, 1928, p. 58-59).
44. Nous essaierons de montrer ailleurs que la même structure se retrouve dans l'ordre du temps. Mais pour faire voir qu'il s'agit sans doute là d'une forme très générale de la pensée magique, il suffira d'un autre exemple, très semblable : les Arabes du Maghreb tenaient pour un bon signe, rapporte Ben Cheneb, qu'un cheval ait la patte antérieure droite et la patte postérieure gauche de couleur blanche ; le maître d'un tel cheval ne peut manquer d'être heureux puisqu'il monte vers du blanc et descend aussi vers du blanc (on sait que les cavaliers arabes montent à droite et descendent à gauche) (cf. Ben Cheneb, *Proverbes arabes d'Alger et du Maghreb*, t. III, Paris, Leroux, 1905-1907, p. 312).
45. Le miroir joue un grand rôle dans les rites d'inversion et en particulier dans les rites pour obtenir le beau temps.
46. Ce qui explique qu'elle ait toujours échappé aux observateurs, même les plus attentifs.
47. Dans l'espace intérieur aussi les deux parties opposées sont hiérarchisées. Soit, à côté des indices déjà cités, le dicton : « Mieux vaut une maison pleine d'hommes qu'une maison pleine de biens (*el mal*) », c'est-à-dire de bétail.

Chapitre III

1. Cette étude est l'aboutissement d'une recherche qui, entrecoupée d'autres travaux, s'est étendue de 1960 à 1970. Dans le cadre d'une analyse des structures économiques et sociales menée d'abord en différents villages de Kabylie, puis dans la région de Collo, enfin dans la vallée du Chélif

et dans l'Ouarsenis, on avait recueilli des généalogies qui essayaient de situer grossièrement la position économique relative des groupes unis par le mariage. L'analyse statistique de ces généalogies, qui fut menée entre 1962 et 1964, permit d'établir quelques relations extrêmement grossières, comme l'endogamie plus élevée des familles maraboutiques ou la dissymétrie des échanges matrimoniaux entre les groupes séparés par des inégalités économiques. Mais on ne pouvait manquer de ressentir combien étaient artificiels et abstraits les découpages ou les regroupements que l'on se trouvait contraint d'opérer dès que l'on voulait calculer des taux de mariage avec la cousine parallèle. Ayant alors abandonné l'étude des généalogies qui n'apportait d'enseignements que négatifs pour l'analyse du rituel, on aperçut rapidement que les *variations* observées dans le déroulement des rites que l'on était d'abord porté à traiter comme de simples « variantes » correspondaient, dans le cas du mariage, à des unions structuralement et fonctionnellement différentes, le rituel qui se déploie complètement dans le cas des mariages entre grandes familles de tribus différentes se trouvant réduit à sa plus simple expression dans le cas du mariage entre cousins parallèles : ainsi chaque mariage (donc, chacune des formes que prend le rite) apparaissait comme un moment d'une stratégie dont le principe réside dans un type déterminé de conditions objectives et non dans une norme explicitement posée et obéie, ou dans un « modèle » inconscient. On ne pouvait donc rendre raison des échanges matrimoniaux qu'à condition d'établir, outre la relation purement généalogique entre les conjoints, la relation objective entre les positions dans la structure sociale des groupes unis par le mariage, l'histoire des échanges économiques et symboliques survenus entre eux et l'état de ces transactions au moment où s'établit la négociation matrimoniale, l'histoire de cette négociation, son moment dans la vie des conjoints (enfance ou adolescence), sa longueur, les agents qui en sont responsables, les échanges auxquels elle donne lieu, et, en particulier, le montant de la dot, etc. C'est dire que l'étude des échanges matrimoniaux se confond avec l'histoire économique et sociale des familles dont le schéma généalogique ne restitue que le squelette. C'est pourquoi on a entrepris de recueillir l'histoire sociale d'une famille, sans pouvoir mener vraiment jusqu'au bout cette tâche qui, même si l'on s'en tient à l'information pertinente du point de vue des mariages, est réellement interminable : ce travail, qui a permis de mesurer concrètement tout ce que le généalogiste ordinaire laissait de côté, a en outre fourni la plupart des illustrations des analyses théoriques proposées ici.

2. Cf. C. Lévi-Strauss, « Le Problème des relations de parenté », in *Systèmes de parenté* (intervention aux entretiens interdisciplinaires sur les sociétés musulmanes), Paris, École pratique des Hautes Études, J. Mergue éd., 1959, p. 13-14.

3. « L'anthropologie aperçoit de plus en plus clairement la difficulté de passer des théories mi-abstraites, correspondant souvent à des cultures régionales particulières, à une théorie universelle qui les englobe. On a aperçu le rapport assez strict qui existe entre la théorie des groupes d'unification et les sociétés africaines ou à tout le moins certaines d'entre elles. De la même façon, la théorie de l'alliance de mariage est sans doute indispensable pour les sociétés du Sud-Est asiatique. En contrepartie, elle est inapplicable aux sociétés arabes pratiquant le mariage de la cousine parallèle patrilinéaire. Les deux théories sont toutes deux désarmées devant les systèmes dits cognatiques ou indifférenciés où l'on peut dire, paraphrasant Lévi-Strauss lui-même, que la parenté ne se laisse pas séparer de la relation au sol et où l'on entrevoit qu'il faut en conséquence les réunir pour isoler un "système" véritable. En somme, nous sommes encore, comme on dit, à un bas niveau d'abstraction et les théories les plus intéressantes dont nous disposons s'appliquent seulement chacune à un type de société ou de système particulier » (L. Dumont, *Introduction à deux théories d'anthropologie sociale*, Paris, Mouton, 1971, p. 119).

4. R. Needham, « The Formal Analysis of Prescriptive Patrilateral Cross-Cousin Marriage », *Southwestern Journal of Anthropology*, 14, 1958, p. 199-219.

5. Sur la relation déductive qui unit les noms de parenté ou

système des appellations aux attitudes de parenté, voir A. R. Radcliffe-Brown, *Structure and Function in Primitive Society*, Londres, 1952, p. 62; *African Systems of Kinship and Marriage*, 1960, introduction, p. 25; C. Lévi-Strauss, *Anthropologie structurale*, Paris, Plon, 1958, p. 46. Sur le terme *jural* et l'emploi qu'en fait Radcliffe-Brown, cf. L. Dumont (*op. cit.*, p. 41) : les relations « jurales » sont celles « qui sont l'objet de prescriptions précises, formelles, qu'il s'agisse de personnes ou de choses ».

6. F. Barth, « Principles of Social Organization in Southern Kurdistan », *Universitetets Ethnografiske Museum Bulletin*, n° 7, Oslo, 1953.
7. R. F. Murphy and L. Kasdan, « The Structure of Parallel Cousin Marriage », *American Anthropologist*, vol. 61, February 1959, p. 17-29.
8. H. Granqvist, « Marriage Conditions in a Palestinian Village », *Commentationes Humanarum, Societas Scientiarium Fennica*, vol. 3, 1931 ; H. Rosenfield, « An Analysis of Marriage Statistics for a Moslem and Christian Arab Village », *International Archives of Ethnography*, 48, 1957, p. 32-62.
9. Ainsi, Murphy remarquait que malgré la rareté du matériel statistique, on savait depuis longtemps que le mariage avec la cousine parallèle n'est pas une « pratique constante et vaut seulement pour les premiers mariages » bien qu'il soit « la forme d'union *préférée* et *normative* ».
10. J. Cuisenier, « Endogamie et exogamie dans le mariage arabe », *L'Homme*, II, 2, mai-août 1962, p. 80-105.
11. « On sait depuis longtemps, et les simulations sur ordinateur entreprises par K. Kundstadter et son équipe ont achevé de le démontrer, que les sociétés qui préconisent le mariage entre certains types de parents ne réussissent à se conformer à la norme que dans un petit nombre de cas. Les taux de fécondité, et de reproduction, l'équilibre démographique des sexes, la pyramide des âges, n'offrent jamais la belle harmonie et la régularité requises pour que, dans le degré prescrit, chaque individu soit assuré de trouver au moment du mariage un conjoint approprié, même si la nomenclature de parenté est suffisamment extensive pour confondre des degrés de même type, mais inégalement

éloignés et qui le sont souvent au point que la notion d'une descendance commune devient toute théorique », C. Lévi-Strauss, *Les Structures élémentaires de la parenté*, préface de la 2e édition, Paris, Mouton, 1968, p. XVII.

12. Jean Cuisenier – qui suit ici Claude Lévi-Strauss faisant observer que « du point de vue structural, on peut traiter comme équivalent le mariage avec la fille du frère du père ou le mariage avec la fille du fils du frère du père » (C. Lévi-Strauss, « Le Problème des relations de parenté », *loc. cit.*, p. 55) – écrit : « [...] il arrive au contraire qu'*Ego* se marie avec la petite-fille de son oncle paternel ou avec la fille du grand-oncle paternel. Du point de vue structural, ces unions sont assimilables, l'une au mariage avec la fille de l'oncle paternel, l'autre au mariage avec la petite-fille du grand-oncle paternel » (cf. J. Cuisenier, *loc. cit.*, p. 84). Lorsqu'il combine le nominalisme du généalogisme qui prend la cohérence du système des appellations pour la logique pratique des dispositions et des pratiques avec le formalisme d'une statistique fondée sur des découpages abstraits, l'ethnologue est conduit à opérer des manipulations généalogiques qui ont leur équivalent pratique dans les procédés que les agents emploient pour masquer les discordances entre leurs pratiques matrimoniales et la représentation idéale qu'ils s'en font ou l'image officielle qu'ils entendent en donner : ils peuvent ainsi, pour les besoins de la cause, subsumer sous le nom de cousine parallèle non seulement la fille de l'oncle paternel, mais aussi les cousines patrilinéaires au second ou même au troisième degré, telles par exemple la fille du fils du frère du père ou la fille du frère du père du père ou encore la fille du fils du frère du père du père, et ainsi de suite (cf. aussi les manipulations qu'ils font subir au vocabulaire de la parenté lorsque, par exemple, ils utilisent le concept de *'amm* comme terme de politesse susceptible d'être adressé à tout parent patrilinéaire plus âgé).
13. Sur la distinction entre modèles mimétiques et modèles analogiques, voir P. Bourdieu, J.-C. Chamboredon et J.-C. Passeron, *Le Métier de sociologue*, Paris, Mouton, 1968, p. 82-83.
14. Le calcul des « taux d'endogamie » par niveau généa-

logique, intersection irréelle de « catégories » abstraites, conduit à traiter comme identiques par une abstraction du second ordre des individus qui, bien qu'ils soient situés au même niveau de l'arbre généalogique, peuvent être d'âges très différents et dont les mariages, pour cette raison même, ont pu être conclus dans des conjonctures différentes correspondant à des états différents du marché matrimonial ; ou au contraire, à traiter comme différents des mariages généalogiquement séparés, mais chronologiquement simultanés – un homme pouvant par exemple se marier en même temps qu'un de ses oncles.

15. E. L. Peters, « Some Structural Aspects of the Feud Among the Camel-herding Bedouin of Cyrenaica », *Africa*, vol. XXXVII, n° 3, July 1967, p. 261-282. Murphy ne disait pas autre chose, mais sans en tirer les conséquences, lorsqu'il remarquait que les généalogies et la manipulation des généalogies ont pour fonction principale de favoriser l'intégration verticale d'unités sociales que le mariage avec la cousine parallèle tend à diviser et à refermer sur elles-mêmes.
16. Il va de soi que la *connaissance théorique de la pratique en tant que pratique* n'a rien à voir avec la *connaissance pratique* surtout telle que la conçoivent toutes les idéologies spontanéistes et populistes lorsqu'elles la créditent des vertus magiques d'une expérience initiatique ou encore les idéologies de l'observation participante et même certaines formes de l'exaltation mystique du « terrain ». La théorie de la pratique en tant que pratique est le seul moyen d'échapper à l'alternative du matérialisme et de l'idéalisme en rappelant, contre le matérialisme positiviste, que les objets de la connaissance sont construits, et, contre l'idéalisme intellectualiste, que le principe de cette construction est l'activité pratique orientée vers des fonctions pratiques.
17. L. Dumont, *op. cit.*, p. 122-123.
18. Bien qu'elle s'exprime encore dans un langage généalogique, c'est au fond l'opposition entre les relations de parenté officielles et les relations de parenté usuelles que recouvre l'opposition entre *thaymats* (de *ayma* frère), l'ensemble des germains, et *thadjadith* (de *djedd*, grand-père),

l'ensemble des ascendants communs à ceux qui se réclament d'un même ancêtre, réel ou mythique : « *Thaymats*, dit-on, est d'aujourd'hui, *thadjadith* est d'hier. » On invoque *thaymats*, solidarité actuelle et active fondée sur des liens de parenté réellement ressentis et actuellement reconnus parce que continûment réactivés, lorsqu'il s'agit de s'opposer à un autre groupe, dans le cas par exemple où le clan est attaqué : il s'ensuit que le groupe qu'unit *thaymats* ne représente qu'une section (dont l'extension dépend de tout un ensemble de facteurs tenant d'une part à la structure du groupe et d'autre part à l'occasion mobilisatrice) de l'unité fondée sur *thadjadith*, c'est-à-dire sur l'origine commune, invoquée pour justifier idéologiquement une *unité officielle*.

19. Faute de pouvoir procéder à une véritable analyse logique des procédés du langage ethnologique, qui constituerait en l'occurrence la forme la plus radicale de la critique épistémologique, on se contentera de citer un texte rencontré au cours de la préparation de ce travail qui, bien qu'il ne soit sans doute pas plus saturé que d'autres en traits typiques du juridisme, donne si franchement la norme officielle pour le principe des pratiques qu'il doit faire de l'intérêt – réintroduit à la fin – le principe des exceptions à la règle : « *Aux yeux des Tiyâha*, l'union avec la cousine parallèle est à la fois un *droit* et un *devoir* et il est *droit* précisément parce qu'il est *devoir*. Il incombe en effet à l'*ibn'amm* de défendre sa cousine, de lui venir en aide, comme s'il s'agissait d'une sœur, de pourvoir à son entretien en cas de veuvage ou de divorce, et de s'occuper de ses enfants. C'est mon *'ar*, me disait un informateur, mot qui signifie textuellement "honte", "opprobre", mais qui est en réalité un glaive à double tranchant, car ce *'ar*, aux yeux des nomades, pourrait être à la fois un objet de déshonneur ou d'honneur, selon le comportement de la cousine. Quand ses agissements ne sont pas conformes à la coutume, il *appartient* au fils du frère du père de la conseiller et même d'user de contrainte pour mieux la persuader. Si, malgré tout, elle persiste dans son attitude et que ses écarts de conduite portent atteinte à l'honneur de la famille, il lui *incombera* souvent de le venger dans le sang. Lorsqu'elle

est mariée à un étranger, il *doit* la secourir si elle est opprimée. De sorte que ce qu'il a de mieux à faire, pour la tranquillité de son esprit, c'est de la prendre pour épouse. De son côté, la *bint'amm* se montre moins exigeante avec son cousin qu'avec un étranger, et se contente, au besoin, du juste nécessaire. Résumant tout ce qui précède, un nomade de soixante ans s'écrie : "Serait-il possible qu'un homme se marie avec une étrangère, alors qu'il a une cousine de sa chair et de son sang, qui garde son secret et protège son honneur ?" Est-ce à dire que la conduite de l'homme soit toujours mue par d'aussi nobles sentiments ? Le comportement de l'*ibn'amm* semble prouver qu'il considère davantage le côté le plus favorable à ses intérêts » (J. Chelhod, « Le Mariage avec la cousine parallèle dans le système arabe », *L'Homme*, juillet-décembre 1965, n°s 3 et 4, p. 113-173).

20. J. Chelhod, qui rapporte que, « dans le langage trivial d'Alep, les prostituées sont appelées les "filles de la tante maternelle" », cite aussi un proverbe syrien où se manifeste la même désapprobation à l'égard du mariage avec la fille de la sœur de la mère : « A cause de son caractère impur, il a épousé la fille de sa tante maternelle » (« Le Mariage avec la cousine parallèle dans le système arabe », *loc. cit.*, p. 113-173).
21. Cf. É. Laoust, *Mots et choses berbères. Notes de linguistique et d'ethnographie*, Paris, Challamel, 1920.
22. Les disgrâces physiques et mentales posent un problème extrêmement difficile à un groupe qui, dans son rigorisme, n'accorde aucun statut social à une femme sans mari et même à un homme sans femme (le veuf lui-même devant se hâter de conclure un nouveau mariage). Et cela d'autant plus qu'elles sont perçues et interprétées à travers les catégories mythico-rituelles : on conçoit le sacrifice que représente, dans cette logique, le mariage avec une femme gauchère, borgne, boiteuse ou bossue (cette difformité représentant l'inversion exacte de la grossesse) ou simplement malingre et chétive, autant de présages de stérilité ou de méchanceté. Il arrive que l'on répudie une femme parce qu'elle est réputée porter malheur.
23. « On donne du blé, on ramène de l'orge. » « On donne

du blé à de mauvaises dents. » « Façonne de ton argile ta progéniture, s'il ne te vient pas une marmite, il te viendra un couscoussier. » Parmi les éloges du mariage avec la cousine parallèle que l'on a pu recueillir, on retiendra ceux-ci, particulièrement typiques : « Elle ne te demandera pas beaucoup pour elle-même et il n'y aura pas à faire des dépenses importantes pour le mariage. » « Il fera ce qu'il voudra de la fille de son frère et il ne viendra d'elle aucun mal. Ensuite l'unité se renforcera avec son frère, conformément à la recommandation que leur faisait leur père pour la fraternité (*thaymats*) : "N'écoutez pas vos femmes !" » « L'étrangère te méprisera ; elle sera une insulte pour tes ancêtres, considérant que les siens sont plus nobles que les tiens. Tandis que la fille de ton *'amm* ton grand-père et le sien sont un, elle ne dira jamais "que soit maudit le père de ton père !". La fille de ton *'amm* ne t'abandonnera pas. Si tu n'as pas de thé, elle ne t'en réclamera pas et quand même elle mourrait de faim chez toi, elle supportera et ne se plaindra jamais de toi. »

24. A. Hanoteau, *Poésies populaires de la Kabylie du Djurdjura*, Paris, Imprimerie impériale, 1867, p. 475.
25. La passion des juristes pour les survivances de parenté matrilinéaire les a portés à s'intéresser au cas de l'*awrith*, qu'ils ont perçu, pour parler leur langage, comme un « contrat d'adoption de mâle majeur » (cf. pour l'Algérie, G. H. Bousquet, « Note sur le mariage mechrouth dans la région de Gouraya », *Revue algérienne*, janvier-février 1934, p. 9-11, et L. Lefèvre, *Recherches sur la condition de la femme kabyle*, Alger, Carbonel, 1939 ; pour le Maroc, G. Marcy, « Le Mariage en droit coutumier zemmoûr », *Revue algérienne, tunisienne et marocaine de législation et jurisprudence*, juillet 1930 ; « Les vestiges de la parenté maternelle en droit coutumier berbère », *Revue africaine*, n° 85, 1941, p. 187-211 ; Capitaine Bendaoud, « L'adoption des adultes par contrat mixte de mariage et de travail chez les Beni Mguild », *Revue marocaine de législation, doctrine, jurisprudence chérifiennes*, n° 2, 1935, p. 34-40 ; Capitaine Turbet, « L'adoption des adultes chez les Ighezrane », *ibid.*, p. 40, et n° 3, 1935, p. 41).
26. La statistique des mariages décomptés dans une grande

famille du village de Aghbala (2 000 habitants) en Petite Kabylie fait apparaître que sur 218 mariages masculins (le premier pour chaque individu), 34 % ont été contractés avec des familles situées hors des limites de la tribu ; 8 % seulement de ces mariages, conclus avec les groupes les plus éloignés à la fois spatialement et socialement, présentent tous les traits des mariages de prestige : ils sont le fait d'une seule famille qui entend se distinguer des autres lignes par des pratiques matrimoniales originales ; les autres mariages lointains ne font que renouveler des relations déjà établies (relations « par les femmes » ou par les « oncles maternels », continûment entretenues à l'occasion des mariages, des départs et des retours de voyage, des deuils et parfois même des grands travaux). Les deux tiers des mariages sont conclus dans l'aire de la tribu (composée de neuf villages) : si l'on excepte les alliances avec le clan opposé, très rares (4 %), qui ont toujours une signification politique (surtout pour les générations anciennes), en raison de l'antagonisme traditionnel qui oppose les deux groupes, les autres unions entrent dans la classe des mariages ordinaires.

27. Soit un témoignage particulièrement significatif : « Dès qu'elle eut son premier fils, Fatima se mit donc en peine de lui chercher sa future épouse, elle essayait plusieurs choix, l'œil ouvert en toutes occasions, chez les voisines, dans sa propre souche, dans le village, chez les amis, dans les noces, les pèlerinages, à la fontaine, à l'étranger et même aux condoléances en lesquelles elle est tenue de paraître : c'est ainsi qu'elle maria tous ses enfants sans problème et comme sans s'en apercevoir » (Yamina Aït Amar Ou Saïd, *Le Mariage en Kabylie*, Fichier de documentation berbère, 1960, p. 10).

28. Si on laisse de côté l'idéalisation mythique (le sang, la pureté, le dedans, etc.) et l'exaltation éthique (honneur, vertu, etc.) qui entourent le mariage purement agnatique, on ne dit pas autre chose de ces mariages ordinaires que ce qu'on dit du mariage avec la cousine parallèle. Ainsi, le mariage avec la fille de la sœur du père est tenu pour capable d'assurer, au même titre que le mariage avec la cousine parallèle, la concorde entre les femmes et le

respect de l'épouse pour les parents de son mari (son *khal* et sa *khalt*), cela au moindre coût, puisque la tension que crée la rivalité implicitement déclenchée par tout mariage entre groupes étrangers à propos du statut et des conditions d'existence offerts à la jeune épouse n'a pas lieu de s'instaurer à ce degré de familiarité.

29. Ces mariages extra-ordinaires échappent aux contraintes et aux convenances qui pèsent sur les mariages ordinaires (entre autres, en ce qu'ils n'ont pas de « suite ») : en dehors des cas où le groupe vaincu (clan ou tribu) donnait au groupe vainqueur une femme et où les deux groupes, pour signifier qu'il n'y avait ni vainqueur ni vaincu, procédaient à un échange de femmes, il pouvait aussi arriver que le groupe vainqueur donnât une femme à l'autre sans rien prendre en retour, mais le mariage se faisait alors non pas entre les familles les plus puissantes, mais entre des familles occupant des positions disproportionnées, une petite famille du groupe vainqueur donnant une femme à une grande famille de l'autre groupe. Le groupe vainqueur entendait marquer, par la disparité même de l'union, que le plus petit des siens est plus grand que le plus grand de ses adversaires.

30. Les ratés des mécanismes de reproduction, c'est-à-dire la *mésalliance* matrimoniale, la *stérilité* qui entraîne la disparition de la lignée, la *rupture de l'indivision*, constituent sans doute les facteurs principaux des transformations de la hiérarchie économique et sociale.

31. Les innombrables *chikayat*, dont certaines accèdent devant les tribunaux, s'inspirent non point d'un esprit de « chicanerie » mais de l'intention de lancer ou de relever un défi : il en est ainsi des procès (très rares) qui ont été intentés en vue d'obtenir l'annulation d'une vente de terres au nom du droit de préemption.

32. Et, de fait, les coutumiers qui prévoient tous sans exception des sanctions contre celui qui se fait le meurtrier de celui dont il doit hériter témoignent que les conflits ouverts étaient fréquents : « Si un individu tue un parent (dont il est héritier) injustement et pour en hériter, la *djemaa* prendra tous les biens du meurtrier » (Qanun de la tribu des Iouadhien, rapporté *in* A. Hanoteau et A. Letourneux, *La*

Kabylie et les coutumes kabyles, Paris, Imprimerie nationale, 1873, t. III, p. 432 ; cf. aussi p. 356, 358, 368, etc.).

33. Sans prendre parti sur le sens de la relation entre ces faits, on peut noter que les « maladies de *jalousie* aiguë » (*aṭan an-tsismin thissamamin*, le mal de la jalousie aigre) font l'objet d'une attention extrême de la part des parents et en particulier des mères, qui disposent de tout un arsenal de rites curatifs et prophylactiques. Et, pour exprimer une haine irréductible, on évoque le sentiment du petit garçon qui, brutalement privé de l'affection de sa mère par la venue d'un nouveau-né, est maigre et pâle comme le moribond (*am'uṭ*) ou le « constipé » (*bubran*).

34. A. Hanoteau et A. Letourneux, *op. cit.*, t. III, p. 423.

35. J. Chelhod rappelle à juste raison que toutes les observations s'accordent sur le fait que la tendance au mariage endogamique, qui est plus marquée dans les tribus nomades en perpétuel état de guerre que dans les tribus sédentarisées, tend à réapparaître ou à s'accentuer en cas de menace de guerre ou de conflit (*loc. cit.*).

36. Cet axiome a pour fonction d'échapper aux débats oiseux qui opposent fonctionnalistes et anti-fonctionnalistes (les dominants sont fonctionnalistes parce que la fonction – au sens de l'école fonctionnaliste – n'est autre chose que l'intérêt des dominants, c'est-à-dire l'intérêt que les dominants ont à la perpétuation d'un système conforme à leurs intérêts) : ceux qui expliquent les stratégies matrimoniales par leurs effets – par exemple, la fission et la fusion de Murphy et Kasdan sont des effets que l'on ne gagne rien à désigner du nom de fonction – ne sont pas moins éloignés de la réalité des pratiques que ceux qui invoquent l'efficacité de la règle. Dire que le mariage entre cousins parallèles a une fonction de fission et/ou de fusion sans se demander *pour qui*, *pour quoi*, dans quelle mesure (qu'il faudrait mesurer) et sous quelles conditions, c'est recourir, honteusement bien sûr, à une explication par les *causes finales* au lieu de se demander comment les conditions économiques et sociales caractéristiques d'une formation sociale imposent la recherche de la satisfaction d'un type déterminé d'intérêts qui conduit elle-même à la production d'un type déterminé d'effets collectifs.

37. Il arrive que *thamgharth*, parvenant à s'immiscer, à la faveur des négociations secrètes, dans un mariage entièrement réglé par les hommes, fasse promettre à *thislith*, sous peine d'empêcher le mariage, de lui laisser toute l'autorité dans la maison. Les fils soupçonnent souvent leur mère, non sans raison, de leur donner pour épouse des filles qu'elles pourront aisément dominer.
38. Les mariages des pauvres (surtout en capital symbolique) sont à ceux des riches, *mutatis mutandis*, ce que les mariages des femmes sont aux mariages d'hommes. Les pauvres, on le sait, ne doivent pas se montrer trop sourcilleux en matière d'honneur. « Il ne reste plus au pauvre qu'à se montrer jaloux. » C'est dire que, à la façon des femmes, ils prennent moins en compte les fonctions symboliques et politiques du mariage que ses fonctions *pratiques*, attachant par exemple beaucoup plus d'attention aux qualités personnelles de la mariée et du marié.
39. La valeur de la fille sur le marché matrimonial est en quelque sorte une projection directe de la valeur socialement attribuée aux deux lignées dont elle est le produit. Cela se voit clairement lorsque le père a eu des enfants de plusieurs mariages : alors que la valeur des garçons est indépendante de la valeur de la mère, celle des filles est d'autant plus grande que leur mère appartient à une lignée plus haute et occupe une position plus forte dans la famille.
40. La « psychologie spontanée » décrit parfaitement « le garçon des filles » (*aqchich bu thaqchichin*) qui, couvé et choyé par les femmes de la famille, inclinées à le garder auprès d'elles plus longtemps que les autres garçons, finit par s'identifier au destin social qu'on lui ménage, devenant un enfant malingre et maladif, « mangé par ses nombreuses sœurs trop chevelues » : et les mêmes raisons qui conduisent à ménager et à protéger de mille façons ce produit trop précieux et trop rare pour qu'on lui laisse courir le moindre risque, à lui éviter les travaux agricoles et à lui donner une éducation plus longue, le séparant ainsi de ses camarades par un langage plus raffiné, des vêtements plus propres, une nourriture plus recherchée, conduiront à lui assurer un mariage précoce.

41. La fille a d'autant plus de prix qu'elle a plus de frères, gardiens de son honneur (et en particulier de sa virginité) et alliés potentiels de son futur mari. C'est ainsi que les contes disent la jalousie qu'inspire la fille aux sept frères, sept fois protégée telle une « figue parmi les feuilles » : « Une fille qui avait le bonheur d'avoir sept frères pouvait être fière et les *prétendants ne manquaient pas*. Elle était *sûre d'être recherchée et appréciée*. Mariée, son mari, les parents de son mari, toute la famille et même les voisins et les voisines la *respectaient* : n'avait-elle pas sept hommes de son côté, n'est-elle pas la sœur de sept frères, sept *protecteurs* ? A la moindre dispute, ils venaient remettre de l'ordre et si leur sœur était *fautive* ou si elle venait à être *répudiée*, ils la *reprendraient chez eux, entourée d'égards. Aucun déshonneur ne pouvait les atteindre*. Nul n'oserait pénétrer dans l'*antre des lions*. »
42. Étant entendu que des stratégies particulièrement habiles peuvent tirer le meilleur parti d'un capital déterminé, fût-ce par le bluff (d'autant plus difficile qu'on ne sort pas de l'aire de la familiarité) ou, plus simplement, par une utilisation habile des ambiguïtés du patrimoine symbolique ou des discordances entre les différentes composantes du patrimoine. Bien qu'on puisse considérer qu'elle fait partie du capital symbolique, lui-même relativement autonome par rapport au capital proprement économique, la compétence qui permet de tirer le meilleur parti du patrimoine et de le faire valoir par des placements habiles, comme les mariages réussis, en est relativement indépendante : c'est ainsi que des pauvres, qui n'ont rien à vendre que leur vertu, peuvent tirer parti du mariage de leur fille pour se procurer des alliés prestigieux ou au moins des protecteurs utiles en vendant de l'honneur à des acheteurs haut placés.
43. En tant qu'elles appartiennent à la classe des stratégies de reproduction, les stratégies matrimoniales ne se distinguent en rien dans leur logique des stratégies qui, visant à conserver ou à augmenter le capital symbolique, obéissent à la dialectique de l'honneur, qu'elles aient pour enjeu le rachat de la terre, le rachat de l'offense, viol ou violence (meurtre) : dans tous les cas s'observe la même relation

dialectique entre la vulnérabilité (par la terre, la femme, la maison, bref la *ḥurma*) et la protection (par les hommes, les fusils, le point d'honneur, bref le *nif*) qui conserve ou augmente le capital symbolique (prestige, honneur, bref, *ḥurma*).

DEUXIÈME PARTIE

Esquisse d'une théorie de la pratique

Le principal défaut, jusqu'ici, du matérialisme de tous les philosophes – y compris celui de Feuerbach – est que l'objet, la réalité, le monde sensible n'y sont saisis que sous la forme d'*objet* ou d'intuition, mais non en tant qu'*activité humaine concrète*, non en tant que *pratique*, de façon subjective. C'est ce qui explique pourquoi l'aspect *actif* fut développé par l'idéalisme, en opposition au matérialisme – mais seulement de façon abstraite, car l'idéalisme ne connaît naturellement pas l'activité réelle, concrète, comme telle.

Karl Marx, *Thèses sur Feuerbach*.

Avant-propos

Cette réflexion sur une pratique scientifique est faite pour déconcerter aussi bien ceux qui réfléchissent sur les sciences de l'homme sans les pratiquer que ceux qui les pratiquent sans réfléchir. La pratique scientifique n'échappe pas à la théorie de la pratique qui est proposée ici : les meilleurs des praticiens peuvent avoir la maîtrise pratique des opérations scientifiques sans disposer ni du loisir ni des instruments nécessaires pour sortir de cette docte ignorance ; les spécialistes de la réflexion épistémologique ou méthodologique sont nécessairement condamnés à considérer plutôt l'*opus operatum* que le *modus operandi*, ce qui implique, outre un certain retard, un biais systématique. On ne fera référence ici ni aux uns ni aux autres, sinon par exception ; et moins encore à tous ceux qui aujourd'hui mènent un combat qu'ils croient d'avant-garde aux frontières de la science et de l'idéologie, c'est-à-dire en un lieu où elles sont particulièrement indiscernables. C'est pourquoi on a voulu marquer, au moins en ne leur accordant que les allusions imposées par les conditions actuelles de la réception du discours, tout ce qui devrait séparer de ces survivances rhétoriques une réflexion imposée par la pratique scientifique qu'elle habite et oriente.

Convaincu que la rigueur ne s'identifie pas plus aux recettes de laboratoire que l'invention aux prouesses d'école, on a voulu aussi laisser à ce discours de travail ou, si l'on veut, en travail, le caractère double qu'il doit aux conditions mêmes de sa fabrication : ces notes écrites en marge et en marche, comme dirait Jacques Derrida, auraient pris tout leur sens et toute leur force si l'on avait pu intégralement publier les travaux de recherche qu'elles ont accompagnés (analyse des structures économiques, des pratiques rituelles, etc.) et que l'on n'a pu qu'évoquer ici, de façon parfois très elliptique et très allusive. Aussi ce discours double risque-t-il de décevoir doublement, parce que, faute d'être complètement détachée de l'objet à propos duquel elle s'est constituée, la construction théorique (qui sera reprise ailleurs) ne revêt pas sa forme la plus générale et la plus puissante et que, d'un autre côté, les travaux empiriques sur lesquels elle s'appuie ne sont que très allusivement exposés.

S'il n'est pas douteux que l'expérience scientifique qui est au principe de ces réflexions doit beaucoup aux particularités d'un itinéraire biographique, il n'est pas certain pour autant qu'elle doive toute sa logique à ses hasards : parce que l'image première d'un monde paysan très proche, par bien des aspects, du monde observé n'avait cessé de hanter et d'orienter les recherches ethnographiques menées entre 1957 et 1963 en diverses régions rurales de l'Algérie, mettant en garde contre l'inclination à l'objectivisme inhérente à la situation d'observateur étranger, on avait conçu l'examen d'un problème posé dans un univers familier à des familiers (celui du célibat des aînés en Béarn) comme une sorte d'expérimentation épistémologique. Cette démarche, strictement inverse de celle que réalise l'ethnologue, devait en effet conduire à observer et à analyser ce que l'on peut appeler l'effet d'objectivation, c'est-à-dire la transformation d'un rapport de familiarité en connaissance savante : lorsqu'on aperçoit des visages derrière les statistiques, des aventures, entretissées de souvenirs communs, derrière les biographies, des paysages à travers les symboles cartographiques et lorsqu'on se trouve affronté sans cesse à des « sociologues spontanés » qui ne le cèdent au professionnel que par une sorte de dédain pragmatique pour l'esprit de système, opposant à ses raisons abstraites les cas particuliers, les exceptions, les nuances, bref tout un ensemble de *différences* non moins significatives que celles de la statistique, on ne se sent guère porté à accorder aux constructions d'une science objectiviste (ce qui ne veut pas dire objective) le satisfecit qu'elle s'octroie trop vite et à trop bon compte.

L'observateur observé

N'ignorant pas qu'un champ épistémologique organisé autour d'un ensemble de couples d'oppositions parallèles voue toute mise en question de l'objectivisme à apparaître d'abord comme une réhabilitation du subjectivisme, on hésite à esquisser seulement l'analyse, pourtant indispensable pour déraciner les idées reçues, des fondements anthropologiques et sociologiques de l'erreur objectiviste, qu'il s'agisse par exemple de la situation d'étranger dans le cas de l'ethnologue ou de la situation de spectateur dans le cas de l'historien de l'art et, plus généralement, de la condition d'intellectuel affranchi des contraintes et des urgences de la pratique, qui est la condition de possibilité du rapport savant à l'objet : on s'expose en effet à donner lieu ainsi à des lectures qui opposeront à la rigueur objectiviste les vertus magiques de l'« observation participante », selon le vieux couple platonicien de la coupure (*chorismos*) et de la participation (*methexis*), ou qui entendront que la pratique est la seule manière de comprendre la pratique, réduisant au couple de la théorie et de la pratique, indifféremment aristocratique ou populiste, selon le bout par lequel on le prend, l'opposition entre deux *théories* de la pratique.

Ayant rappelé que la théorie de la pratique qui apparaît comme la condition d'une science rigoureuse des pratiques n'est pas moins théorique, donc théoriquement et pratiquement coupée de la pratique, que la théorie de la pratique qui est implicitement engagée dans les modèles objectivistes, il reste que l'on est en droit de se demander si les conditions sociales qui doivent être remplies *en fait* pour qu'une catégorie particulière d'agents puisse être mise en réserve en vue d'exercer une activité de type théorique ne sont pas propres à favoriser l'adoption inconsciente d'un type déterminé de théorie de la pratique. Prolongeant les analyses célèbres d'Auguste Comte qui observait que, à la différence des prolétaires, « opérateurs directs », « seuls directement aux prises avec la nature », prédisposés par là à l'esprit positif, les bourgeois « ont surtout affaire à la société »[1], on pourrait suggérer que l'expérience d'un monde social sur lequel on peut agir, de façon quasi magique, par signes – mots ou monnaie –, c'est-à-dire par la médiation du travail d'autrui, ne prédispose nullement à apercevoir le monde social comme le lieu de la *nécessité* et entretient une affinité certaine avec une théorie de l'action comme exécution mécanique d'un modèle mécanique ou comme surgissement pur de la décision libre, cela selon que l'on pense plutôt à soi-même ou aux « autres ». Une analyse plus précise de la position sociale des intellectuels ferait en outre voir que ces membres d'une fraction dominée de la classe dominante sont prédisposés à entrer dans le rôle de « *middlebrows* », comme dit Virginia Woolf, c'est-à-dire d'intermédiaires entre les groupes ou les classes : députés ou délégués, qui parlent pour les autres, c'est-à-dire en leur faveur mais aussi *à leur place*, ils sont portés à tromper, le plus souvent de bonne foi, aussi bien ceux dont ils parlent que ceux à qui ils parlent ; quant à ceux d'entre eux qui sont issus des classes dominées, transfuges ou parvenus, ils ne peuvent parler que parce qu'ils ont abandonné la place sans parole de ceux dont ils portent la parole en se mettant à leur place en parole, et ils sont enclins à livrer, en échange de la reconnaissance (au double sens du terme), le capital d'information qu'ils ont emporté avec eux [2]. Bref, il fallait au moins rappeler que le privilège qui est au principe de toute activité théorique, en tant qu'elle suppose une coupure épistémologique, mais aussi sociale, ne gouverne jamais aussi subtilement cette activité que lorsque, faute de s'apparaître comme tel, il conduit à une théorie implicite de la pratique qui est corrélative de l'oubli des conditions sociales de possibilité de la théorie.

La relation particulière que l'ethnologue entretient avec son objet enferme aussi la virtualité d'une distorsion théorique dans la mesure où la situation de déchiffreur et d'interprète incline à une représentation herméneutique des pratiques sociales, portant à réduire toutes les relations sociales à des relations de communication et toutes les interactions à des échanges symboliques. Charles Bally remarquait que les recherches linguistiques s'orientent dans des directions différentes selon qu'elles portent sur la langue maternelle ou sur une langue étrangère, insistant en particulier sur la tendance à l'*intellectualisme* qu'implique le fait d'appréhender la langue du point de vue du sujet entendant plutôt que du point de vue du sujet parlant, c'est-à-dire comme instrument de déchiffrement plutôt que comme « moyen d'action et d'expression » : « L'entendeur est du côté de la langue, c'est avec la langue qu'il interprète la parole [3]. » Et l'exaltation des vertus de la distance que procure l'extériorité a sans doute pour fonction de transmuer en choix épistémologique la situation objective de l'ethnologue – celle du « spectateur impartial », comme dit Husserl , qui le voue à apercevoir toute réalité et toute pratique, y compris la sienne propre, comme un spectacle.

Aussi longtemps qu'il ignore les limites inhérentes au point de vue qu'il prend sur l'objet, l'ethnologue se condamne à reprendre inconsciemment à son compte la représentation de l'action qui s'impose à un agent ou à un groupe lorsque, dépourvu de la maîtrise pratique d'une compétence fortement valorisée, il doit s'en donner le substitut explicite et au moins semi-formalisé sous la forme d'un *répertoire de règles* ou de ce que les sociologues mettent dans le meilleur des cas sous la notion de « rôle », c'est-à-dire le programme prédéterminé des discours et des actions convenant à un certain « emploi »[4]. Il est significatif que l'on décrive parfois la « culture » comme une *carte*, comparaison d'étranger qui, devant s'orienter dans un pays inconnu, supplée au défaut de la maîtrise pratique appartenant au seul indigène grâce à un modèle de tous les itinéraires possibles : la distance entre cet espace virtuel et abstrait, parce que dépourvu de toute orientation et de tout centre privilégiés – à la façon des généalogies, avec leur *ego* aussi irréel que l'origine dans un espace cartésien –, et l'espace pratique des parcours réellement effectués ou, mieux, du parcours en train de s'effectuer se mesure à la difficulté que l'on a à reconnaître des itinéraires familiers sur un plan ou une carte aussi longtemps que l'on n'est pas parvenu à faire coïncider les axes du champ virtuel et ce « système d'axes invariablement liés à notre corps, que nous transportons partout avec nous », comme dit Poincaré, et qui structure l'espace pratique en droite et gauche, haut et bas, devant et derrière. C'est dire que l'anthropologie ne doit pas seulement rompre avec l'expérience indigène et la représentation indigène de cette expérience ; par une seconde rupture, il lui faut mettre en question les présupposés inhérents à la position d'observateur étranger qui, préoccupé d'*interpréter* des pratiques, incline à importer dans l'objet les principes de sa relation à l'objet, comme en témoigne le privilège qu'il accorde aux fonctions de communication et de connaissance (qu'il s'agisse de langage, de mythe ou de mariage). La connaissance ne dépend pas seulement, comme l'enseigne un relativisme élémentaire, du point de vue particulier qu'un observateur « situé et daté » prend sur l'objet, mais du fait même que, en tant que spectateur qui prend un *point de vue* sur l'action, qui s'en retire pour l'observer, pour la regarder de loin et de haut, il constitue l'activité pratique en *objet d'observation et d'analyse*. Les architectes ont mis longtemps à s'apercevoir que la perspective cavalière de leurs plans et de leurs maquettes les conduisait à édifier des villes pour une sorte de spectateur divin et non pour les hommes destinés à s'y déplacer : le point de vue absolu de la science sans point de vue s'apparente au point de vue d'un Dieu leibnizien, qui, à la façon d'un général maîtrisant à l'avance les actions, militairement soumises à la règle, de ses subordonnés, possède en acte l'essence qu'Adam et César doivent apprendre dans le temps. L'objectivisme enferme toujours la virtualité d'un essentialisme.

Il est des manières de se garder de l'ethnocentrisme, dans l'analyse des groupes ou des classes étrangers, qui ne sont peut-être qu'autant de façons de garder ses distances et, en tout cas, de faire de nécessité vertu en transmuant en choix de méthode une exclusion de fait. Ainsi, on s'exposerait sans doute moins à enfermer l'échange d'honneur ou l'échange de dons en apparence le plus ritualisé en des modèles réifiés et réifiants si l'on savait se donner la maîtrise théorique de pratiques sociales de la même classe dont on peut avoir la maîtrise pratique. Rien n'est sans doute mieux fait par exemple pour inspirer à qui la considère du dehors l'illusion de la nécessité mécanique que la *conversation obligée* qui, pour se perpétuer, doit créer et recréer sans cesse, souvent de toutes pièces, la relation entre les interlocuteurs, les éloignant et les rapprochant, les contraignant à rechercher, avec la même conviction sincère et feinte à la fois, les points d'accord et de désaccord, les faisant tour à tour succomber et triompher, suscitant des querelles jouées mais toujours en passe de tourner au sérieux, vite réglées par des compromis ou par le retour au terrain sûr des convictions communes. Mais, changeant radicalement de point de vue, on peut aussi appréhender cet engrenage de gestes et de paroles « d'un point de vue subjectif », comme dit assez imprudemment le Marx des *Thèses sur Feuerbach*, ou, mieux, à partir d'une théorie adéquate de la pratique qui constitue la pratique *en tant que pratique* (par opposition aussi bien aux théories implicites ou explicites qui la traitent comme *objet*, qu'à celles qui la réduisent à une *expérience vécue* susceptible d'être appréhendée par un retour réflexif) : la vigilance incessante qui est indispensable pour se laisser « porter » par le jeu sans se laisser « emporter » par le jeu au-delà du jeu, comme il arrive lorsque le combat simulé domine les combattants, témoigne que des conduites aussi visiblement contraintes et forcées reposent sur le même principe que des conduites mieux faites pour donner l'apparence tout aussi trompeuse de l'improvisation libre, comme le *bluff* ou la *séduction*, qui jouent de toutes les équivoques, de toutes les doubles ententes et de tous les sous-entendus de la symbolique corporelle et verbale, pour produire des conduites ambiguës, donc révocables au moindre indice de recul ou de refus, et pour entretenir l'incertitude sur des intentions sans cesse balancées entre le jeu et le sérieux, l'abandon et la distance, l'empressement et l'indifférence. Il suffit d'opérer un semblable renversement de perspective pour apercevoir que l'on peut rendre compte de toutes les conduites d'honneur réellement observées (ou potentiellement observables) qui frappent à la fois par leur diversité inépuisable et par leur nécessité quasi mécanique ; cela sans avoir besoin de construire à grands frais des modèles « mécaniques » qui, dans le meilleur des cas, seraient à l'improvisation réglée de l'homme d'honneur ce qu'un manuel de savoir-vivre est à l'art de vivre ou ce qu'un traité d'harmonie est à l'invention musicale. Pour produire toutes les conduites d'honneur qui peuvent être appelées par les défis de l'existence, il n'est pas nécessaire de posséder cette sorte de « fichier de représentations préfabriquées », comme dit Jakobson[5], qui permettrait de « choisir » la conduite convenant à chaque situation ; il suffit de détenir la maîtrise pratique du *principe d'isotimie* qui veut que tout homme, en tant qu'il se range dans la classe des hommes d'honneur et se comporte comme tel, par exemple en lançant un défi, demande implicitement à être traité comme tel, donc à recevoir une riposte : il découle en effet de ce principe que l'absence de riposte porte atteinte soit à l'honneur de celui qui défie, au cas où elle s'affirme sans équivoque comme refus méprisant de riposter, soit à l'honneur de celui qui est défié, puisque par son impuissance à riposter il s'exclut de la classe des hommes d'honneur où il avait été implicitement rangé par le défi reçu.

Le langage de la règle et du modèle, qui peut paraître tolérable lorsqu'il s'applique à des pratiques étrangères, ne résiste pas à la seule évocation concrète de la maîtrise pratique de la symbolique des interactions sociales, tact, doigté, savoir-faire ou sens de l'honneur, que supposent les jeux de sociabilité les plus quotidiens et qui peut se doubler de la mise en œuvre d'une sémiologie spontanée, c'est-à-dire d'un corpus de préceptes, de recettes et d'indices codifiés. Le meilleur exemple de ce travail de déchiffrement qui, en permettant de situer les autres dans les hiérarchies de l'âge, de la richesse, du pouvoir ou de la culture, oriente les agents, sans qu'ils en aient conscience, vers le type d'échange le mieux ajusté, tant dans sa forme que dans son contenu, à la relation objective entre individus en interaction est fourni par les situations de bilinguisme où les locuteurs adoptent – de manière parfaitement inconsciente – l'une ou l'autre des deux langues disponibles selon la situation, l'objet de la conversation, le statut social de l'interlocuteur (et par là son degré de culture et de bilinguisme), etc. Dans le cas observé, celui d'un village où coexistent le français et le béarnais, on constate de très fortes relations statistiques entre la langue utilisée et des caractéristiques telles que le sexe, l'âge, la résidence (au bourg ou au hameau) et la profession (ou le niveau d'instruction) des locuteurs. A l'intérieur d'un groupe d'inter-connaissance, les agents n'ont même pas besoin de recourir au déchiffrement des indices sociaux pour ajuster la forme de leur expression à des interlocuteurs dont ils connaissent toutes les caractéristiques sociales. On est en droit de supposer que c'est tout le contenu de la communication (et pas seulement la langue employée) qui se trouve modifié, inconsciemment, par la structure de la relation entre les locuteurs. La sollicitation de la situation objective, socialement qualifiée, dans laquelle s'accomplit la communication est telle que, comme chacun en a fait l'expérience, c'est tout un langage, un type de plaisanteries, un ton, parfois même un accent, qui se trouvent comme objectivement appelés par certaines situations et qui sont tout au contraire exclus, en dépit de tous les efforts d'évocation, en d'autres situations. On sait par exemple combien il est difficile de faire revivre dans une autre situation sociale les péripéties d'une aventure vécue dans un contexte social différent. Charles Bally montre bien que le contenu même de la communication, la nature du langage et de toutes les formes d'expression employés (maintien, démarche, mimique, etc.), et surtout, peut-être, leur *style*, se trouvent affectés par la référence permanente à la structure de la relation sociale entre les agents qui l'accomplissent et, plus précisément, à la structure de leurs positions relatives dans les hiérarchies de l'âge, du pouvoir, du prestige et de la culture : « En parlant avec quelqu'un, ou en parlant de lui, je ne puis m'empêcher de me représenter les relations particulières (familières, correctes, obligées, officielles) qui existent entre cette personne et moi ; involontairement, je pense non seulement à l'action qu'elle peut exercer sur moi ; je me représente son âge, son sexe, son rang, le milieu social auquel elle appartient ; toutes ces considérations peuvent modifier le choix de mes expressions et me faire éviter tout ce qui pourrait détourner, froisser, chagriner. Au besoin, le langage se fait réservé, prudent ; il pratique l'atténuation et l'euphémisme, il glisse au lieu d'appuyer [6]. » Cette connaissance pratique, qui se fonde sur le décryptage continu des indices « perçus » et non « aperçus » de l'accueil fait aux actions déjà accomplies, opère continûment les contrôles et les corrections destinés à assurer l'ajustement des pratiques et des expressions aux attentes et aux réactions des autres agents et fonctionne à la façon d'un mécanisme d'autorégulation chargé de redéfinir continûment les orientations de l'action en fonction de l'information reçue sur la réception de l'information émise et sur les effets produits par cette information ; on voit que le paradigme typiquement herméneutique de l'échange de paroles est sans doute moins adéquat que celui de l'échange de coups qu'employait George H. Mead [7] : dans les luttes entre des chiens, tout comme entre des enfants ou des boxeurs, chaque geste déclenche une réplique, chaque position du corps de l'adversaire est traitée comme un signe gros d'une signification qu'il faut saisir à l'état naissant, devinant dans l'esquisse du coup ou de l'esquive l'avenir qu'elle enferme, c'est-à-dire le coup ou la feinte. Et la feinte elle-même, à la boxe comme dans la conversation, dans les échanges de l'honneur comme dans les transactions matrimoniales, suppose un adversaire apte à prévenir la riposte à partir d'un mouvement à peine amorcé, donc susceptible d'être pris à contre-pied dans ses anticipations. L'observateur qui oublie tout ce qu'implique sa position d'observateur se trouve porté à oublier, entre autres choses, que celui qui est engagé dans la partie ne peut attendre l'achèvement du geste pour le déchiffrer sous peine de subir la sanction pratique de ce retard ; que, comme dit Austin, on peut « faire des choses avec des mots », c'est-à-dire *informer l'action* des autres et pas seulement leur pensée, et enfin que le sens d'une information qui n'est jamais à elle-même sa fin – sauf pour le savant ou l'esthète – n'est en définitive autre chose que l'ensemble des actions qu'elle déclenche.

Les trois modes de connaissance théorique

Le monde social peut faire l'objet de trois modes de connaissance théorique qui impliquent en chaque cas un ensemble de thèses anthropologiques, les plus souvent tacites, et qui, bien qu'ils ne soient nullement exclusifs, au moins en droit, n'ont en commun que de s'opposer au mode de connaissance pratique. La connaissance que l'on appellera *phénoménologique* (ou, si l'on veut parler en termes d'écoles actuellement existantes, « interactionniste » ou « ethnométhodologique ») explicite la vérité de l'expérience première du monde social, c'est-à-dire la relation de *familiarité* avec l'environnement familier, appréhension du monde social comme monde naturel et allant de soi, qui, par définition, ne se réfléchit pas et qui exclut la question de ses propres conditions de possibilité. La connaissance que l'on peut appeler *objectiviste* (et dont l'herméneutique structuraliste est un cas particulier) construit les relations objectives (*e. g*. économiques ou linguistiques) qui structurent les pratiques et les représentations des pratiques, c'est-à-dire, en particulier, la connaissance première, pratique et tacite, du monde familier, au prix d'une rupture avec cette connaissance première, donc avec les présupposés tacitement assumés qui confèrent au monde social son caractère d'évidence et de naturel : c'est en effet à condition de poser la question que l'expérience *doxique* du monde social exclut par définition, celle des conditions (particulières) qui rendent possible cette expérience, que la connaissance objectiviste peut établir et les structures objectives du monde social et la vérité objective de l'expérience première comme privée de la connaissance *explicite* de ces structures. Enfin, la connaissance que l'on peut appeler *praxéologique* a pour objet non seulement le système des relations objectives que construit le mode de connaissance objectiviste, mais les relations *dialectiques* entre ces structures objectives et les *dispositions* structurées dans lesquelles elles s'actualisent et qui tendent à les reproduire, c'est-à-dire le double processus d'intériorisation de l'extériorité et d'extériorisation de l'intériorité : cette connaissance suppose une rupture avec le mode de connaissance objectiviste, c'est-à-dire une interrogation sur les conditions de possibilité et, par là, sur les limites du point de vue objectif et objectivant qui saisit les pratiques du dehors, comme fait accompli, au lieu d'en construire le principe générateur en se situant dans le mouvement même de leur effectuation.

Si le mode de connaissance praxéologique peut apparaître comme un retour pur et simple au mode de connaissance phénoménologique et si la critique de l'objectivisme qu'il implique s'expose à être confondue avec la critique que l'humanisme naïf adresse à l'objectivation scientifique au nom de l'expérience vécue et des droits de la subjectivité, c'est qu'il est le produit d'une *double translation théorique* : il opère en effet un nouveau renversement de la problématique que la science objective du monde social comme système de relations objectives et indépendantes des consciences et des volontés individuelles a constituée en posant elle-même les questions que l'expérience première et l'analyse phénoménologique de cette expérience tendaient à exclure. De même que la connaissance objectiviste pose la question des conditions de possibilité de l'expérience première, dévoilant par là que cette expérience se définit, fondamentalement, comme ne posant pas cette question, de même, la connaissance praxéologique remet sur ses pieds la connaissance objectiviste en posant la question des conditions de possibilité de cette question (conditions théoriques et aussi sociales) et fait apparaître du même coup que la connaissance objectiviste se définit, fondamentalement, comme excluant cette question : dans la mesure où elle se constitue contre l'expérience première, appréhension pratique du monde social, la connaissance objectiviste se trouve détournée de la construction de la théorie de la connaissance pratique du monde social dont elle produit, au moins négativement, le manque, en produisant la connaissance théorique du monde social contre les présupposés implicites de la connaissance pratique du monde social ; la connaissance praxéologique n'annule pas les acquis de la connaissance objectiviste mais les conserve et les dépasse en intégrant ce que cette connaissance avait dû exclure pour les obtenir [8].

Cette sorte d'expérience croisée du monde social, à savoir la *familiarisation* avec un monde étranger et le *déracinement* d'un monde familier qui sont constitutifs de toute démarche scientifique dans les sciences de l'homme, enseigne autre chose qu'un retour aux mystères et aux mirages de la subjectivité : l'exploration objective du monde le plus familier et de l'expérience indigène de ce monde est en même temps une exploration des limites de toute exploration objective. Elle enseigne que l'on n'échappera à l'alternative rituelle de l'objectivisme et du subjectivisme, dans laquelle les sciences de l'homme se sont laissé enfermer jusqu'ici, qu'à condition de s'interroger sur le monde de production et de fonctionnement de la maîtrise pratique qui rend possible une action objectivement intelligible et de subordonner toutes les opérations de la pratique scientifique à une *théorie* de la pratique et de l'expérience première de la pratique qui n'a rien à voir avec une restitution phénoménologique de l'expérience vécue de la pratique et, inséparablement, à une théorie des conditions de possibilité théoriques et sociales de l'appréhension objective et, du même coup, des limites de ce mode de connaissance. La connaissance praxéologique se distingue de la connaissance phénoménologique, dont elle intègre les acquis, sur un point essentiel : elle assume, avec l'objectivisme, que l'objet de science est *conquis* contre l'évidence du sens commun par une opération de construction qui est, indissociablement, une *rupture* avec toutes les représentations « préconstruites », telles que classifications préétablies et définitions officielles. Cela revient à refuser absolument la théorie de la théorie qui porte à réduire les constructions de la science sociale à des « constructs of the second degree, that is constructs of the constructs made by the actors on the social scene[9] », comme fait Schutz, ou, comme Garfinkel, à des *accounts* des « *accounts* » que les agents produisent et au travers desquels ils produisent le sens de leur monde[10]. On peut se donner pour objectif de faire un *account* des *accounts* à condition de ne pas donner ce qui est une contribution à la science de la représentation préscientifique du monde social pour la science du monde social. En fait, c'est encore trop concéder parce qu'une science des représentations du sens commun qui entend ne pas se réduire à une simple description a pour condition préalable la science des structures qui commandent et les pratiques et les représentations concomitantes, principal obstacle à la construction de cette science[11]. Bref, on est en droit de refuser de réduire la science sociale à la mise au jour des structures objectives, mais à condition de ne jamais perdre de vue que la vérité des expériences réside néanmoins dans les structures qui les déterminent. En fait, la construction des structures objectives (courbes de prix, chances d'accès à l'enseignement supérieur ou lois du marché matrimonial) est ce qui permet de poser la question des mécanismes par lesquels s'établit la relation entre les structures et les pratiques ou les représentations qui les accompagnent au lieu de faire de ces *thought objects*, traités comme « raison » ou « motifs », la cause déterminante des pratiques. En effet, en ne prenant en compte dans l'analyse que ce que les pratiques et les représentations doivent à la logique des interactions symboliques et, en particulier, à la représentation que les agents peuvent se faire, par anticipation ou par expérience, de l'action des autres agents auxquels ils sont directement confrontés, l'interactionnisme réduit les relations entre des positions dans les structures objectives à des relations intersubjectives entre les agents occupant ces positions : en excluant ainsi tacitement tout ce que doivent à ces structures les interactions et les représentations que les agents peuvent en avoir, il assume implicitement la théorie spontanée de l'action qui fait de l'agent ou de ses représentations le principe ultime de stratégies capables de produire et de transformer le monde social (ce qui revient à porter à l'ordre d'une théorie du monde social la vision petite-bourgeoise des relations sociales comme quelque chose que l'on fait et que l'on se fait).

Poser que la science ne peut être qu'une conceptualisation de l'expérience commune, elle-même constituée par l'énonciation, c'est-à-dire par le langage ordinaire, comme fait l'ethnométhodologie, c'est en outre identifier la science de la société à un *enregistrement du donné tel qu'il se donne*, c'est-à-dire de l'ordre établi. On est en droit, encore une fois, de se donner pour objectif de produire un *account* des *accounts*, à condition d'avoir clairement à l'esprit la fonction qui est impartie, dans la pratique, à tout *account* : le pouvoir constitutif qui est accordé au langage ordinaire ne réside pas dans le langage ordinaire mais dans le groupe qui l'autorise et lui donne autorité ; le langage officiel, langage autorisé et langage d'autorité, licite et impose ce qu'il énonce, définissant tacitement les limites entre le pensable et l'impensable, et contribuant ainsi au maintien de l'ordre symbolique et de l'ordre social qui lui confère son autorité. Enregistrer un tel langage, sans restituer les fonctions qu'il remplit et les conditions sociales de son efficacité, c'est faire exister scientifiquement et, par là, légitimer une construction de la réalité sociale qui n'est jamais une simple expérience intime et personnelle mais la représentation du réel la plus conforme aux intérêts d'un groupe déterminé. Plus profondément, ce qui se trouve fondamentalement écarté de toute analyse phénoménologique de « la thèse générale du point de vue naturel » qui est constitutive de « l'expérience originaire » du monde social, c'est la question des conditions économiques et sociales de cette *croyance* qui consiste à « prendre la "réalité" (*Wirklichkeit*) comme elle se donne »[12], et que la « réduction » fera ultérieurement apparaître comme une « thèse » ou, plus exactement, comme une *epokhe* de l'*epokhe*, c'est-à-dire comme une mise en suspens du doute sur la possibilité que le monde de l'attitude naturelle soit autrement. Faute de poser la question des conditions – donc des limites de validité – de l'expérience qu'elle porte à l'explicitation, la phénoménologie universalise une expérience du monde social qui est associée à un type déterminé de conditions économiques et sociales dont les formations sociales enfermées dans le cycle de la reproduction simple présentent la forme paradigmatique[13]. Dans les sociétés divisées en classes, où la définition du réel est l'enjeu d'une lutte ouverte ou larvée entre les classes, la délimitation entre le champ de l'opinion, c'est-à-dire de ce qui est explicitement mis en question (l'opinion, orthodoxe ou hétérodoxe, supposant la question, donc la possibilité et la légitimité d'une réponse autre, défendue par un autre groupe), et le champ de la *doxa*, de ce qui est hors de question et que tout agent accorde tacitement à l'état de choses actuel par le seul fait d'agir en accord avec les convenances sociales, est elle-même un enjeu fondamental de cette forme de la lutte politique entre les classes qui est la lutte pour l'imposition des systèmes de classement dominants : les classes dominées ont intérêt à faire reculer les limites de la *doxa*, à

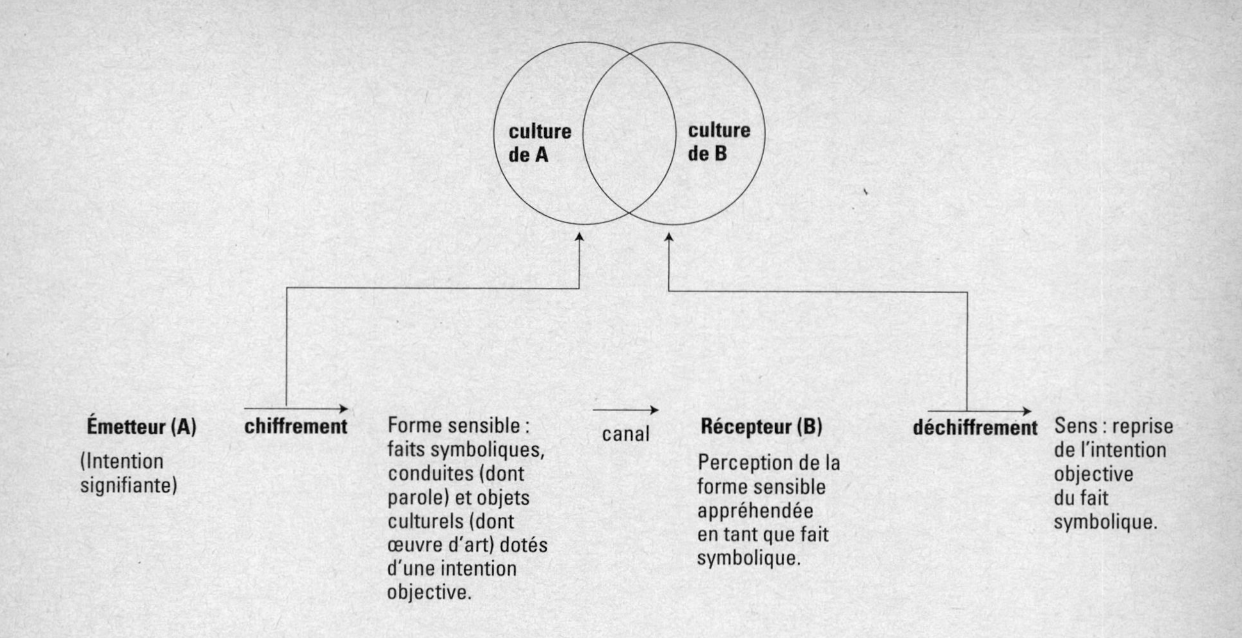

culture de A
culture de B
Émetteur (A)
(Intention signifiante)
chiffrement
Forme sensible : faits symboliques, conduites (dont parole) et objets culturels (dont œuvre d'art) dotés d'une intention objective.
canal
Récepteur (B)
Perception de la forme sensible appréhendée en tant que fait symbolique.
déchiffrement
Sens : reprise de l'intention objective du fait symbolique.

manifester l'arbitraire du *taken for granted* ; les classes dominantes ont intérêt à défendre l'intégrité de la *doxa* ou, à défaut, à en restaurer le substitut, nécessairement imparfait, qu'est l'orthoxie. On voit ce que l'analyse ainsi comprise de l'expérience naïve du monde social peut apporter à une sociologie de la connaissance qui est, inséparablement, une sociologie de la politique en manifestant les mécanismes gnoséologiques qui contribuent au maintien de l'ordre établi.

Mais il faut s'arrêter un instant sur le terrain par excellence de l'objectivisme, celui de la linguistique saussurienne et de la sémiologie. Lorsque Saussure constitue la langue comme objet autonome et irréductible à ses actualisations concrètes, c'est-à-dire aux actes de parole qu'il rend possibles, ou bien lorsque Panofsky établit que ce qu'il nomme, après Aloïs Riegl, *Kunstwollen* – c'est-à-dire, à peu près, le *sens objectif* de l'œuvre [14] – est irréductible à la « volonté » de l'artiste aussi bien qu'à la « volonté de l'époque » et aux expériences vécues que l'œuvre suscite chez le spectateur, ils accomplissent à propos de cette conduite particulière qu'est la parole et de ces produits particuliers de l'action que sont les œuvres d'art, l'opération par laquelle toute science objectiviste se constitue en constituant un système de relations objectives irréductible tant aux pratiques dans lesquelles il s'accomplit et se manifeste qu'aux intentions des sujets et à la conscience qu'ils peuvent prendre de ses contraintes et de sa logique. De même que Saussure fait voir que le médium véritable de la communication entre deux sujets n'est pas le discours comme donnée immédiate considérée dans sa matérialité observable, mais la langue comme structure de relations objectives qui rend possible et la production du discours et son déchiffrement, de même Panofsky montre que l'interprétation iconologique traite les propriétés sensibles de l'œuvre d'art, avec les expériences affectives qu'elle suscite, comme de simples « symptômes culturels » qui ne livrent complètement leur sens qu'à une lecture armée du chiffre culturel que le créateur a engagé dans son œuvre.

La « compréhension » immédiate suppose une opération inconsciente de déchiffrement qui n'est parfaitement adéquate que dans le cas où la compétence qu'engage dans sa pratique ou dans ses œuvres l'un des agents ne fait qu'un avec la compétence qu'engage objectivement l'autre agent dans sa perception de cette conduite ou de cette œuvre ; c'est-à-dire dans le cas particulier où le chiffrement comme transformation d'un sens en une pratique ou une œuvre coïncide avec l'opération symétrique de déchiffrement. Acte de déchiffrement qui s'ignore comme tel, la « compréhension » n'est possible et réellement effectuée que dans le cas particulier où le chiffre historiquement produit et reproduit qui rend possible l'acte de déchiffrement (inconscient) est immédiatement et complètement maîtrisé (au titre de disposition cultivée) par l'agent percevant et se confond avec le chiffre qui a rendu possible (au titre de disposition cultivée) la production de la conduite ou de l'œuvre perçue. Dans tous les autres cas, le malentendu partiel ou total est de règle, l'illusion de la compréhension immédiate conduisant à une compréhension illusoire, celle de l'ethnocentrisme comme erreur sur le chiffre : bref, lorsqu'elle s'inspire d'une foi naïve en l'identité en humanité et qu'elle ne dispose d'aucun autre instrument de connaissance que le « transfert intentionnel en autrui », comme dit Husserl, l'interprétation la plus « compréhensive » risque de n'être qu'une forme particulièrement irréprochable d'ethnocentrisme.

Placés dans une situation de dépendance théorique par rapport à la linguistique, les ethnologues structuralistes ont souvent engagé, dans leur pratique, l'*inconscient épistémologique* qu'engendre l'oubli des actes par lesquels la linguistique a construit son objet propre : héritiers d'un patrimoine intellectuel qu'ils n'ont pas eux-mêmes constitué et dont ils ne savent pas toujours reproduire les conditions de production, ils se sont satisfaits trop souvent de ces traductions littérales d'une terminologie dissociée de l'ordre des raisons dont elle tient son sens, faisant l'économie d'une réflexion épistémologique sur les conditions et les limites de validité de la transposition de la construction saussurienne. Il est significatif par exemple que, si l'on excepte Sapir, prédisposé par sa double formation de linguiste et d'ethnologue à poser le problème des rapports entre la culture et la langue, aucun anthropologue n'ait essayé de dégager toutes les implications de l'homologie (que Leslie White est à peu près le seul à formuler explicitement) entre ces deux oppositions, celle de la langue et de la parole et celle de la culture et de la conduite ou des œuvres. En posant que la communication immédiate est possible si et seulement si les agents sont objectivement accordés de manière à associer le même sens au même signe (parole, pratique ou œuvre) et le même signe au même sens ou, en d'autres termes, de manière à se référer, dans leurs opérations de chiffrement et de déchiffrement, c'est-à-dire dans leurs pratiques et leurs interprétations, à un seul et même système de relations constantes, indépendantes des consciences et des volontés individuelles et irréductibles à leur *exécution* dans des pratiques ou des œuvres (code ou chiffre), l'analyse objectiviste n'oppose pas à proprement parler un démenti à l'analyse phénoménologique de l'expérience première du monde social et de la compréhension immédiate des paroles et des actes d'autrui : elle en définit seulement les limites de validité en établissant les conditions particulières dans lesquelles elle est possible et que l'analyse phénoménologique ignore. Si, pour citer Husserl, les sciences de l'homme sont nécessairement des « sciences ayant une thématique à double orientation conséquente, une thématique liant de manière conséquente la théorie du domaine scientifique avec une théorie de la connaissance de cette théorie[15] » et si, en d'autres termes, la réflexion épistémologique sur les conditions de possibilité de la science anthropologique fait partie intégrante de la science anthropologique, c'est d'abord qu'une science qui a pour objet ce qui la rend possible, comme la langue ou la culture, ne peut se constituer sans constituer ses propres conditions de possibilité ; mais c'est aussi que la connaissance complète des conditions de la science, c'est-à-dire des opérations grâce auxquelles la science se donne la maîtrise symbolique d'une langue, d'un mythe ou d'un rite, implique la connaissance de la compréhension première comme effectuation des mêmes opérations, mais sur un tout autre mode, dans l'inconscience absolue des conditions générales et particulières qui lui confèrent sa particularité.

Mais il suffit d'interroger une fois encore les opérations théoriques par lesquelles Saussure constitue la linguistique comme science en construisant la langue comme objet autonome, distinct de ses actualisations dans la parole, pour mettre au jour les présupposés implicites de tout mode de connaissance qui traite les pratiques ou les œuvres en tant que faits symboliques qu'il s'agit de *déchiffrer* et, plus généralement, en tant qu'œuvres faites plutôt qu'en tant que pratiques. Bien que l'on puisse invoquer l'existence des langues mortes ou du mutisme tardif comme possibilité de perdre la parole tout en conservant la langue, bien que la faute de langue fasse apparaître la langue comme la norme objective de la parole (s'il en était autrement, toute faute de langue modifierait la langue et il n'y aurait plus de faute de langue), la parole apparaît comme la condition de la langue, tant du point de vue individuel que du point de vue collectif, du fait que la langue ne peut être appréhendée en dehors de la parole, que l'apprentissage de la langue se fait par la parole et que la parole est à l'origine des innovations et des transformations de la langue. Mais les deux processus invoqués n'ont de priorité que chronologique, et lorsque l'on quitte le terrain de l'*histoire* individuelle ou collective, comme fait l'herméneutique objectiviste, pour s'interroger sur les *conditions logiques* du déchiffrement, la relation s'inverse : la langue est la condition d'*intelligibilité* de la parole en tant que médiation qui, assurant l'identité des associations de sons et de concepts opérées par les locuteurs, garantit la compréhension mutuelle. C'est dire que, dans l'ordre logique de l'intelligibilité, la parole est le produit de la langue[16]. Il s'ensuit que, parce qu'elle se construit du point de vue strictement intellectualiste qui est celui du déchiffrement, la linguistique saussurienne privilégie la *structure* des signes, c'est-à-dire les rapports qu'ils entretiennent entre eux, au détriment de leurs *fonctions pratiques* qui ne se réduisent jamais, comme le suppose tacitement le structuralisme, à des fonctions de communication ou de connaissance, les pratiques les plus strictement tournées en apparence vers des fonctions de communication pour la communication (fonction phatique) ou de communication pour la connaissance, comme les fêtes et les cérémonies, les échanges rituels ou, dans un tout autre domaine, la circulation d'information, étant toujours orientées aussi, de façon plus ou moins ouverte, vers des fonctions politiques et économiques.

La construction saussurienne ne permet de constituer les propriétés structurales du message comme telles, c'est-à-dire comme système, qu'en se donnant un émetteur et un récepteur impersonnels et interchangeables, c'est-à-dire quelconques, et en faisant abstraction des propriétés fonctionnelles que chaque message doit à son utilisation dans une certaine *interaction socialement structurée*. En fait, on sait de maintes façons que les interactions symboliques à l'intérieur d'un groupe quelconque dépendent non seulement, comme le voit bien la psychologie sociale[17], de la structure du groupe d'interaction dans lequel elles s'accomplissent mais aussi des structures sociales dans lesquelles se trouvent insérés les agents en interaction (*e. g.* la structure des rapports de classe) : ainsi, il est probable qu'une mesure des échanges symboliques qui permettrait de distinguer, avec Chapple et Coon [18], ceux qui ne font qu'émettre (*originate*), ceux qui ne font que répondre et ceux qui répondent aux émissions des premiers et émettent à l'intention des seconds, ferait apparaître, tant à l'échelle d'une formation sociale dans son ensemble qu'à l'intérieur d'un groupe circonstanciel, la dépendance de la structure des rapports de force symbolique à l'égard de la structure des rapports de force politique. Le modèle de la concurrence pure et parfaite est tout aussi irréel ici qu'ailleurs et le marché des biens symboliques a aussi ses monopoles et ses structures de domination.

Bref, dès que l'on passe de la structure de la langue aux fonctions qu'elle remplit, c'est-à-dire aux usages qu'en font réellement les agents, on aperçoit que la seule connaissance du *code* ne permet que très imparfaitement de maîtriser les interactions linguistiques réellement effectuées ; en effet, comme l'observe Luis Prieto, le sens d'un élément linguistique dépend au moins autant de facteurs extra-linguistiques que de facteurs linguistiques, c'est-à-dire du *contexte* et de la *situation* dans lesquels il est employé : tout se passe comme si, dans la classe des signifiés qui correspondent abstraitement à une phonie, le récepteur « sélectionnait » celui qui lui paraît compatible avec les circonstances telles qu'il les perçoit [19]. C'est dire que la réception (et sans aucun doute aussi l'émission) dépend pour une grande part de la structure objective des relations entre les positions objectives dans la structure sociale des agents en interaction (*e. g.* relations de concurrence ou d'antagonisme objectif ou relations de pouvoir et d'autorité, etc.), structure qui commande la forme des interactions observées dans une conjoncture particulière (*e. g.* la corrélation qui s'établit, selon Moscovici, entre la quantité d'émissions verbales et le rang sociométrique). Ceux qui, linguistes ou anthropologues, font appel au

« contexte » ou à la « situation », pour « corriger » en quelque sorte ce que le modèle structuraliste leur paraît avoir d'irréel et d'abstrait, se laissent enfermer dans la logique même du modèle théorique qu'ils tentent, à juste raison, de dépasser. Ainsi, la méthode appelée « analyse situationnelle » (*situational analysis*)[20], qui consiste à « observer les agents dans des situations sociales différentes » afin de déterminer « comment les individus sont capables d'opérer des choix dans les limites d'une structure sociale spécifique[21] », reste enfermée, semble-t-il, dans l'alternative de la règle et de l'exception, que Leach (dont les tenants de l'« analyse situationnelle » se réclament volontiers) exprime en toute clarté : « Je postule que des systèmes structuraux dans lesquels toutes les voies de l'action sociale sont étroitement institutionnalisées sont impossibles. Dans tout système viable, il doit exister un espace où l'individu est libre de faire des choix de manière à faire tourner le système à son avantage[22]. »

En se laissant imposer l'alternative du modèle et de la situation, de la structure et des variations individuelles, autant de formes de l'opposition entre le modèle et l'exécution, on se condamne à prendre simplement le contre-pied de l'abstraction structuraliste qui absorbe les variations, traitées comme simples variantes, dans la structure : le souci d'« intégrer (*integrate*) variations, exceptions et accidents dans des descriptions des réalités » et de montrer « comment les individus dans une structure particulière affrontent les choix auxquels ils sont confrontés, comme les individus dans toutes les sociétés »[23] conduit à régresser au stade pré-structuraliste de l'individu et de ses choix, et à masquer le principe même de l'erreur structuraliste[24].

En effet, s'il n'est rien qui manifeste mieux l'insuffisance de la théorie de la pratique qui hante le structuralisme linguistique (et aussi ethnologique) que son impuissance à intégrer dans la théorie tout ce qui ressortit à l'exécution, comme dit Saussure, il reste que le principe de cette impuissance réside dans l'incapacité de penser la parole et plus généralement la pratique autrement que comme exécution[25] : l'objectivisme construit une théorie de la pratique (en tant qu'exécution) mais seulement comme un sous-produit négatif ou, si l'on peut dire, comme un déchet, immédiatement mis au rebut, de la construction des systèmes de relations objectives. C'est ainsi que, voulant délimiter à l'intérieur des faits de langage le « terrain de la langue » et dégager un « objet bien défini », un « objet qu'on puisse étudier séparément », « de nature homogène », Saussure écarte « la partie physique de la communication », c'est-à-dire la parole comme objet préconstruit, propre à faire obstacle à la construction de la langue, puis il isole à l'intérieur du « circuit de parole », ce qu'il nomme « *le côté exécutif* », c'est-à-dire la parole en tant qu'objet construit défini par l'actualisation d'un certain sens dans une combinaison particulière de sons, qu'il élimine enfin en invoquant que « l'exécution n'est jamais faite par la masse », mais « toujours individuelle ». Ainsi, le même concept, celui de parole, se trouve *dédoublé* par la construction théorique en un *donné préconstruit* et immédiatement observable, celui-là même contre lequel s'est effectuée l'opération de construction théorique, et un *objet construit*, produit négatif de l'opération qui constitue la langue en tant que telle ou, mieux, qui produit les deux objets en produisant la relation d'opposition dans laquelle et par laquelle ils se trouvent définis. On n'aurait pas de peine à montrer que la construction du concept de culture (au sens de l'anthropologie culturelle) ou de structure sociale (au sens de Radcliffe-Brown et de l'anthropologie sociale) implique aussi la construction d'une notion de conduite comme exécution qui vient doubler la notion première de conduite comme simple comportement pris à sa valeur faciale. La confusion extrême des débats sur les rapports entre la « culture » (ou les « structures sociales ») et la conduite a le plus souvent pour principe le fait que le sens construit de la conduite et la théorie de la pratique qu'il implique mènent une sorte d'existence clandestine dans le discours des défenseurs aussi bien que des adversaires de l'anthropologie culturelle : en effet, les adversaires les plus acharnés de la notion de « culture », comme Radcliffe-Brown, ne trouvent rien de mieux à opposer qu'un réalisme naïf au réalisme de l'intelligible qui fait de la « culture » une réalité transcendante, dotée d'une existence autonome et obéissant, dans son histoire même, à ses lois internes [26]. L'objectivisme se trouve protégé contre la seule mise en question décisive, celle qui s'adresserait à sa théorie de la pratique, principe de toutes les aberrations métaphysiques sur « le lieu de la culture », sur le mode d'existence de la « structure » ou sur la finalité inconsciente de l'histoire des systèmes, sans parler de la trop fameuse « conscience collective », par l'état implicite où se trouve cette théorie [27].

Bref, faute de construire la pratique autrement que de manière négative, c'est-à-dire en tant qu'*exécution*, l'objectivisme est condamné soit à laisser entière la question du principe de production des régularités qu'il se contente alors d'enregistrer, soit à réifier des abstractions, par un paralogisme consistant à traiter les objets construits par la science, qu'il s'agisse de la « culture », des « structures », des « classes sociales », des « modes de production », etc., comme des réalités autonomes, douées d'une efficace sociale, capables d'agir en tant que sujets responsables d'actions historiques ou en tant que pouvoir capable de contraindre les pratiques. Si elle a au moins le mérite d'écarter les formes les plus grossières du réalisme des idées, l'hypothèse de l'inconscient tend en fait à masquer les contradictions engendrées par les incertitudes de la théorie de la pratique que l'« anthropologie structurale » accepte au moins par omission, quand elle ne permet pas de restaurer, sous la forme en apparence sécularisée d'une structure structurée sans principe structurant, les vieilles entéléchies de la métaphysique sociale. Lorsqu'on ne veut pas aller jusqu'à poser, avec Durkheim, qu'aucune des règles qui contraignent les sujets « ne se retrouve tout entière dans les applications qui en sont faites par les particuliers puisqu'elles peuvent même être sans être actuellement appliquées [28] » et jusqu'à accorder à ces règles l'existence transcendante et permanente qu'il accorde à toutes les « réalités » collectives, on ne peut échapper aux naïvetés les plus grossières du juridisme, qui tient les pratiques pour le produit de l'obéissance à des normes, qu'en jouant de la polysémie du mot « règle » : employé le plus souvent au sens de *norme* sociale expressément posée et explicitement reconnue, comme la loi morale ou juridique, parfois au sens de *modèle théorique*, construction élaborée par la science pour rendre raison des pratiques, ce mot s'emploie aussi, par exception, au sens de *schème* (ou de principe) immanent à la pratique, qu'il faut dire implicite plutôt qu'inconscient, pour signifier tout simplement qu'il se trouve à l'état pratique dans la pratique des agents et non dans leur conscience.

Il suffit pour s'en convaincre de relire tel paragraphe de la préface à la deuxième édition des *Structures élémentaires* de la parenté consacré à la distinction entre « systèmes préférentiels » et « systèmes prescriptifs » où l'on peut supposer que les termes de norme, modèle ou règle font l'objet d'un usage particulièrement contrôlé : « Réciproquement, un système qui *préconise* le mariage avec la fille du frère de la mère peut être appelé prescriptif même si la *règle* est rarement observée : il dit ce qu'*il faut* faire. La question de savoir jusqu'à quel point et dans quelle proportion les membres d'une société donnée respectent *la norme* est fort intéressante, mais différente de celle de la place qu'il convient de faire à cette société dans une typologie. Car il suffit d'admettre, conformément à la vraisemblance, que la *conscience* de la *règle* infléchit tant soit peu les *choix* dans le sens *prescrit* et que le pourcentage des mariages *orthodoxes* est supérieur à celui qu'on relèverait si les unions se faisaient au hasard, pour reconnaître, à l'œuvre dans cette société, ce qu'on pourrait appeler un *opérateur* matrilatéral, jouant le rôle du pilote : certaines alliances s'engagent au moins dans la voie qu'il leur trace, et cela suffit pour imprimer une courbure spécifique à l'espace généalogique. Sans doute y aura-t-il un grand nombre de courbures locales et non une seule ; sans doute, ces courbures locales se réduiront le plus souvent à des amorces, et elles ne formeront des cycles clos que dans des cas rares et exceptionnels. Mais les ébauches de *structures* qui ressortiront çà et là suffiront pour faire du système une version probabiliste des systèmes plus rigides dont la notion est toute *théorique*, où les mariages seraient rigoureusement conformes à la règle qu'il plaît au groupe social d'énoncer[29]. » La tonalité dominante dans ce passage comme dans toute la préface est celle de la norme alors que *L'Anthropologie structurale* est écrite dans la langue du modèle ou, si l'on préfère, de la *structure* ; non que ce lexique soit ici tout à fait absent, puisque la métaphorique mathématico-physique qui organise le passage central (« opérateur », « certaines alliances s'engagent dans la voie qu'on leur trace », « courbure » de « l'espace généalogique », « structures ») vient évoquer la logique du modèle théorique et l'équivalence, à la fois professée et répudiée, du *modèle* et de la *norme* : « Un système préférentiel est prescriptif quand on l'envisage au niveau du modèle, un système prescriptif ne saurait être que préférentiel quand on l'envisage au niveau de la réalité[30]. » Mais, pour qui a en mémoire les textes de *L'Anthropologie structurale* sur les rapports entre langage et parenté (*e. g.* « Les "systèmes de parenté" comme les "systèmes phonologiques" sont élaborés par l'esprit à l'étage de la pensée inconsciente[31] ») et la netteté impérieuse avec laquelle les « normes culturelles » et toutes les « rationalisations » ou « élaborations secondaires » produites par les indigènes étaient écartées au profit des « structures inconscientes », sans parler des textes où s'affirmait l'universalité de la règle originaire de l'exogamie, les concessions faites ici à la « conscience de la règle » et la distance marquée à l'égard de ces systèmes rigides « dont la notion est toute théorique » peuvent surprendre, comme cet autre passage de la même préface : « Il n'en reste pas moins que la réalité empirique des systèmes dits prescriptifs ne prend son sens qu'en la rapportant à un *modèle théorique élaboré par les indigènes* eux-mêmes avant les ethnologues[32] » ; ou encore : « Ceux qui les pratiquent savent bien que l'esprit de tels systèmes ne se réduit pas à la proposition tautologique que chaque groupe obtient ses femmes de "donneurs" et donne des filles à des "preneurs". Ils sont aussi conscients que le mariage avec la cousine croisée unilatérale offre l'illustration la plus simple de la règle, la formule la mieux propre à garantir sa perpétuation, tandis que le mariage avec la cousine croisée patrilatérale la violerait sans recours[33]. » On ne peut s'empêcher d'évoquer un texte où Wittgenstein rassemble, comme en se jouant, toutes les questions esquivées par l'anthropologie structurale et, sans doute, plus généralement par tout intellectualisme, qui transfère la vérité objective établie par la science dans une pratique excluant la posture propre à rendre possible l'établissement de cette vérité[34] : « Qu'est-ce que je nomme "la règle d'après laquelle il procède" ? L'hypothèse qui décrit de façon satisfaisante son usage des mots que nous observons ; ou la règle à laquelle il se réfère au moment de se servir des signes ; ou celle qu'il nous donne en réponse à notre question quand nous lui demandons quelle est sa règle ? – Mais si notre observation ne permet de reconnaître clairement aucune règle, et que la question ne détermine rien à cet égard ? Car à ma question de savoir ce qu'il entend par "N", il m'a en effet donné une explication, mais il était prêt à la reprendre et à la modifier. – Comment devrais-je alors déterminer la règle d'après laquelle il joue ? Il l'ignore lui-même. – Ou plus exactement : que pourrait bien signifier ici l'expression : "La règle d'après laquelle il procède" ? [35] » Faire de la *régularité*, c'est-à-dire de ce qui se produit avec une certaine *fréquence*, statistiquement mesurable, le produit du *règlement* consciemment édicté et consciemment respecté (ce qui supposerait qu'on en explique la genèse et l'efficacité), ou de la *régulation* inconsciente d'une mystérieuse mécanique cérébrale et/ou sociale, c'est glisser du modèle de la réalité à la réalité du modèle : « Considérons la différence entre "le train a *régulièrement* deux minutes de retard" et "*il est de règle* que le train ait deux minutes de retard" : [...] dans ce dernier cas on suggère que le fait que le train soit en retard de deux minutes est conforme à une politique ou à un plan [...]. Les règles renvoient à des plans et à des politiques, et non pas les régularités [...]. Prétendre qu'il doit y avoir des règles dans la langue naturelle, cela revient à prétendre que les routes doivent être rouges parce qu'elles correspondent à des lignes rouges sur une carte [36]. » Et Quine fournit le moyen d'expliciter la distinction enfermée dans ce texte : « Imagine two systems of English grammar : one an old-fashioned system that draws heavily on the Latin grammarians, and the other a streamlined formulation due to Jespersen. Imagine that the two systems are *extensionally equivalent*, in this sense : they determine, recursively, the same infinite set of well-formed English sentences. In Denmark the boys in one school learn English by the one system, and those in another school learn it by the other. In the end the boys all sound alike. Both systems of rules *fit* the behaviour of all the boys, but each system *guides* the behaviour of only half the boys. Both systems *fit* the behaviour also of all us native speakers of English, this is what makes both systems correct. But neither system guides us native speaker of English, no rules do, except for some intrusions of inessential schoolwork.

» My distinction between fitting and guiding is, you see, the obvious and flat-footed ones. Fitting is a matter of true description, guiding is a matter of cause and effect. Behaviour *fits* a rule whenever it conforms to it, whenever the rule truly describes the behaviour. But the behaviour is not *guided by* the rule unless the behaver knows the rule and can state it. The behaver *observes* the rule [37]. »

A partir de cette distinction, Quine discute la tendance de Chomsky à admettre « une position intermédiaire entre le simple ajustement (*fitting*) et la pleine direction (*guidance*) », c'est-à-dire une « direction implicite » (*implicit guidance*) lorsqu'il regarde « le discours anglais comme en un sens dirigé par des règles (*rule-guided*), non seulement dans le cas des élèves danois mais aussi dans notre propre cas, lors même que nous sommes incapables d'énoncer ces règles ». Et Quine conclut que l'on peut admettre « la notion de conformité implicite ou inconsciente à une règle, lorsqu'il s'agit seulement d'ajustement (*fitting*) ». En fait, toutes les propositions du discours sociologique devraient être précédées d'un signe qui se lirait « tout se passe comme si… » et qui, fonctionnant à la façon des quantificateurs de la logique, rappellerait continûment le statut épistémologique des concepts construits de la science objective. Tout concourt en effet à encourager la réification des concepts, à commencer par la logique du langage ordinaire, qui incline à inférer la substance du substantif ou à accorder aux concepts le pouvoir d'agir dans l'histoire comme agissent dans les phrases du discours historique les mots qui les désignent, c'est-à-dire en tant que sujets historiques : comme le remarquait Wittgenstein, il suffit de glisser de l'adverbe « inconsciemment » (« j'ai inconsciemment mal aux dents ») au substantif « inconscient » (ou à un certain usage de l'adjectif « inconscient », comme dans « j'ai un mal de dents inconscient ») pour produire des prodiges de profondeur métaphysique [38]. On voit de même les effets théoriques (et politiques) que peut engendrer la *personnification des collectifs* (dans des phrases comme « la bourgeoisie pense que... » ou « la classe ouvrière n'accepte pas que... ») qui conduit, aussi sûrement que les professions de foi durkheimiennes, à postuler l'existence d'une « conscience collective » de groupe ou de classe : en portant au compte des groupes ou des institutions des dispositions qui ne peuvent se constituer que dans les consciences individuelles, même si elles sont le produit de conditions collectives, comme la *prise de conscience* des intérêts de classe, on se dispense d'analyser ces conditions et, en particulier, celles qui déterminent le degré d'homogénéité objective et subjective du groupe considéré et le degré de conscience de ses membres.

Variante particulièrement intéressante des précédents, le paralogisme qui est à la racine du juridisme, cette sorte d'artificialisme social, consiste à placer implicitement dans la conscience des agents singuliers la connaissance théorique qui ne peut être construite que contre cette expérience ou, en d'autres termes, à conférer la valeur d'une description anthropologique au modèle théorique construit pour rendre raison des pratiques. La théorie de l'action comme simple exécution du modèle (au double sens de norme et de construction scientifique) n'est qu'un exemple parmi d'autres de l'anthropologie imaginaire qu'engendre l'objectivisme lorsque, donnant, comme dit Marx, « les choses de la logique pour la logique des choses », il fait du sens objectif des pratiques ou des œuvres la fin subjective de l'action des producteurs de ces pratiques ou de ces œuvres, avec son impossible *homo economicus* soumettant ses décisions au calcul rationnel, ses acteurs exécutant des rôles ou agissant conformément à des modèles ou ses locuteurs choisissant entre des phénomènes.

Structures, habitus et pratiques

Ainsi, l'objectivisme méthodique qui constitue un moment nécessaire de toute recherche, au titre d'instrument de la rupture avec l'expérience première et de la construction des relations objectives, exige son propre dépassement. Pour échapper au *réalisme de la structure* qui hypostasie les systèmes de relations objectives en les convertissant en totalités déjà constituées en dehors de l'histoire de l'individu et de l'histoire du groupe, il faut et il suffit d'aller de l'*opus operatum* au *modus operandi*, de la régularité statistique ou de la structure algébrique au principe de production de cet ordre observé et de construire la théorie de la pratique ou, plus exactement, du mode de génération des pratiques, qui est la condition de la construction d'une science expérimentale de *la dialectique de l'intériorité* et *de l'extériorité*, c'est-à-dire *de l'intériorisation de l'extériorité* et *de l'extériorisation de l'intériorité* : les structures qui sont constitutives d'un type particulier d'environnement (*e. g.* les conditions matérielles d'existence caractéristiques d'une condition de classe) et qui peuvent être saisies empiriquement sous la forme des régularités associées à un environnement socialement structuré produisent des *habitus*, systèmes de *dispositions*[39] durables, structures structurées prédisposées à fonctionner comme structures structurantes, c'est-à-dire en tant que principe de génération et de structuration de pratiques et de représentations qui peuvent être objectivement « réglées » et « régulières » sans être en rien le produit de l'obéissance à des règles, objectivement adaptées à leur but sans supposer la visée consciente des fins et la maîtrise expresse des opérations nécessaires pour les atteindre et, étant tout cela, collectivement orchestrées sans être le produit de l'action organisatrice d'un chef d'orchestre.

Lors même qu'elles apparaissent comme déterminées par le futur, c'est-à-dire par les fins explicites et explicitement posées d'un projet ou d'un plan, les pratiques que produit l'habitus en tant que principe générateur de stratégies permettant de faire face à des situations imprévues et sans cesse renouvelées sont déterminées par l'anticipation implicite de leurs conséquences, c'est-à-dire par les conditions passées de la production de leur principe de production, en sorte qu'elles tendent toujours à reproduire les structures objectives dont elles sont en dernière analyse le produit. Ainsi, par exemple, dans l'interaction entre deux agents ou groupes d'agents dotés des mêmes habitus (soit A et B), tout se passe comme si les actions de chacun d'eux (soit a1 pour A) s'organisaient par rapport aux réactions qu'elles appellent de la part de tout agent doté du même habitus (soit b1, réaction de B à a1) en sorte qu'elles impliquent objectivement l'anticipation de la réaction que ces réactions appellent à leur tour (soit a2, réaction à b1). Mais rien ne serait plus naïf que de souscrire à la description téléologique selon laquelle chaque action (soit a1) aurait pour fin de rendre possible la réaction à la réaction qu'elle suscite (soit a2 réaction à b1). L'habitus est au principe d'enchaînement de « coups » qui sont objectivement organisés comme des stratégies sans être aucunement le produit d'une véritable intention stratégique (ce qui supposerait par exemple qu'ils soient appréhendés comme une stratégie parmi d'autres possibles).

S'il n'est aucunement exclu que les réponses de l'habitus s'accompagnent d'un calcul stratégique tendant à réaliser sur le mode quasi conscient l'opération que l'habitus réalise sur un autre mode, à savoir une estimation des chances supposant la transformation de l'effet passé en avenir escompté, il reste qu'elles se définissent d'abord par rapport à un champ de potentialités objectives, immédiatement inscrites dans le présent, choses à faire ou à ne pas faire, à dire ou à ne pas dire, par rapport à un *à venir* qui, à l'opposé du futur comme « possibilité absolue » (*absolute Möglichkeit*), au sens de Hegel, projetée par le projet pur d'une « liberté négative », se propose avec une urgence et une prétention à exister excluant la délibération. Les stimulations symboliques, c'est-à-dire conventionnelles et conditionnelles, qui n'agissent que sous condition de rencontrer des agents conditionnés à les percevoir, tendent à s'imposer de manière inconditionnelle et nécessaire lorsque l'inculcation de l'arbitraire abolit l'arbitraire de l'inculcation et des significations inculquées : le monde d'urgences, de fins déjà réalisées, d'objets dotés d'un « caractère téléologique permanent », selon l'expression de Husserl, comme les outils, de marches à suivre, de cheminements tout tracés, de valeurs faites choses, qui est celui de la pratique ne peut accorder qu'une liberté conditionnelle – *liberet si liceret* –, assez semblable à celle de l'aiguille aimantée qui, comme l'imagine Leibniz, prendrait plaisir à se tourner vers le nord. Si l'on observe régulièrement une corrélation très étroite entre les *probabilités objectives* scientifiquement construites (*e. g.* les chances d'accès à l'enseignement supérieur ou au musée, etc.) et les *aspirations subjectives* (les « motivations »), ce n'est pas que les agents ajustent consciemment leurs aspirations à une évaluation exacte de leurs chances de réussite, à la façon d'un joueur qui réglerait son jeu en fonction d'une information parfaite sur ses chances de gain, comme on le suppose implicitement lorsque, oubliant le « tout se passe comme si », on *fait comme si* la théorie des jeux ou le calcul des probabilités, l'un et l'autre construits *contre* les dispositions spontanées, constituaient des descriptions anthropologiques de la pratique. Renversant complètement la tendance de l'objectivisme, on peut au contraire rechercher dans les règles de la construction scientifique des probabilités ou des stratégies non point un modèle anthropologique de la pratique, mais la *description négative* des règles implicites de la *statistique spontanée* qu'elles enferment nécessairement parce qu'elles se construisent explicitement contre ces règles implicites (*e. g.* la propension à privilégier les premières expériences). A la différence de l'estimation des probabilités que la science construit méthodiquement, sur la base d'expériences contrôlées, à partir de données établies selon des règles précises, l'évaluation subjective des chances de réussite d'une action déterminée dans une situation déterminée fait intervenir tout un corps de sagesse semi-formalisé, dictons, lieux communs, préceptes éthiques (« ce n'est pas pour nous ») et, plus profondément, les principes inconscients de l'*ethos*, disposition générale et transposable qui, étant le produit de tout un apprentissage dominé par un type déterminé de régularités objectives, détermine les conduites « raisonnables » ou « déraisonnables » (les « folies ») pour tout agent soumis à ces régularités[40]. « A peine connaissons-nous l'impossibilité de satisfaire au désir, disait Hume dans le *Traité de l'humaine nature*, que le désir, lui-même s'évanouit[41]. » Et Marx, dans les *Manuscrits de 1844* : « Quel que je sois, si je n'ai pas d'argent pour voyager, je n'ai pas de besoin – au sens de besoin réel de voyager – susceptible d'être satisfait. Quel que je sois, si j'ai la vocation des études mais point d'argent pour m'y adonner, je n'ai pas la vocation des études, c'est-à-dire une vocation effective, véritable. » Les pratiques peuvent se trouver objectivement ajustées aux chances objectives – *tout se passant comme si* la probabilité *a posteriori* ou *ex post* d'un événement, qui est connue à partir de l'expérience passée, commandait la probabilité *a priori*, ou *ex ante*, qui lui est subjectivement accordée –, sans que les agents procèdent au moindre calcul et même à une estimation, plus ou moins consciente, des chances de réussite. Du fait que les dispositions durablement inculquées par les conditions objectives (que la science appréhende à travers des régularités statistiques comme les probabilités objectivement attachées à un groupe ou à une classe) engendrent des aspirations et des pratiques objectivement compatibles avec ces conditions objectives et en quelque sorte préadaptées à leurs exigences objectives, les événements les plus improbables se trouvent exclus, soit avant tout examen, au titre d'*impensable*, soit au prix de la *double négation* qui incite à faire de nécessité vertu, c'est-à-dire à refuser le refusé et à aimer l'inévitable. Les conditions mêmes de production de l'*ethos*, *nécessité faite vertu*, font que les anticipations qu'il engendre tendent à ignorer la restriction à laquelle est subordonnée la validité de tout calcul des probabilités, à savoir que les conditions de l'expérience n'aient pas été modifiées : à la différence des estimations savantes qui se corrigent après chaque expérience selon des règles rigoureuses de calcul, les estimations pratiques confèrent un poids démesuré aux premières expériences, dans la mesure où ce sont les structures caractéristiques d'un type déterminé de conditions d'existence qui, à travers la nécessité économique et sociale qu'elles font peser sur l'univers relativement autonome des relations familiales ou mieux *au travers* des manifestations proprement familiales de cette nécessité externe (*e. g.* interdits, soucis, leçons de morale, conflits, goûts, etc.), produisent les structures de l'habitus qui sont à leur tour au principe de la perception et de l'appréciation de toute expérience ultérieure. Ainsi, en raison de l'effet d'*hysteresis* qui est nécessairement impliqué dans la logique de la constitution des habitus, les pratiques s'exposent toujours à recevoir des sanctions négatives, donc un « renforcement secondaire négatif », lorsque l'environnement auquel elles s'affrontent réellement est trop éloigné de celui auquel elles sont objectivement ajustées. On comprend dans la même logique que les conflits de génération opposent non point des classes d'âge séparées par des propriétés de nature, mais des habitus qui sont produits selon des *modes de génération* différents, c'est-à-dire par des conditions d'existence qui, en imposant des définitions différentes de l'impossible, du possible, du probable et du certain, donnent à éprouver aux uns comme naturelles ou raisonnables des pratiques ou des aspirations que les autres ressentent comme impensables ou scandaleuses et inversement.

C'est dire qu'il faut abandonner toutes les théories qui tiennent explicitement ou implicitement la pratique pour une réaction mécanique, directement déterminée par les conditions antécédentes et entièrement réductible au fonctionnement mécanique de montages préétablis, « modèles », « normes » ou « rôles », qu'on devrait d'ailleurs supposer en nombre infini, comme les configurations fortuites de stimuli capables de les déclencher du dehors, se vouant ainsi à l'entreprise grandiose et désespérée de cet ethnologue qui, armé d'un beau courage positiviste, enregistre 480 unités élémentaires de comportement, en vingt minutes d'observation de l'activité de sa femme dans sa cuisine [42]. Mais le refus des théories mécanistes n'implique aucunement que, selon l'alternative obligée de l'objectivisme et du subjectivisme, on accorde à un libre arbitre créateur le pouvoir libre et arbitraire de constituer dans l'instant le sens de la situation en projetant les fins visant à le transformer ni que l'on réduise les intentions objectives et les significations constituées des actions et des œuvres humaines aux intentions conscientes et délibérées de leurs auteurs. La pratique est à la fois nécessaire et relativement autonome par rapport à la situation considérée dans son immédiateté ponctuelle parce qu'elle est le produit de la relation dialectique entre une situation et un *habitus*, entendu comme un système de dispositions durables et transposables qui, intégrant toutes les expériences passées, fonctionne à chaque moment comme une *matrice de perceptions, d'appréciations et d'actions*, et rend possible l'accomplissement de tâches infiniment différenciées, grâce aux transferts analogiques de schèmes permettant de résoudre les problèmes de même forme et grâce aux corrections incessantes des résultats obtenus, dialectiquement produites par ces résultats.

Ce que l'on appelle communément *métaphore* n'est qu'un produit parmi d'autres de ces *transferts de schèmes* qui engendrent des significations nouvelles par l'application à de nouveaux terrains de schèmes pratiques de perception et d'action : la magie, qui ne cesse d'appliquer aux relations avec le monde naturel des schèmes convenant aux relations entre les hommes, opère sans cesse de tels transferts, transportant les mêmes schèmes classificatoires d'une classe de choses (par exemple le corps humain) à une autre (la maison ou le monde naturel). Un esprit parfaitement structuré se trouve ainsi enfermé dans un *cercle de métaphores* se reflétant mutuellement à l'infini : l'illusion de l'objectivité qui résulte de la congruence parfaite des constructions produites par l'application des mêmes catégories est renforcée, tout comme la croyance corrélative, par le fait que l'univers objectif qui se trouve ainsi constitué comporte des objets (instruments, bâtiments, monuments, etc.) qui sont le produit d'opérations réelles d'objectivation opérées à travers des catégories identiques à celles selon lesquelles ils sont appréhendés. L'incorporation de l'objectivité est ainsi inséparablement intériorisation des schèmes collectifs et intégration au groupe, puisque ce qui est intériorisé est le produit de l'extériorisation d'une subjectivité semblablement structurée. La continuité entre les générations s'établit pratiquement au travers de la dialectique de l'extériorisation de l'intériorité et de l'intériorisation de l'extériorité, qui est, pour une part, le produit de l'objectivation de l'intériorité des générations passées [43].

Principe générateur durablement monté d'improvisations réglées (*principium importans ordinem ad actum*, comme dit le scolastique), l'habitus produit des pratiques qui, dans la mesure où elles tendent à reproduire les régularités immanentes aux conditions objectives de la production de leur principe générateur, mais en s'ajustant aux exigences inscrites au titre de potentialités objectives dans la situation directement affrontée, ne se laissent directement déduire ni des conditions objectives, ponctuellement définies comme somme de stimuli, qui peuvent paraître les avoir directement déclenchées, ni des conditions qui ont produit le principe durable de leur production : on ne peut donc rendre raison de ces pratiques qu'à condition de mettre en rapport la *structure* objective définissant les conditions sociales de production de l'habitus qui les a engendrées avec les conditions de la mise en œuvre de cet habitus, c'est-à-dire avec la *conjoncture* qui, sauf transformation radicale, représente un état particulier de cette structure. Si l'habitus peut fonctionner comme un opérateur qui effectue pratiquement la mise en relation de ces deux systèmes de relations dans et par la production de la pratique, c'est qu'il est histoire faite nature, c'est-à-dire niée en tant que telle parce que réalisée dans une seconde nature ; l'« inconscient » n'est jamais en effet que l'oubli de l'histoire que l'histoire elle-même produit en incorporant les structures objectives qu'elle produit dans ces quasi-natures que sont les habitus : « [...] En chacun de nous, suivant des proportions variables, il y a de l'homme d'hier ; c'est même l'homme d'hier qui, par la force des choses, est prédominant en nous, puisque le présent n'est que bien peu de chose comparé à ce long passé au cours duquel nous nous sommes formés et d'où nous résultons. Seulement, cet homme du passé, nous ne le sentons pas, parce qu'il est invétéré en nous ; il forme la partie inconsciente de nous-mêmes. Par suite, on est porté à n'en pas tenir compte, non plus que de ses exigences légitimes. Au contraire, les acquisitions les plus récentes de la civilisation, nous en avons un vif sentiment parce qu'étant récentes elles n'ont pas encore eu le temps de s'organiser dans l'inconscient[44]. » L'amnésie de la genèse, qui est un des effets paradoxaux de l'histoire, est aussi encouragée (sinon impliquée) par l'appréhension objectiviste qui, saisissant le produit de l'histoire comme *opus operatum* et se plaçant en quelque sorte devant le *fait accompli*, ne peut qu'invoquer les mystères de l'harmonie préétablie ou les prodiges de la concertation consciente pour rendre compte de ce qui, appréhendé dans la pure synchronie, apparaît comme *sens objectif*, qu'il s'agisse de la cohérence interne d'œuvres ou d'institutions telles que mythes, rites ou corpus juridiques, ou de la concertation objective que manifestent et que présupposent à la fois (dans la mesure où elles impliquent la communauté des répertoires) les pratiques, concordantes ou même conflictuelles, des membres du même groupe ou de la même classe. En fait, les paralogismes de l'objectivisme sont la conséquence du défaut de toute analyse du double processus d'intériorisation et d'extériorisation ou, plus précisément, de la production d'habitus objectivement concertés, donc aptes et inclinés à produire des pratiques et des œuvres elles-mêmes objectivement concertées.

Du fait que l'identité des conditions d'existence tend à produire des systèmes de dispositions semblables (au moins partiellement), l'homogénéité (relative) des habitus qui en résulte est au principe d'une harmonisation objective des pratiques et des œuvres propres à leur conférer la *régularité* en même temps que l'*objectivité* qui définissent leur « rationalité » spécifique et qui leur valent d'être vécues comme *évidentes* ou *allant de soi*, c'est-à-dire comme immédiatement intelligibles et prévisibles, par tous les agents dotés de la maîtrise pratique du système des schèmes d'action et d'interprétation objectivement impliqués dans leur effectuation et par ceux-là seulement (c'est-à-dire par tous les membres du même groupe ou de la même classe, produits de conditions objectives identiques qui sont vouées à exercer simultanément un *effet d'universalisation et de particularisation* dans la mesure où elles n'homogénéisent les membres d'un groupe qu'en les distinguant de tous les autres). Aussi longtemps que l'on ignore le véritable principe de cette orchestration sans chef d'orchestre qui confère régularité, unité et systématicité aux pratiques d'un groupe ou d'une classe, cela en l'absence même de toute organisation spontanée ou imposée des projets individuels, on se condamne à l'artificialisme naïf qui ne reconnaît d'autre principe unificateur de l'action ordinaire ou extraordinaire d'un groupe ou d'une classe que la concertation consciente et méditée du complot : ainsi certains peuvent nier, sans autres preuves que leurs impressions mondaines, l'unité de la classe dirigeante, croyant toucher au fond du problème lorsqu'ils mettent les tenants de la thèse opposée au défi d'établir la preuve empirique que les membres de la classe dirigeante ont une politique explicite, expressément imposée par la concertation explicite ; d'autres, qui donnent au moins une formulation explicite et systématique à cette représentation naïve de l'action collective, transposent à l'ordre du groupe la question archétypale de la philosophie de la conscience et font de la prise de conscience une sorte de cogito révolutionnaire, seul capable de faire accéder la classe à l'existence en la constituant comme « classe pour soi ».

A la question rituelle qui est au principe du débat interminable de l'objectivisme et du subjectivisme (et qui, en sa forme paradigmatique, se dit : « est-elle jolie parce que je l'aime ou est-ce que je l'aime parce qu'elle est jolie ? »), Sartre propose une réponse ultra-subjectiviste ; faisant de la prise de conscience révolutionnaire le produit d'une sorte de variation imaginaire, il lui confère le pouvoir de créer le sens du présent en créant le futur révolutionnaire qui le nie : « Il faut inverser l'opinion générale et convenir de ce que ce n'est pas la dureté d'une situation ou les souffrances qu'elle impose qui sont motifs pour qu'on conçoive un autre état de choses où il en irait mieux pour tout le monde ; au contraire, c'est à partir du jour où l'on peut concevoir un autre état de choses qu'une lumière neuve tombe sur nos peines et sur nos souffrances et que nous décidons qu'elles sont insupportables[45]. » Il suffit d'ignorer ou de récuser la question des *conditions économiques et sociales de la prise de conscience des conditions économiques et sociales* pour mettre au principe de l'action révolutionnaire un acte absolu de donation de sens, une « invention » ou une conversion[46]. Si le monde de l'action n'est autre chose que cet univers imaginaire de possibles interchangeables dépendant entièrement des décrets de la conscience qui le crée, donc totalement dépourvu d'*objectivité*, s'il est émouvant parce que le sujet se choisit ému, révoltant parce qu'il se choisit révolté, les émotions, les passions et les actions ne sont que des jeux et des doubles jeux de la mauvaise foi et de l'esprit de sérieux, farces tristes où l'on est à la fois mauvais acteur et bon public : « Ce n'est pas par hasard que le matérialisme est sérieux, ce n'est pas par hasard non plus qu'il se retrouve toujours et partout comme la doctrine du révolutionnaire. C'est que les révolutionnaires sont sérieux. Ils se connaissent d'abord à partir du monde qui les écrase [...]. L'homme sérieux est “du monde” et n'a plus aucun recours en soi ; il n'envisage même pas la possibilité de sortir du monde [...], il est de mauvaise foi[47]. » La même impuissance à rencontrer le « sérieux » autrement que sous la forme réprouvée de « l'esprit de sérieux » s'observe dans une analyse de l'émotion qui, chose significative, est séparée par l'*Imaginaire* des descriptions moins radicalement subjectivistes de *L'Esquisse d'une théorie des émotions* : « Qui me décidera à choisir l'aspect magique ou l'aspect technique du monde ? Ce ne saurait être le monde lui-même qui, pour se manifester, attend d'être découvert. Il faut donc que le pour-soi, dans son projet, choisisse d'être celui par qui le monde se dévoile comme magique ou rationnel, c'est-à-dire qu'il doit, comme libre projet de soi, se donner l'existence magique ou l'existence rationnelle.

De l'une comme de l'autre, il est *responsable* ; car il ne peut être que s'il s'est choisi. Il apparaît donc comme le libre fondement de ses émotions comme de ses volitions. Ma peur est libre et manifeste ma liberté [48]. » Pareille théorie de l'action devait inévitablement conduire au projet désespéré d'une genèse transcendantale de la société et de l'histoire (on aura reconnu la *Critique de la raison dialectique*) que semble désigner Durkheim lorsqu'il écrit dans *Les Règles de la méthode sociologique* : « C'est parce que le milieu imaginaire n'offre à l'esprit aucune résistance que celui-ci, ne se sentant contenu par rien, s'abandonne à des ambitions sans bornes et croit possible de construire ou, plutôt, de reconstruire le monde par ses seules forces et au gré de ses désirs [49]. » Bien que l'on puisse opposer à cette analyse de l'anthropologie sartrienne les textes (fort nombreux, surtout dans les premières et les dernières œuvres) où Sartre reconnaît par exemple les « synthèses passives » d'un univers de significations déjà constituées ou récuse expressément les principes mêmes de sa philosophie, comme ce passage de *L'Être et le Néant* [50] où il entend se distinguer de la philosophie instantanéiste de Descartes ou telle phrase de la *Critique de la raison dialectique* [51] où il annonce l'étude « des actions sans agents, des productions sans totalisateur, des contre-finalités, des circularités infernales », il reste que Sartre repousse avec une répugnance viscérale « ces réalités gélatineuses et plus ou moins vaguement hantées par une conscience supra-individuelle qu'un organicisme honteux cherche encore à retrouver, contre toute vraisemblance, dans ce champ rude, complexe mais tranché de l'activité passive où il y a des organismes individuels et des réalités matérielles inorganiques » [52]. La sociologie « objective » se voit octroyer la tâche, fort suspecte parce que essentialiste, d'étudier la « socialité d'inertie », c'est-à-dire par exemple la classe réduite à l'*inertie*, donc à l'impuissance, la classe chose, la classe « visqueuse » et « engluée » dans son être, c'est-à-dire dans son « avoir été » : « La sérialité de classe fait de l'individu (quel qu'il soit et quelle que soit la classe) un être qui se définit comme une chose humanisée [...]. L'autre forme de la classe, c'est-à-dire le groupe totalisant dans une *praxis*, naît au cœur de la forme passive et comme sa négation[53]. » Le monde social, lieu de ces compromis « bâtards » entre la chose et le sens qui définissent le « sens objectif » comme sens fait chose, constitue un véritable défi pour qui ne respire que dans l'univers pur et transparent de la conscience ou de la « praxis » individuelle. Cet artificialisme ne reconnaît aucune autre limite à la liberté de l'ego que celle que la liberté s'impose à elle-même par l'abdication libre du serment ou par la démission de la mauvaise foi, nom sartrien de l'aliénation, ou celle que la liberté aliénatrice de l'alter ego lui impose dans les combats hégéliens du maître et de l'esclave ; par suite, ne pouvant voir « dans les arrangements sociaux que des combinaisons artificielles et plus ou moins arbitraires », comme dit Durkheim[54], il subordonne sans délibérer la transcendance du social, réduite à la « réciprocité des contraintes et des autonomies », à la « transcendance de l'ego », comme disait le premier Sartre : « Au cours de cette action, l'individu découvre la dialectique comme transparence rationnelle en tant qu'il la fait et comme nécessité absolue en tant qu'elle lui échappe, c'est-à-dire *tout simplement*, en tant que les autres la font ; pour finir, dans la mesure même où il se reconnaît dans le dépassement de ses besoins, il reconnaît la loi que lui imposent les autres en dépassant les leurs (il le reconnaît : cela ne veut pas dire qu'il s'y soumette), il reconnaît sa propre autonomie (en tant qu'elle peut être utilisée par l'autre et qu'elle l'est chaque jour, feintes, manœuvres, etc.) comme puissance étrangère et l'autonomie des autres comme la loi inexorable qui permet de les contraindre[55]. » La transcendance du social ne peut être que l'effet de la « récurrence », c'est-à-dire, en dernière analyse, du *nombre* (de là l'importance accordée à la « série ») ou de la « matérialisation de la récurrence » dans les objets culturels[56], l'aliénation consistant dans l'abdication libre de la liberté au profit des exigences de la « matière ouvrée » : « L'ouvrier du XIXe siècle *se fait ce qu'il est*, c'est-à-dire qu'il détermine pratiquement et rationnellement l'ordre de ses dépenses – donc il décide dans sa libre praxis – et par cette liberté il se fait ce qu'il était, ce qu'il est, ce qu'il doit être : une machine dont le salaire représente seulement les frais d'entretien [...]. L'être-de-classe comme être pratico-inerte vient aux hommes par les hommes à travers les synthèses passives de la matière ouvrée[57]. » Ailleurs, l'affirmation du primat « logique » de la « praxis individuelle », Raison constituante, sur l'Histoire, Raison constituée, conduit à poser le problème de la genèse de la société dans les termes mêmes qu'employaient les théoriciens du contrat social : « L'Histoire détermine le contenu des relations humaines dans sa totalité et ces relations [...] renvoient à tout. Mais ce n'est pas elle qui *fait* qu'il y ait des relations humaines en général. Ce ne sont pas les problèmes d'organisation et de division du travail qui ont fait que des rapports se soient établis entre ces objets *d'abord séparés*, les hommes[58]. » De même que pour Descartes « la création est continue, comme dit Jean Wahl, parce que la durée ne l'est pas » et parce que la substance étendue n'enferme pas en elle-même le pouvoir de subsister, Dieu se trouvant investi de la tâche à chaque instant recommencée de créer le monde *ex nihilo*, par un libre décret de sa volonté, de même, le refus typiquement cartésien de l'opacité visqueuse des « potentialités objectives » et du sens objectif conduit Sartre à confier à l'initiative absolue des « agents historiques », individus ou collectifs, comme « le Parti », hypostase du sujet sartrien, la tâche indéfinie d'arracher le tout social, ou la classe, à l'inertie du « pratico-inerte ». Au terme de l'immense roman imaginaire de la mort et de la résurrection de la liberté, avec son double mouvement, l'« extériorisation de l'intériorité » qui conduit de la liberté à l'aliénation, de la conscience à la matérialisation de la conscience, ou, comme le dit le titre, « de la praxis au pratico-inerte », et l'« intériorisation de l'extériorité » qui, par les raccourcis abrupts de la prise de conscience et de la « fusion des consciences », mène « du groupe à l'histoire », de l'état réifié du groupe aliéné à l'existence authentique de l'agent historique, la conscience et la chose sont aussi irrémédiablement séparées qu'au commencement, sans que rien qui ressemble à une institution ou un système symbolique comme univers autonome (le choix même des exemples en témoigne) ait pu jamais être constaté ou construit ; les apparences d'un discours dialectique (qui ne sont pas autre chose que les apparences dialectiques du discours) ne peuvent masquer l'oscillation indéfinie entre l'en-soi et le pour-soi, ou, dans le langage nouveau, entre la matérialité et la praxis, entre l'inertie du groupe réduit à son « essence », c'est-à-dire à son passé dépassé et à sa nécessité (abandonnés aux sociologues), et la création continuée du libre projet collectif comme série d'actes décisoires indispensables pour sauver le groupe de l'anéantissement dans la pure matérialité. Et l'on se demande comment on pourrait ne pas attribuer à la permanence d'un habitus la constante avec laquelle l'intention objective de la philosophie sartrienne s'affirme, au langage près, contre les intentions subjectives de son auteur, c'est-à-dire contre un projet permanent de « conversion », jamais aussi manifeste et manifestement sincère que dans certains anathèmes qui ne revêtiraient sans doute pas une telle violence s'ils n'avaient une saveur d'autocritique, consciente ou inconsciente. Par exemple il faut avoir en mémoire l'analyse célèbre du garçon de café pour apprécier pleinement une phrase comme celle-ci : « A tous ceux qui se prennent pour des anges, les activités de leur prochain semblent absurdes parce qu'ils prétendent transcender l'entreprise humaine en refusant d'y participer[59]. »

La théorie sartrienne des rapports entre Flaubert et la bourgeoisie est sans doute l'expression la plus manifeste et la plus directe du rapport bourgeois à l'existence et aux conditions matérielles d'existence qui, en mettant la prise de conscience au principe d'une existence et d'une œuvre, témoigne qu'il ne suffit pas de prendre conscience de la condition de classe pour se libérer des dispositions durables qu'elle produit[60]. C'est dans la même logique que se situe – *mutatis mutandis* – le projet de faire une « sociologie de l'action », définie comme « sociologie de la liberté », expression qu'employait déjà Le Play, par opposition sans doute aux sociologies de la nécessité[61]. Le refus de la définition « réductrice » de la sociologie retrouve ici les thèmes et le langage éternels, dont Bergson a fourni l'archétype, celui du clos et de l'ouvert, de la continuité et de la rupture, de la routine et de la création, de l'institution et de la personne.

L'harmonisation objective des habitus de groupe ou de classe est ce qui fait que les pratiques peuvent être objectivement accordées *en l'absence de toute interaction directe* et, *a fortiori*, de toute concertation explicite. « Figurez-vous, dit Leibniz, deux horloges ou montres qui s'accordent parfaitement. Or cela se peut faire de trois manières. La première consiste dans une influence mutuelle ; la deuxième est d'y attacher un ouvrier habile qui les redresse, et les mette d'accord à tous moments ; la troisième est de fabriquer ces deux pendules avec tant d'art et de justesse, qu'on se puisse assurer de leur accord par la suite[62]. » En ne retenant systématiquement que la première hypothèse, ou à la rigueur la seconde – lorsqu'on fait jouer au parti ou au meneur charismatique le rôle de *Deus ex machina* –, on s'interdit d'appréhender le fondement le plus sûr et le mieux caché de l'intégration des groupes ou des classes : si les pratiques des membres du même groupe ou de la même classe sont toujours plus ou mieux accordées que les agents ne le savent et ne le veulent, c'est que, comme le dit encore Leibniz, « en ne suivant que ses propres lois », chacun « s'accorde pourtant avec l'autre »[63] ; l'habitus n'est autre chose que cette loi immanente, *lex insita*, déposée en chaque agent par la prime éducation, qui est la condition non seulement de la concertation des pratiques mais aussi des pratiques de concertation, puisque les redressements et les ajustements consciemment opérés par les agents eux-mêmes supposent la maîtrise d'un code commun et que les entreprises de mobilisation collective ne peuvent réussir sans un minimum de concordance entre l'habitus des agents mobilisateurs (*e. g.* prophète, chef de parti, etc.) et les dispositions de ceux dont ils s'efforcent d'exprimer les aspirations. Loin que la concertation des pratiques soit toujours le produit de la concertation, tout indique qu'une des fonctions premières de l'orchestration des habitus pourrait être d'autoriser l'économie de l'« intention » et du « transfert intentionnel en autrui » en autorisant une sorte de behaviorisme pratique qui dispense, pour l'essentiel des situations de la vie, de l'analyse fine des nuances de la conduite d'autrui ou de l'interrogation directe sur ses intentions (« qu'est-ce que tu veux dire ? ») : de même que celui qui met une lettre à la poste suppose seulement, comme le montrait Schütz, que des employés anonymes auront les conduites anonymes conformes à son intention anonyme, de même, celui qui accepte la monnaie comme instrument d'échange prend en compte implicitement, comme l'indique Weber, les chances que d'autres agents acceptent de lui reconnaître cette fonction. Automatiques et impersonnelles, signifiantes sans intention de signifier, les conduites ordinaires de la vie se prêtent à un déchiffrement non moins automatique et impersonnel, la reprise de l'intention objective qu'elles expriment n'exigeant aucunement la « réactivation » de l'intention « vécue » de celui qui les accomplit[64].

Chaque agent, qu'il le sache ou non, qu'il le veuille ou non, est producteur et reproducteur de sens objectif : parce que ses actions et ses œuvres sont le produit d'un *modus operandi* dont il n'est pas le producteur et dont il n'a pas la maîtrise consciente, elles enferment une « intention objective », comme dit la scolastique, qui dépasse toujours ses intentions conscientes. Ainsi, de même que, comme le montrent Gelb et Goldstein, certains aphasiques qui ont perdu le pouvoir d'évoquer à propos d'un mot ou d'une question le mot ou la notion appelé par le sens peuvent prononcer comme par mégarde des formules où ils ne reconnaissent qu'après coup la réponse appelée, de même, les schèmes acquis de pensée et d'expression autorisent l'*invention sans intention* de l'improvisation réglée qui trouve ses points de départ et ses points d'appui dans des « formules » toutes préparées, telles que des couples de mots ou des contrastes d'images [65] : sans cesse devancé par ses propres paroles, avec lesquelles il entretient la relation du « porter et de l'être porté », comme dit Nicolaï Hartmann, le virtuose découvre dans l'*opus operatum* de nouveaux déclencheurs et de nouveaux supports pour le *modus operandi* dont ils sont le produit, en sorte que son discours se nourrit lui-même continûment à la façon du train qui apporte ses rails [66]. Si les mots d'esprit ne surprennent pas moins l'auteur que l'auditeur et s'ils s'imposent autant par leur nécessité rétrospective que par leur nouveauté, c'est que la trouvaille apparaît comme la simple mise au jour à la fois fortuite et inéluctable d'une possibilité enfouie dans les structures de la langue. C'est parce que les sujets ne savent pas, à proprement parler, ce qu'ils font, que ce qu'ils font a plus de sens qu'ils ne le savent. L'habitus est la médiation universalisante qui fait que les pratiques sans raison explicite et sans intention signifiante d'un agent singulier sont néanmoins « sensées », « raisonnables » et objectivement orchestrées : la part des pratiques qui reste obscure aux yeux de leurs propres producteurs est l'aspect par lequel elles sont objectivement ajustées aux autres pratiques et aux structures dont le principe de leur production est lui-même le produit. Pour régler son compte, en passant, au bavardage sur la compréhension des actes d'autrui ou des faits historiques, qui constitue le dernier recours des défenseurs des droits de la subjectivité contre l'« impérialisme réducteur » des sciences de l'homme, il suffira de rappeler que la « communication des consciences » suppose la communauté des « inconscients » (*i. e.* des compétences linguistiques et culturelles) et que le déchiffrement de l'intention objective des pratiques et des œuvres n'a rien à voir avec la « reproduction » (*Nachbildung*, comme dit le premier Dilthey) des expériences vécues et la reconstitution, inutile et incertaine, des singularités personnelles d'une « intention » qui n'est pas réellement à leur principe.

C'est parce qu'elles sont le produit de dispositions qui, étant l'intériorisation des mêmes structures objectives, sont objectivement concertées, que les pratiques des membres d'un même groupe ou, dans une société différenciée, d'une même classe, sont dotées d'un sens objectif à la fois unitaire et systématique, transcendant aux intentions subjectives et aux projets conscients, individuels ou collectifs[67] : c'est dire que le processus d'objectivation ne saurait se décrire dans le langage de l'interaction et de l'ajustement mutuel, parce que l'interaction elle-même doit sa forme aux structures objectives qui ont produit les dispositions des agents en interaction et qui leur assignent leurs positions relatives dans l'*interaction* et ailleurs. Si, par une schématisation à peine abusive, on réduit l'univers apparemment infini des théories de l'acculturation et des contacts culturels à l'opposition entre le réalisme de l'intelligible, qui représente les contacts culturels ou linguistiques comme des contacts entre des cultures ou des langues, soumis à des lois génériques (*e. g.* loi de la restructuration des emprunts) et spécifiques (celles qu'établit l'analyse des structures propres aux langues ou aux cultures en contact), et le réalisme du sensible, qui met l'accent sur les contacts entre les *sociétés* (comme populations) en présence ou, dans le meilleur des cas, sur la structure des relations entre les sociétés confrontées (domination, etc.), on voit que leur opposition complémentaire désigne le principe de son propre dépassement : il n'est pas de confrontation singulière entre deux agents particuliers, qui n'affronte en fait, dans une *interaction* définie par la *structure objective* de la relation entre les groupes correspondants (*e. g.* colonisateur/colonisé), et quelle que puisse être la *structure conjoncturelle* de la relation d'interaction (*e. g.* patron donnant des ordres à un subordonné, collègues parlant de leurs élèves, intellectuels participant à un colloque, etc.), des *habitus* génériques (portés par des « personnes physiques »), c'est-à-dire des systèmes de dispositions tels qu'une compétence linguistique et une compétence culturelle, et, à travers ces habitus, toutes les structures objectives dont ils sont le produit et en particulier les structures de systèmes de relations symboliques tels que la langue : ainsi, les structures des systèmes phonologiques en présence ne sont agissantes (comme en témoigne par exemple l'*accent* des utilisateurs non indigènes de la langue dominante) qu'*incorporées* dans une compétence acquise au cours d'une histoire particulière (les différents types de bilinguisme renvoyant à des modes d'acquisition différents) qui implique une surdité sélective et des restructurations systématiques.

Parler d'habitus de classe (ou de « culture », au sens de compétence culturelle acquise dans un groupe homogène), c'est donc rappeler, contre toutes les formes de l'illusion occasionnaliste qui consiste à rapporter directement les pratiques à des propriétés inscrites dans la situation, que les relations « interpersonnelles » ne sont jamais qu'en apparence des relations *d'individu à individu* et que la vérité de l'interaction ne réside jamais tout entière dans l'interaction : chose qu'oublient la psychologie sociale et l'interactionnisme ou l'ethno-méthodologie lorsque, tructure objective de la relation entre les ssemblés à la structure conjoncturelle de leur ction dans une situation et un groupe particuliers, ils entendent expliquer tout ce qui se passe dans une interaction expérimentale ou observée par les caractéristiques expérimentalement contrôlées de la situation, comme la position relative dans l'espace des participants ou la nature des canaux utilisés. C'est leur position présente et passée dans la structure sociale que les individus entendus comme personnes physiques transportent avec eux, en tout temps et en tout lieu, sous la forme des habitus qu'ils portent comme des habits et qui, comme les habits, font le moine, c'est-à-dire la personne sociale, avec toutes ses dispositions qui sont autant de marques de la *position sociale*, donc de la distance sociale entre les positions objectives, c'est-à-dire entre les personnes sociales conjoncturellement rapprochées (dans l'espace physique, qui n'est pas l'espace social) et, du même coup, autant de rappels de cette distance et des conduites à tenir pour « garder ses distances » ou pour les manipuler stratégiquement, symboliquement ou réellement, les réduire (chose plus facile pour le dominant que pour le dominé) ou les accroître ou tout simplement les maintenir (en évitant de « se laisser aller », de « se familiariser », bref, en « tenant son rang », ou, au contraire, en évitant de « se permettre… », de « prendre la liberté… », bref, en « restant à sa place »).

Il n'est pas jusqu'aux formes d'interaction en apparence les plus justiciables d'une description empruntant le langage du « transfert intentionnel en autrui » comme la sympathie, l'amitié ou l'amour, qui, l'homogamie de classe l'atteste, ne soient encore dominées, au travers de l'harmonie des habitus, c'est-à-dire, plus précisément, des *ethos* et des goûts – sans doute pressentie à partir d'indices imperceptibles de l'*hexis* corporelle –, par la structure objective des relations entre les conditions et les positions : l'illusion de l'élection mutuelle ou de la prédestination naît de l'ignorance des conditions sociales de l'harmonie des goûts esthétiques ou des inclinations éthiques, ainsi perçue comme l'attestation des affinités ineffables qu'elle fonde. Bref, produit de l'histoire, l'habitus produit des pratiques, individuelles et collectives, donc de l'histoire, conformément aux schèmes engendrés par l'histoire. Le système des dispositions – passé qui survit dans l'actuel et qui tend à se perpétuer dans l'avenir en s'actualisant dans des pratiques structurées selon ses principes, loi intérieure à travers laquelle s'exerce continûment la loi de nécessités externes irréductibles aux contraintes immédiates de la conjoncture – est le principe de la continuité et de la régularité que l'objectivisme accorde au monde social sans pouvoir les fonder en raison en même temps que des transformations et des révolutions réglées dont ne peuvent rendre compte ni les déterminismes extrinsèques et instantanés d'un sociologue mécaniste ni la détermination purement intérieure mais également ponctuelle du subjectivisme volontariste ou spontanéiste.

Il est aussi vrai et aussi faux de dire que les actions collectives produisent l'événement ou qu'elles en sont le produit : en fait, elles sont le produit d'une *conjoncture*, c'est-à-dire de la conjonction *nécessaire* de dispositions et d'un *événement objectif*. La conjoncture politique (*e. g.* révolutionnaire) ne peut exercer son action de stimulation conditionnelle appelant ou exigeant une réponse déterminée de la part de tous ceux qui l'appréhendent en tant que telle que sur ceux qui sont disposés à la constituer comme telle parce qu'ils sont dotés d'un type déterminé de dispositions qui peuvent être redoublées et renforcées par la « prise de conscience », c'est-à-dire par la possession, directe ou médiate, d'un discours capable d'assurer la maîtrise symbolique des principes pratiquement maîtrisés de l'habitus de classe[68]. C'est dans la relation dialectique entre les dispositions et l'événement que se constitue la conjoncture capable de transformer en *action collective* les pratiques objectivement coordonnées parce que ordonnées à des nécessités objectives partiellement ou totalement identiques. Sans être jamais totalement coordonnées, puisqu'elles sont le produit de « séries causales » caractérisées par des durées structurales différentes, les dispositions et la situation qui se conjuguent dans la synchronie pour constituer une conjoncture déterminée ne sont jamais totalement indépendantes, puisqu'elles sont engendrées par les structures objectives, c'est-à-dire en dernière analyse par les bases économiques de la formation sociale considérée : l'*hysteresis* des habitus, qui est inhérente aux conditions sociales de la reproduction des structures dans les habitus, est sans doute un des fondements du décalage structural entre les occasions et les dispositions à les saisir qui fait les occasions manquées, et, en particulier, l'impuissance, souvent observée, à penser les crises historiques selon des catégories de perception et de pensée autres que celles du passé, fût-il révolutionnaire.

Ignorer la relation dialectique entre les structures objectives et les structures cognitives et motivatrices qu'elles produisent et qui tendent à les reproduire et oublier que ces structures objectives sont elles-mêmes des produits de pratiques historiques dont le principe producteur est lui-même le produit des structures qu'il tend de ce fait à reproduire, c'est se vouer à réduire la relation entre les différentes instances, traitées comme « différentes traductions de la même phrase » – selon une métaphore spinoziste qui enferme la vérité du langage objectiviste de l'« articulation » –, à la formule logique permettant de retrouver n'importe laquelle d'entre elles à partir de l'une d'elles : rien d'étonnant si l'on découvre alors le principe du devenir des structures dans une sorte de parthénogenèse théorique, offrant ainsi une revanche imprévue au Hegel de la *Philosophie de l'histoire* et à son Esprit du monde qui « développe son unique nature » en demeurant toujours identique à lui-même[69]. Aussi longtemps que l'on accepte l'alternative canonique qui, renaissant sans cesse sous de nouvelles formes dans l'histoire de la pensée sociale, oppose aujourd'hui par exemple des lectures « humaniste » et « structuraliste » de Marx, prendre le contre-pied du subjectivisme ce n'est pas *rompre* réellement avec lui, mais tomber dans le fétichisme des lois sociales auquel se voue l'objectivisme lorsqu'en établissant entre la structure et la pratique le rapport du virtuel à l'actuel, de la partition à l'exécution, de l'essence à l'existence, il substitue simplement à l'homme créateur du subjectivisme un homme subjugué par les lois mortes d'une histoire de la nature : et comment pourrait-on sous-estimer la force du couple idéologique que forment le subjectivisme et l'objectivisme lorsqu'on voit que la critique de *l'individu* considéré comme *ens realisimum* conduit seulement à en faire un épiphénomène de la structure hypostasiée et que l'affirmation fondée du primat des relations objectives porte à accorder à ces produits de l'action humaine que sont les structures le pouvoir de se développer selon leurs propres lois et de déterminer ou de surdéterminer d'autres ressources ? Le problème n'est pas d'aujourd'hui et l'effort pour transcender les oppositions de l'extériorité et de l'intériorité, de la multiplicité et de l'unité, s'est toujours heurté à cet obstacle épistémologique qu'est l'individu, encore capable de hanter la théorie de l'histoire lors même qu'on le réduit, comme fait souvent Engels, à l'état de molécule qui, en se heurtant à d'autres molécules, dans une sorte de mouvement brownien, produit un sens objectif réductible à la composition mécanique de hasards singuliers [70].

De même que l'opposition de la langue et de la parole comme simple exécution ou même comme objet préconstruit occulte l'opposition entre les relations objectives de la langue et les dispositions constitutives de la compétence linguistique, de même l'opposition entre la structure et l'individu contre lequel la structure doit être conquise et sans cesse reconquise fait obstacle à la construction de la relation dialectique entre la structure et les dispositions constitutives de l'habitus. Si le débat sur les rapports entre la « culture » et la « personnalité », qui a dominé toute une époque de l'anthropologie américaine, paraît aujourd'hui aussi fictif et stérile, c'est qu'il s'est organisé, dans un foisonnement de paralogismes logiques et épistémologiques, autour de la relation entre deux produits complémentaires d'une même représentation réaliste et substantialiste de l'objet scientifique, la notion de culture, entendue comme « réalité *sui generis* », et la « personnalité de base », concept abstrait-concret né de l'effort pour échapper à l'antinomie insoluble de l'individu et de la société. Dans ses expressions les plus caricaturales, la théorie de la personnalité de base tend à définir la personnalité comme un reflet ou une réplique en miniature (obtenue par « modelage ») de la « culture » qui se rencontrerait chez tous les individus d'une même société, « déviants » exceptés. Les analyses célèbres de Cora Du Bois sur les indigènes des îles d'Alor fournissent l'exemple le plus typique des confusions et des contradictions qui résultent de la théorie de la déductibilité réciproque de la « culture » et de la personnalité : soucieux de tenir ensemble, à toute force, les constructions de l'ethnologue fondées sur le postulat que les mêmes influences produisent la même personnalité de base et ses propres observations cliniques sur quatre sujets qui lui apparaissent comme « fortement individués » au titre de produits de « facteurs spécifiques liés à des destins particuliers », le psychanalyste qui s'évertue à trouver des incarnations individuelles de la personnalité de base est voué aux palinodies et aux incohérences[71]. Ainsi, il peut voir en Mangma « le plus typique » des quatre sujets étudiés, « sa personnalité correspondant à la structure de personnalité de base », alors qu'il écrivait d'abord : « Il est difficile de déterminer dans quelle mesure Mangma est typique. J'ose affirmer que s'il était typique, la société ne pourrait pas continuer à exister. » Passif et doté d'un fort sur-moi, Ripalda est « atypique », au même titre que Fantan, qui « a la formation caractérielle la plus puissante, étant dépourvu d'inhibitions envers les femmes » (une extrême inhibition hétérosexuelle étant de règle) et qui « diffère des autres autant qu'un citadin d'un paysan ». Malekala enfin, dont la biographie est en tout point typique, est un prophète notoire qui a essayé d'animer un mouvement de renouveau religieux et sa personnalité se rapprocherait de celle de Ripalda, autre sorcier dont on a vu qu'il est décrit comme atypique. Et pour couronner le tout, l'analyste observe que des « personnages tels que Mangma, Ripalda et Fantan peuvent se rencontrer en n'importe quelle société », Anthony F. Wallace, à qui cette critique est empruntée [72], a sans doute raison de noter que la notion de personnalité modale a le mérite d'échapper aux inconséquences corrélatives de l'indifférence pour les différences (et, par là, pour la statistique) qu'implique le plus souvent le recours à la notion de personnalité de base ; mais ce qui pourrait passer pour un simple perfectionnement des techniques de mesure et de vérification destinées à éprouver la validité d'une construction théorique revient en fait à opérer une substitution d'objet : on remplace un système d'hypothèses sur la *structure* de la personnalité conçue comme système homéostatique qui se transforme en réinterprétant les pressions externes selon sa logique propre, par une simple description de la tendance centrale de la distribution des valeurs d'une variable ou, au mieux, d'une combinaison de variables ; A. F. Wallace peut ainsi établir le constat tautologique que, dans une population d'Indiens Tuscarora, le type modal de personnalité défini selon vingt et une dimensions ne s'observe que chez 37 % des sujets étudiés. Recherche de corrélations ou analyse factorielle ne peuvent conduire au système des règles à partir desquelles s'engendrent les régularités, pas plus dans le cas d'une société peu différenciée économiquement et socialement que, dans une société stratifiée, à l'intérieur d'une même classe sociale : la construction de l'*ethos* de classe peut par exemple s'armer de la lecture des régularités statistiques traitées comme des *indices* sans que le principe unificateur et explicatif de ces régularités se réduise aux régularités dans lesquelles il se manifeste. Bref, faute de voir dans la « personnalité de base » autre chose qu'une manière de désigner un « donné » directement observable, c'est-à-dire le « type de personnalité » partagé par la plus grande partie des membres d'une société donnée, les défenseurs de la notion ne peuvent rien opposer, en bonne logique, à ceux qui, au nom de la même représentation réaliste de l'objet de la science, soumettent cette théorie à l'épreuve de la critique statistique.

Être qui se réduit à un avoir, à un avoir été, avoir fait être, l'habitus est le produit du travail d'inculcation et d'appropriation nécessaire pour que ces produits de l'histoire collective que sont les structures objectives (*e. g.* de la langue, de l'économie, etc.) parviennent à se reproduire, sous la forme de dispositions durables, dans tous les organismes (que l'on peut, si l'on veut, appeler individus) durablement soumis aux mêmes conditionnements, donc placés dans les mêmes conditions matérielles d'existence. C'est dire que la sociologie traite comme identiques tous les individus biologiques qui, étant le produit des mêmes conditions objectives, sont les supports des mêmes habitus : la classe sociale comme système de relations objectives doit être mise en relation non point avec l'individu ou la « classe » comme *population* (*i. e.* comme somme d'individus biologiques dénombrables et mesurables), mais avec l'habitus de classe en tant que système de dispositions (partiellement) commun à tous les produits des mêmes structures. S'il est exclu que *tous* les membres de la même classe (ou même deux d'entre eux) aient fait les mêmes expériences et dans le même ordre, il est certain que tout membre de la même classe a des chances

plus grandes que n'importe quel membre d'une au
classe de s'être trouvé affronté en tant qu'acteur ou e
tant que témoin aux situations les plus fréquentes pour les membres de cette classe : les structures objectives que la science appréhende sous forme de régularités statistiques (soit, en vrac, des taux d'emploi, des courbes de revenus, des probabilités d'accès à l'enseignement secondaire, des fréquences de départ en vacances, etc.) et qui confèrent sa *physionomie* à un environnement social, sorte de paysage collectif avec ses carrières « fermées », ses « places » inaccessibles, ses « horizons bouchés », inculquent, à travers des expériences directes ou médiates toujours convergentes, cette sorte d'« art d'estimer les vérisimilitudes », comme disait Leibniz, c'est-à-dire d'anticiper l'avenir objectivement, bref ce sens de la réalité ou des réalités qui est sans doute le principe le mieux caché de leur efficacité.

Pour définir les rapports entre la classe, l'habitus et l'individualité organique que l'on ne peut jamais complètement évacuer du discours sociologique dans la mesure, où, immédiatement donnée à la perception immédiate (*intuitus personae*), elle est aussi socialement désignée et reconnue (nom propre, personnalité juridique, etc.) et où elle se définit par une trajectoire sociale en toute rigueur irréductible à une autre, on peut se situer, au moins métaphoriquement, comme le font parfois implicitement les utilisateurs de la notion d'inconscient, dans la logique de l'idéalisme transcendantal : considérant l'habitus comme un système subjectif mais non individuel de structures intériorisées, schèmes de perception, de conception et d'action, qui sont communs à tous les membres du même groupe ou de la même classe et constituent la condition de toute objectivation et de toute aperception, on fonde alors la concertation objective des pratiques et l'unicité de la vision du monde sur l'impersonnalité et la substituabilité parfaites des pratiques et des visions singulières. Mais cela revient à tenir toutes les pratiques ou les représenta-

selon des schèmes identiques pour imper-
terchangeables, à la façon des intuitions
espace qui, à en croire Kant, ne reflètent
des particularités du moi empirique. Pour rendre raison de la diversité dans l'homogénéité qui caractérise les habitus singuliers des différents membres d'une même classe et qui reflète la diversité dans l'homogénéité caractéristique des conditions sociales de production de ces habitus, il suffit d'apercevoir la relation fondamentale d'*homologie* qui s'établit entre les habitus des membres d'un même groupe ou d'une même classe en tant qu'ils sont le produit de l'intériorisation des mêmes structures fondamentales : c'est dire que, pour parler un langage leibnizien, la vision du monde d'un groupe ou d'une classe suppose, tout autant que l'homologie des visions du monde qui est corrélative de l'identité des schèmes de perception, les différences systématiques séparant les visions du monde singulières, prises à partir de points de vue singuliers et pourtant concertés.

La logique même de sa genèse fait de l'habitus une série chronologiquement ordonnée de structures, une structure d'un rang déterminé spécifiant les structures de rang inférieur (donc génétiquement antérieures) et structurant les structures de rang supérieur par l'intermédiaire de l'action structurante qu'elle exerce sur les expériences structurées génératrices de ces structures : ainsi, par exemple, l'habitus acquis dans la famille est au principe de la structuration des expériences scolaires (et en particulier de la réception et de l'assimilation du message proprement pédagogique), l'habitus transformé par l'action scolaire, elle-même diversifiée, étant à son tour au principe de la structuration de toutes les expériences ultérieures (par exemple de la réception et de l'assimilation des messages produits et diffusés par l'industrie culturelle ou des expériences professionnelles) et ainsi de suite, de restructuration en restructuration. Les expériences (qu'une analyse multivariée peut distinguer et spécifier par le croisement de critères logiquement permutables) s'intègrent dans l'unité d'une *biographie systématique* qui s'organise à partir de la situation originaire de classe, éprouvée dans un type déterminé de structure familiale. L'histoire de l'individu n'étant jamais qu'une certaine spécification de l'histoire collective de son groupe ou de sa classe, on peut voir dans les systèmes de dispositions individuels des *variantes structurales* de l'habitus de groupe ou de classe, systématiquement organisées dans les différences mêmes qui les séparent et où s'expriment les différences entre les trajectoires et les positions à l'intérieur ou à l'extérieur de la classe : le style « personnel », c'est-à-dire cette marque particulière que portent tous les produits d'un même habitus, pratiques ou œuvres, n'est jamais qu'un *écart*, lui-même réglé et parfois codifié, par rapport au *style* propre à une époque ou à une classe, si bien qu'il renvoie au style commun non seulement par la conformité, à la façon de Phidias qui, à croire Hegel, n'avait pas de « manière », mais aussi par la différence qui fait toute la « manière ».

L'incorporation des structures

Aussi longtemps que le travail pédagogique n'est pas clairement institué comme pratique spécifique et autonome et que c'est tout un groupe et tout un environnement symboliquement structuré qui exerce, sans agents spécialisés ni moments spécifiés, une action pédagogique anonyme et diffuse, l'essentiel du *modus operandi* qui définit la maîtrise pratique se transmet dans la pratique, à l'état pratique, sans accéder au niveau du discours. On n'imite pas des « modèles », mais les actions des autres. L'*hexis* corporelle parle immédiatement à la motricité, en tant que schéma postural qui est à la fois singulier et systématique, parce que solidaire de tout un système de techniques du corps et d'outils et chargé d'une foule de significations et de valeurs sociales : les enfants sont particulièrement attentifs, dans toutes les sociétés, à ces gestes ou ces postures où s'exprime à leurs yeux tout ce qui fait l'adulte accompli, une démarche, un port de tête, des moues, des manières de s'asseoir, de manier les instruments, chaque fois associés à un ton de la parole, à une forme de discours et – comment pourrait-il en être autrement ? – à tout un contenu de conscience. Mais que les schèmes puissent aller de la pratique à la pratique sans passer par l'explicitation et par la conscience, cela ne signifie pas que l'acquisition de l'habitus se réduise à un apprentissage mécanique par essais et erreurs. A la différence d'une suite incohérente de chiffres qui ne peut être apprise que graduellement, par essais répétés, selon des progressions prévisibles, une série s'acquiert plus facilement parce qu'elle enferme une structure qui dispense de retenir mécaniquement la totalité des nombres pris un à un : qu'il s'agisse de discours tels que dictons, proverbes, poèmes gnomiques, chants, énigmes ou jeux, ou d'objets tels que les outils, la maison ou le village ou encore de pratiques, joutes d'honneur, échanges de dons, rites, etc., le matériel qui se propose à l'apprentissage de l'enfant kabyle est le produit de l'application systématique d'un petit nombre de principes pratiquement cohérents [73] ; c'est dire que, dans ce matériel indéfiniment redondant, il n'a pas de peine à saisir, sans jamais se la représenter thématiquement, la *raison* de toutes les séries sensibles et à se l'approprier sous forme d'un principe générateur de pratiques organisées selon la même raison [74].

Les analyses expérimentales de l'apprentissage qui établissent que « la formation ou l'application d'un concept ne requiert pas la saisie consciente des éléments ou des

rapports communs impliqués dans les exemples particuliers[75] » permettent de comprendre les processus par lesquels les produits systématiques de dispositions systématiques, à savoir les pratiques et les œuvres, tendent à engendrer à leur tour des dispositions systématiques : en présence de séries de symboles – des caractères chinois (Hull) ou des dessins faisant varier simultanément la couleur, la nature et le nombre des objets représentés (Heidbreder) –, distribués en classes affectées de noms arbitraires mais objectivement fondés, les sujets qui ne parviennent pas à exprimer le principe de classification atteignent cependant des scores supérieurs à ceux qu'ils obtiendraient *s'ils devinaient au hasard* : « Certains sujets [...] acquièrent l'aptitude à nommer de nouveaux cas sans pour autant être capables de dire comment ils procèdent, même lorsque les formulations nécessaires se situent dans les limites de leurs possibilités d'expression [...]. Ces études indiquent [...] que des principes complexes de guidage (*guiding*) peuvent être constitués, fixés et utilisés sans que les agents aient jamais conscience du processus. 
Le sujet a conscience, bien sûr, des matériaux concrets et de ses efforts pour associer des noms à des configurations concrètes. Mais il élabore des modes plus généraux de désignation des figures sans en avoir conscience[76]. » L'analyse de l'acquisition en milieu naturel d'un matériel structuré que propose Albert B. Lord, à partir de l'étude de la formation du *guslar*, barde yougoslave, s'accorde parfaitement avec les résultats de l'expérimentation : l'« art » du barde, maîtrise pratique de ce que l'on a appelé la « méthode formulaire », c'est-à-dire de l'aptitude à improviser en combinant des « *formules* », séquences de mots « régulièrement employés dans les mêmes conditions métriques pour exprimer une idée déterminée[77] » (par exemple l'adjectif homérique), et des *thèmes*, lieux communs de la narration épique, s'acquiert par simple familiarisation, « à force d'entendre des poèmes[78] » et sans que

les apprentis aient jamais conscience d'acquérir et, par suite, de manipuler telle ou telle formule ou tel ensemble de formules [79] ; les contraintes de rythme ou de métrique sont intériorisées en même temps que la mélodie et le sens sans jamais être perçues pour elles-mêmes.

Entre l'apprentissage par simple familiarisation dans lequel l'apprenti acquiert insensiblement et inconsciemment les principes de l'« art » et de l'art de vivre, y compris ceux qui ne sont pas connus du producteur des pratiques ou des œuvres imitées, et, à l'autre extrémité, la transmission explicite et expresse par prescription et préceptes, toute société prévoit des formes d'inculcation qui, sous les apparences de la spontanéité, constituent autant d'*exercices structuraux* tendant à transmettre telle ou telle forme de maîtrise pratique [80] : ce sont les énigmes et les joutes rituelles qui mettent à l'épreuve le « sens de la langue rituelle » et tous les jeux qui, souvent structurés selon la logique du pari, du défi ou du combat (lutte à deux ou par groupes, tir à la cible, etc.), demandent des garçons qu'ils mettent en œuvre sur le mode du « faire semblant » les schèmes générateurs des stratégies d'honneur ; c'est la participation quotidienne aux échanges de dons et à leurs subtilités qu'assure aux enfants leur qualité de messagers [81] ; c'est l'observation silencieuse des discussions de l'assemblée des hommes, avec leurs effets d'éloquence, leurs rituels, leurs stratégies, leurs stratégies rituelles et leurs utilisations stratégiques du rituel ; ce sont les interactions avec les parents qui conduisent à parcourir en tout sens l'espace structuré des relations objectivistes de parenté au prix de *renversements* imposant au même qui s'apercevait et se conduisait comme neveu par rapport au frère de son père de s'apercevoir et de se conduire comme oncle paternel par rapport au fils de son frère et d'acquérir ainsi la maîtrise des schèmes de transformation permettant de passer du système de dispositions attaché à une position à celui qui convient à la position symétrique et inverse ; ce sont les commutations lexicales et grammaticales (le *je* et le *tu* pouvant désigner la même personne selon la relation au locuteur) par où s'acquiert le sens de l'interchangeabilité des positions et de la réciprocité ainsi que des limites de l'une et de l'autre ; ce sont, plus profondément, les relations avec le père et la mère qui, par leur dissymétrie dans la complémentarité antagoniste, constituent une des occasions d'intérioriser inséparablement les schèmes de la *division sexuelle du travail* et de la *division du travail sexuel*.

Une des fonctions de la prime éducation et, en particulier, du rite et du jeu, qui s'organisent souvent selon les mêmes structures, pourrait être d'instaurer la relation dialectique qui conduit à l'incorporation d'un espace structuré selon les oppositions mythico-rituelles. Le rapport au corps propre est toujours médiatisé par le mythe : les expériences corporelles les plus fondamentales, donc les plus universelles, en ce sens et en ce sens seulement qu'il n'est pas de société qui n'ait pas à prendre parti à leur propos, sont socialement qualifiées et par là modifiées. C'est dire que les invariants qui peuvent être enregistrés dans les prises de position des différentes formations sociales sur les correspondances entre la symbolique spatiale et la symbolique corporelle portent exclusivement sur les *terrains universellement imposés* à ces prises de position, à savoir le petit nombre de sensations fondamentales reliées aux grandes fonctions corporelles. Ainsi, on observe à peu près universellement que la plupart des distinctions spatiales sont établies par analogie avec le corps humain qui constitue le schème de référence par rapport auquel le monde peut s'ordonner, en même temps que les structures élémentaires de l'expérience corporelle coïncident avec les principes de structuration de l'espace objectif : le dedans et le dehors, le dessus et le dessous, le devant et le derrière, le haut et le bas, le droit et le gauche, peuvent être désignés par des expressions valant pour des parties du corps humain (comme en témoigne le fait que beaucoup de langues empruntent leurs prépositions spatiales à des substantifs tels que dos pour derrière, œil pour en face, estomac pour dedans, etc.) ou pour des mouvements corporels socialement qualifiés, comme éliminer ou ingérer, entrer ou sortir, etc.[82]. Ainsi, à moins de prêter au sens commun une science infuse des réactions somatiques les plus cachées (par exemple des sécrétions internes), on ne peut rendre raison de la correspondance qui semble s'établir, en beaucoup de sociétés, entre le langage dans lequel sont exprimées les émotions et les manifestations somatiques correspondantes qu'à condition de faire l'hypothèse que, en tant qu'anticipation pré-perceptive de la douleur ou du plaisir objectivement inscrit dans une situation socialement définie comme impliquant ces sensations ou ces sentiments, toute émotion, à la manière de l'hystérie selon Freud, « prend à la lettre l'expression parlée, ressentant comme réel le déchirement de cœur ou la gifle dont un interlocuteur parle métaphoriquement[83] ». Tout se passe comme si « le langage des organes », auquel l'émotion et la maladie psychosomatique auraient recours dans le cas où les expressions actives ou verbales se trouveraient inhibées, était commandé par les structures mythiques inscrites dans la langue sociale : ainsi, aux troubles internes et externes du système cardiaque qui sont communément associés à l'émotion ou à la douleur, soit le serrement de cœur avec barre rétrosternale, l'hypotension ou l'hypertension (la pâleur ou la rougeur), la tachycardie ou la bradycardie, l'augmentation du taux de sucre sanguin, etc., il est facile de faire correspondre tout un lot d'expressions communes telles que « avoir le cœur serré, gros, lourd », « en avoir gros sur le cœur », « recevoir un coup au cœur », « avoir le cœur sur les lèvres », « avoir le sang à la tête », « avoir un coup de sang », « se faire une pinte de bon sang », « mon cœur bat à se rompre, bat la chamade », « faire bouillir ou glacer le sang dans les veines », « fouetter le sang », « allumer le sang », « irriter le sang », « mon sang n'a fait qu'un tour », « se faire du mauvais sang », etc. On peut même mettre en relation les manifestations du système végétatif telles que l'inhibition de l'activité de l'estomac et de l'intestin (dyspepsie, vomissements), la diarrhée, la polyurie ou la constipation, les spasmes des muscles lisses, l'inhibition des fonctions sexuelles, avec les expressions communes telles que « ne pas pouvoir avaler, digérer quelqu'un », « vomir quelqu'un ou quelque chose », « avoir une indigestion de quelqu'un », « avoir la gorge, la poitrine, le ventre serrés », « perdre sa voix », « avoir le cœur serré », « avoir la boule », etc. La langue berbère propose un arsenal d'expressions d'une logique très analogue, mais seulement plus diffus, moins différencié, comme, à en croire de nombreuses observations, la sensation de la douleur physique ou morale (grande peine, grande peur), souvent mal localisée : « j'ai la chair de poule » ; « mon foie tremble ou saigne », « un incendie est allumé en moi » ; « mon cœur est secoué comme dans une baratte » ; « j'ai le ventre en pelote » ; « il ne me reste pas un boyau dans le ventre, mes intestins se nouent, se tordent » ; « mon cœur tremble » ; « mon cœur pâlit, se décolore » ; « mon cœur ou mon foie est coupé, s'égoutte » ; « mon ventre est serré » ; « un nœud dans le ventre ». De même que l'*ethos* et le goût (ou, si l'on veut, l'*aisthesis*) sont l'éthique et l'esthétique réalisées, de même l'*hexis* est le mythe réalisé, *incorporé*, devenu disposition permanente, manière durable de se tenir, de parler, de marcher, et, par là, de *sentir* et de *penser* ; c'est ainsi que toute la morale de l'honneur se trouve à la fois *symbolisée* et *réalisée* dans l'*hexis* corporelle.

Les oppositions que fait la logique mythico-rituelle entre le masculin et le féminin et qui organisent tout le système de valeurs se retrouvent, on l'a vu, dans les gestes et les mouvements du corps, sous la forme de l'opposition entre le droit et le courbe (ou le courbé), l'assurance et la retenue. « Le Kabyle est comme la bruyère, il aime mieux casser que plier. » Le pas de l'homme d'honneur est décidé et résolu, par opposition à la démarche hésitante (*tikli thamahmahth*) qui annonce l'irrésolution, la promesse hésitante (*awal amahmah*), la peur de s'engager et l'impuissance à tenir ses engagements. Il est en même temps mesuré : il s'oppose aussi bien à la précipitation de celui qui « lance ses pieds jusqu'à son faîte », « fait de grandes enjambées », « danse » – courir étant une conduite inconsistante et frivole – qu'à la lenteur excessive de celui qui « traîne », les femmes seules ayant des « traînes » et les hommes ne pouvant en aucun cas « laisser tomber d'eux-mêmes leurs traînes ». Sa démarche est celle de quelqu'un qui sait où il va et qui sait qu'il y sera à temps, quels que soient les obstacles ; elle exprime la force, la résolution, la détermination. L'homme viril fait front et regarde au visage, honorant celui qu'il veut accueillir ou vers qui il se dirige ; toujours en alerte, parce que toujours menacé, il ne laisse rien échapper de ce qui se passe autour de lui, un regard égaré en l'air ou rivé au sol étant le fait d'un homme irresponsable, qui n'a rien à craindre parce qu'il est dépourvu de responsabilités dans son groupe. Au contraire, on attend de la femme qu'elle aille légèrement courbée, les yeux baissés, évitant de regarder rien d'autre que l'endroit où elle posera le pied, surtout s'il arrive qu'elle doive passer devant la *thajma'th* ; sa démarche doit éviter le déhanchement trop marqué que l'on obtient en appuyant fortement sur le pied ; elle doit toujours être ceinte de la *thimehremth*, pièce d'étoffe rectangulaire à rayures jaunes, rouges et noires qui se porte par-dessus la robe, et veiller à ce que son fichu ne vienne pas se dénouer, laissant voir sa chevelure. Bref, la vertu proprement féminine, *lahia* (pudeur, retenue, réserve), oriente tout le corps féminin vers le bas, vers la terre, vers l'intérieur, vers la maison, tandis que l'excellence masculine, le *nif*, s'affirme dans le mouvement vers le haut, vers le dehors, vers les autres hommes.

L'opposition entre l'orientation *centrifuge*, masculine, et l'orientation *centripète*, féminine, est sans doute au principe des relations que les deux sexes entretiennent à leur « psychisme » (pour ne pas dire « âme »), c'est-à-dire à leur corps et, plus précisément, à leur sexualité. Comme en toute société dominée par des valeurs masculines – les sociétés européennes ne faisant pas exception qui vouent l'homme à la politique, à l'histoire ou à la guerre et les femmes au foyer, au roman et à la psychologie –, le rapport proprement masculin à la sexualité est celui de la *sublimation*, la symbolique du rituel et de l'honneur tendant à la fois à refuser toute expression directe à la sexualité et à en encourager la manifestation transfigurée sous la forme de la prouesse virile : tous les témoignages directs ou indirects tendent à attester que, dans l'acte sexuel même, l'homme n'a ni conscience ni souci de l'orgasme féminin et qu'il cherche dans la répétition plutôt que dans la prolongation l'affirmation de sa *puissance virile*. On ne peut comprendre la recherche de la prouesse sexuelle et la honte que suscite l'impuissance sans supposer que les hommes n'ignorent pas que, par l'intermédiaire du bavardage féminin, à la fois redouté et méprisé, leur intimité est pénétrée par le regard du groupe et que l'évaluation globale que la communauté fait de leur *nif* ne prend pas en compte seulement les affirmations publiques de leur virilité. Et, de fait, on peut dire, avec Erikson, que la domination masculine tend à « restreindre la conscience verbale des femmes[84] », à condition d'entendre par là non point que tout discours sexuel est interdit aux femmes – qui en fait parlent plus et plus librement des choses sexuelles – mais que, comme l'atteste l'analyse d'enregistrements de conversations entre femmes, le discours féminin est structuré selon les catégories masculines de la virilité et de la prouesse, en sorte que toute référence aux

« intérêts » sexuels proprement féminins se trouve exclue de cette sorte de culte agressif et honteux de la virilité masculine : ainsi, l'opposition entre la sexualité masculine, publique et sublimée, et la sexualité féminine, secrète et, si l'on veut, « aliénée » (par référence à « l'utopie de la génitalité universelle », comme dit Erikson, c'est-à-dire de la « pleine réciprocité orgasmatique »), recouvre l'opposition entre l'extraversion de la politique ou de la religion publique et l'introversion de la psychologie (sous la forme ici du ragot sexuel) et de la magie privée, faite pour l'essentiel de rites visant à domestiquer l'« âme » et le corps des partenaires masculins.

La psychanalyse, produit désenchanteur du désenchantement du monde qui porte à constituer *en tant que tel* un domaine de signification surdéterminé mythiquement, oublie et porte à oublier que le corps propre et le corps d'autrui ne sont jamais perçus qu'au travers de catégories de perception qu'il serait naïf de traiter comme sexuelles, bien que, comme en témoignent les rires retenus des femmes au cours des entretiens et les interprétations des symboles graphiques, peintures murales, ornements des poteries ou des tapis, etc., elles renvoient toujours, parfois très concrètement et très clairement, à l'opposition entre les propriétés biologiquement définies des deux sexes. Aussi naïf que d'appeler « éducation sexuelle » les mille actions d'inculcation diffuse, par lesquelles on tend à mettre de l'ordre dans le corps et dans le monde, au moyen d'une manipulation symbolique du rapport au corps et au monde visant à imposer ce qu'il faut appeler, avec Mélanie Klein, une « géographie corporelle », cas particulier de la géographie ou, mieux, de la cosmologie[85]. La relation originaire au père et à la mère ou, si l'on préfère, au corps paternel et au corps maternel, qui offre l'occasion la plus dramatique d'éprouver toutes les oppositions fondamentales de la pratique mytho-poétique, symboliquement incarnées dans l'opposition entre le pénis et le vagin, ne peut se trouver au fondement de l'acquisition des principes de la structuration du moi et du monde et, en particulier, de toute relation homosexuelle et hétérosexuelle, qu'en tant qu'elle s'instaure avec des objets mythologiquement et non biologiquement sexués.

L'accélération ou le ralentissement de la « maturation » sexuelle des orifices ou des surfaces corporels à laquelle s'attache particulièrement la psychanalyse n'est qu'un des effets parmi d'autres de la *diakrisis* culturelle qui, en s'appliquant au corps, oppose des zones visibles et des zones cachées ou honteuses, une face présentable et propice et une face hostile et funeste, soit d'un côté le visage et, plus particulièrement, le front, les yeux, la moustache et la barbe, et, à l'opposé, le dos, les oreilles : on marque le respect en faisant face et le mépris en tournant le dos ou, forme abrégée, en haussant les épaules (« tes paroles, les voilà dans mon dos ») et la joie s'exprime en frappant les mains l'une contre l'autre tandis que les hommes qui conduisent un mort au cimetière tiennent leurs mains derrière leur dos. C'est le même découpage arbitraire qui oppose des zones neutres, c'est-à-dire, *grosso modo*, celles qui peuvent être montrées et touchées de la main ou des lèvres (avec le baiser au front, la plus grande marque de respect, à l'épaule – réciproque en ce cas et pratiqué entre égaux –, sur la paume de la main – réciproque entre hommes, unilatéral d'une femme à un homme), et des zones sexuellement marquées, donc frappées du tabou de la nudité, c'est-à-dire tout le reste du corps, et plus particulièrement les parties sexuelles, et les seins, *thibbech*, très fortement chargées de connotations érotiques (tandis que le sein, *thabbuchth*, bien qu'il soit le diminutif féminin de *abbuch*, le pénis, est un terme neutre, évoquant la maternité et l'allaitement de l'enfant, donc librement prononcé par les hommes ou devant les hommes).

Toutes les manipulations symboliques de l'expérience corporelle, à commencer par celle qu'exercent les déplacements dans un espace mythiquement structuré, par exemple les mouvements d'entrée et de sortie, tendent à imposer l'*intégration* de l'espace corporel et de l'espace cosmique en subsumant sous les mêmes concepts, au prix, évidemment, d'un grand laxisme logique, les états et les actions complémentaires et opposés des deux sexes dans la division sexuelle du travail : par exemple l'opposition entre le mouvement vers le dehors, vers le champ ou le marché, vers la production et la circulation des biens, et le mouvement vers le dedans et vers l'accumulation et la consommation des produits du travail, symbolise avec les états et les actions complémentaires et opposés des deux sexes dans la division du travail sexuel, c'est-à-dire dans l'acte sexuel, mais aussi dans le travail de reproduction biologique et sociale, avec l'opposition entre le corps masculin, fermé sur soi et tendu vers le dehors, et le corps féminin, semblable à la maison, sombre, humide, pleine de nourriture, d'ustensiles et d'enfants, où l'on entre et d'où l'on sort par la même ouverture, inévitablement souillé [86].

La prime éducation traite le corps comme un pense-bête. Elle « abêtit », au sens de Pascal, les valeurs, les représentations, les symboles, pour les faire accéder à l'ordre de l'« art », pure pratique qui se passe de réflexion et de théorie. Elle tire tout le parti possible de la « conditionnalité », cette propriété de la nature humaine qui est la condition de la culture au sens anglais de *cultivation*, c'est-à-dire d'*incorporation* de la culture. Le corps pense toujours : le fait qu'il s'accorde une liberté imaginaire, avec le rêve, ne doit pas faire oublier tous les contrôles qu'il continue d'exercer, dans le sommeil même, et qui tendent à assurer le *retardement* de la satisfaction. Le travail pédagogique a pour fonction de substituer au corps sauvage, et en particulier à l'éros a-social qui demande satisfaction à n'importe quel moment et sur-le-champ, un corps « habitué », c'est-à-dire temporellement structuré : en offrant la promesse de plaisirs différés et différents en échange du renoncement immédiat à des plaisirs directement ou immédiatement sensibles et en payant en monnaie de prestige toutes les restrictions et les répressions imposées, l'action pédagogique et l'autorité pédagogique qui est nécessaire pour faire accepter cette monnaie de singe inculquent durablement, indépendamment des contenus particuliers de l'inculcation, les structures temporelles qui introduisent l'habitus à la logique du délai et du détour, donc du calcul : de ce plaisir cultivé, il y a une économie, que les utilitaristes mettent en formules morales et les économètres en formules mathématiques. Socialiser la physiologie en transformant des événements physiologiques en événements symboliques, déclenchés par des stimulations conditionnelles autant que par des besoins fonctionnels intra-organiques, transmuer la faim en *appétit*, qui choisit son heure et ses objets en fonction des besoins différenciés du goût, ou le chagrin spontané, sans lieu ni heure, sans frein ni limites, en un travail collectif de deuil, qui, comme dit Granet, se déclenche par ordre et en ordre « chaque fois qu'arrive *l'heure rituelle*[87] », ce sont autant de manières d'inculquer les structures d'un arbitraire culturel par une sorte de métonymie originaire, qu'autorise la cohérence de ces structures et qui fournit d'extraordinaires raccourcis : *pars totalis*, chaque technique du corps est prédisposée à fonctionner selon le paralogisme *pars pro toto*, donc à évoquer (comme on évoque les souvenirs et aussi les esprits) tout le système dont elle fait partie. Si toutes les sociétés (et, chose significative, toutes les « institutions totalitaires », comme dit Goffman, qui entendent réaliser un travail de « déculturation » et de « reculturation ») attachent un tel prix aux détails en apparence les plus insignifiants de la *tenue*, du *maintien*, des *manières* corporelles et verbales, c'est que, traitant le corps comme une mémoire, elles lui confient sous une forme abrégée et pratique, c'est-à-dire mnémotechnique, les principes fondamentaux de l'arbitraire culturel. Ce qui est ainsi incorporé se trouve placé hors des prises de la conscience, donc à l'abri de la transformation volontaire et délibérée, à l'abri même de l'explicitation : rien ne paraît plus ineffable, plus incommunicable, plus irremplaçable, plus inimitable, et par là plus précieux, que les valeurs incorporées, faites corps, par la transsubstantiation qu'opère la persuasion clandestine d'une pédagogie implicite, capable d'inculquer toute une cosmologie, une éthique, une métaphysique, une politique, à travers des injonctions aussi insignifiantes que « tiens-toi droit » ou « ne tiens pas ton couteau de la main gauche ». Toute la ruse de la raison pédagogique réside précisément dans le fait d'extorquer l'essentiel sous apparence d'exiger l'insignifiant : en obtenant le respect des formes et les formes de respect qui constituent la manifestation la plus visible et en même temps la mieux cachée parce que la plus « naturelle » de la soumission à l'ordre établi, l'incorporation de l'arbitraire anéantit ce que Raymond Ruyer nomme « les possibles latéraux », c'est-à-dire tous ces actes que le langage commun appelle des « folies » et qui ne sont que la monnaie quotidienne de la folie. Les institutions et les groupes leur accorderaient-ils un tel prix, si les concessions de la *politesse* n'enfermaient toujours des concessions *politiques* ? Le terme d'*obsequium* qu'employait Spinoza pour désigner cette « volonté constante », produite par le conditionnement par lequel « l'État nous façonne à son usage et qui lui permet de se conserver » [88], pourrait être réservé pour désigner les témoignages publics de reconnaissance que tout groupe attend de ses membres (particulièrement dans les opérations de cooptation), c'est-à-dire les contributions symboliques que les individus doivent apporter dans les échanges qui s'établissent en tout groupe entre les individus et le groupe : parce que, comme dans l'échange de dons, l'échange est à lui-même sa fin, le tribut que réclame le groupe se réduit généralement à des riens, c'est-à-dire à des rituels symboliques (rites de passage, cérémonials de politesse, etc.) dont l'accomplissement « ne coûte rien » et qui paraissent si « naturellement » exigibles (« c'est la moindre des choses… », « il pourrait au moins… », « ça ne lui coûterait pas cher de… ») que l'abstention équivaut à un refus ou à un défi et que le choix de se soumettre sans discussion aux formalismes et aux formalités les mieux faits pour trahir l'arbitraire de l'ordre qui les impose ne peut apparaître que comme une déclaration inconditionnelle de reconnaissance, à peine entamée par le soupçon, au demeurant improbable, de la restriction mentale et du dédoublement ironique. La maîtrise pratique de ce que l'on appelle les règles de politesse, et, en particulier, l'art d'ajuster chacune des formules disponibles (par exemple à la fin d'une lettre) aux différentes classes de destinataires possibles, suppose la maîtrise implicite, donc la reconnaissance-méconnaissance d'un ensemble d'oppositions constitutives de l'axiomatique implicite d'un ordre politique déterminé (telles que, dans l'exemple considéré, l'opposition entre les hommes et les femmes, les uns appelant les hommages, les autres des salutations ou des sentiments, l'opposition entre les plus jeunes et les plus âgés, l'opposition entre le personnel, ou le privé, et l'impersonnel – avec les lettres administratives ou d'affaires – et enfin l'opposition hiérarchique entre les supérieurs, les égaux et les inférieurs, qui commande le dégradé savant des marques de respect). C'est dire combien il est naïf et fallacieux de réduire le champ de ce qui est « considéré comme allant de soi » (*taken for granted*), à la façon de Schütz et, à sa suite, des ethnométhodologues, à un ensemble de présuppositions *formelles et universelles* : « Je considère comme allant de soi que les autres existent, qu'ils agissent sur moi comme j'agis sur eux, que la communication et la compréhension mutuelle peuvent s'établir entre nous – au moins dans une certaine mesure –, tout cela grâce à un système de signes et de symboles et dans le cadre d'une organisation et d'institutions sociales qui ne sont pas mon œuvre [89]. » En fait, à travers l'emprise que la politesse exerce sur les actes les plus insignifiants en apparence de la vie de tous les jours, ceux que l'éducation permet de réduire à l'état d'automatismes, ce sont les principes les plus fondamentaux d'un arbitraire culturel et d'un ordre politique qui s'imposent sur le mode de l'évidence aveuglante et inaperçue.

L'illusion de la règle

La norme abstraite et transcendante de la morale et du droit ne s'affirme expressément que lorsqu'elle a cessé de hanter les pratiques à l'état pratique : l'apparition de l'éthique comme systématisation explicite des principes de la pratique coïncide avec la crise de l'*ethos* qui est corrélative de la confrontation objective de manières d'être ou de faire objectivement systématiques. Les principes les plus fondamentaux ne peuvent rester à l'état implicite qu'aussi longtemps qu'ils vont de soi : l'excellence a cessé d'exister dès qu'on se demande si elle peut s'enseigner, c'est-à-dire dès que la confrontation des manières différentes d'exceller contraint à dire ce qui va sans dire, à justifier ce qui va de soi et à constituer en devoir-être et en devoir-faire ce qui était vécu comme la seule manière d'être et de faire, donc à appréhender comme fondé sur l'institution arbitraire de la loi, *nomô*, ce qui apparaissait comme inscrit dans la nature des choses, *phusei*. Et ce n'est pas par hasard que la question des rapports entre l'habitus et la « règle » se trouve portée au jour dès qu'apparaît historiquement une action d'inculcation expresse et explicite, contrainte, pour s'accomplir, de produire des normes explicites, telles que celles de la grammaire ou de la rhétorique, qui, à l'encontre de ce que suggèrent la réhabilitation chomskyenne des grammairiens et l'usage, théoriquement ambigu, du concept de grammaire génératrice, sont aussi éloignées des schèmes immanents à la pratique que des modèles construits pour rendre raison des pratiques : il est significatif que toute tentative pour fonder une pratique sur l'obéissance à une règle explicitement formulée, que ce soit dans le domaine de l'art, de la morale, de la politique, de la médecine ou même de la science (que l'on pense aux règles de la méthode), se heurte à la question des règles définissant la manière et le moment opportun – *kairos*, comme disaient les sophistes – d'appliquer les règles ou, comme on dit si bien, de *mettre en pratique* un répertoire de recettes ou de techniques, bref de l'art de l'exécution par où se réintroduit inévitablement l'habitus.

Il serait facile de mettre au jour la stratégie qui se dissimule toujours derrière les apparences de la stéréotypisation rituelle ou de la réglementation juridique ou coutumière. Soit le cas le plus défavorable, celui du droit coutumier qui, à la façon de la *Kadijustiz* de Weber, va toujours directement du particulier au particulier, du manquement singulier à la sanction singulière, sans jamais faire le détour par les principes essentiellement non nommés à partir desquels les propositions ont été produites. En fait, en tant qu'actes de jurisprudence conservés et consignés pour leur valeur exemplaire, donc valables par anticipation, les coutumes apparaissent comme un des produits les plus exemplaires de l'habitus où se laisse apercevoir le petit lot de schèmes permettant d'engendrer une infinité de pratiques adaptées à des situations toujours renouvelées, sans jamais se constituer en principes explicites. Les actes de jurisprudence conformes concernant une faute déterminée peuvent être produits dans leur totalité à partir d'un petit nombre de principes simples et d'autant plus profondément maîtrisés qu'ils s'appliquent continûment à tous les domaines de la pratique, tels ceux qui permettent d'évaluer la gravité d'un vol selon les circonstances de son accomplissement, comme les oppositions entre la maison (ou la mosquée) et les autres lieux, entre la nuit et le jour, entre les jours de fête et les jours ordinaires, la première branche de l'alternative correspondant toujours à la sanction la plus sévère. Il suffit, on le voit, de combiner ces principes pour produire d'emblée la sanction adaptée à tous les cas, réels ou imaginaires – depuis par exemple le vol commis de nuit dans une maison d'habitation, le plus grave, jusqu'au vol commis de jour dans un champ éloigné, le moins grave –, toutes choses égales d'ailleurs évidemment [90]. Ces principes sont si unanimement reconnus et d'application si générale et si automatique qu'ils ne sont explicitement mentionnés que dans le cas précisément où l'importance de l'objet volé est telle qu'elle conduit à ignorer les circonstances atténuantes ou aggravantes : ainsi par exemple le *qanun* d'Ighil Imoula, rapporté par Hanoteau et Letourneux, prévoit que « celui qui volera, par ruse ou par force, un mulet, un bœuf ou une vache, paiera 50 réaux à la *djemaa* et au propriétaire la valeur de l'animal volé, que le vol ait été commis de nuit ou de jour, dans une maison ou au-dehors, que les animaux appartiennent au maître de la maison ou à autrui [91] ». Les mêmes principes fondamentaux se retrouvent dans les cas de bagarres, qui occupent avec les vols une place considérable dans les coutumiers, avec les oppositions, qui peuvent revêtir de nouvelles significations, entre la maison et les autres lieux (le meurtre d'une personne surprise dans une maison n'étant accompagné par exemple d'aucune sanction collective), entre la nuit et le jour, entre les fêtes et les jours ordinaires, auxquelles viennent s'ajouter les variations selon le statut social de l'agresseur et de la victime (homme/femme, adulte/enfant) et selon les instruments et les procédés employés (par traîtrise, la victime étant par exemple endormie, ou d'homme à homme) et le degré d'accomplissement de l'agression (simple menace ou passage à l'acte). Tout incline à croire qu'il suffirait d'expliciter plus complètement qu'on ne peut le faire ici les propositions fondamentales de cette axiomatique implicite (*e. g.* un délit est toujours plus grave lorsqu'il est commis la nuit que lorsqu'il est commis le jour) et les lois de leur combinaison (deux propositions pouvant, selon les cas, s'additionner ou au contraire s'annuler, ce qui, dans la logique de la règle, ne peut être décrit que comme une exception) pour se donner les moyens de *reproduire* tous les articles de tous les coutumiers recueillis et même de produire l'univers complet des actes de jurisprudence conformes au « sens de l'équité » en sa forme kabyle.

« Un indigène australien, disait Sapir, sait parfaitement par quel terme de parenté il doit désigner tel ou tel et sur quel pied entretenir des relations avec lui. Mais il lui est difficile de formuler la loi générale qui régit ses comportements, alors qu'il ne cesse d'agir comme s'il la connaissait. Et, en un sens, il la connaît. C'est une façon très délicate, très nuancée, de sentir des relations, éprouvées et éprouvables [92]. » Et c'est une description parfaite du mode de fonctionnement de la maîtrise pratique que propose Durkheim analysant l'« art », c'est-à-dire « ce qui est pratique pure sans théorie » : « Un art est un système de manières de faire qui sont ajustées à des fins spéciales et qui sont le produit soit d'une expérience traditionnelle communiquée par l'éducation, soit de l'expérience personnelle de l'individu. On ne peut l'acquérir qu'en se mettant en rapport avec les choses sur lesquelles doit s'exercer l'action et en l'exerçant soi-même. Sans doute, il peut se faire que l'art soit éclairé par la réflexion, mais la réflexion n'en est pas l'élément essentiel, puisqu'il peut exister sans elle. Mais il n'existe pas un seul art où tout soit réfléchi [93]. » On ne saurait mieux dire que la docte ignorance qui est au principe des stratégies quotidiennes ne doit pas s'exprimer dans le lexique de la règle, mais dans celui qu'emploient toutes les sociétés pour décrire l'excellence, c'est-à-dire la manière et les manières de l'homme accompli : cet « art sans art », comme on dit du zen, ne se réalise jamais aussi complètement que dans les occasions socialement aménagées où, comme dans les joutes d'honneur, le jeu avec la règle fait partie de la règle du jeu. Si cette incarnation particulièrement réussie de la manière particulière d'être homme que reconnaît un groupe déterminé est presque toujours définie comme indéfinissable, parce que toute mise en formule la ravalerait au rang de simple procédé ou de truc mécanique, c'est que la virtuosité n'a que faire de la règle, garde-fou ou pense-bête, à peine capable de suppléer aux manques de l'habitus ; si elle se reconnaît à son « naturel », c'est qu'elle instaure cette maîtrise magique du corps propre qui, comme l'observe Hegel, caractérise la dextérité ou, dans la langue de l'honneur kabyle, la « grâce » du *sarr*, et qui, en tant que « seconde nature », c'est-à-dire en tant que réalisation accomplie de la structure, ne peut qu'apparaître comme la forme la plus naturelle de la nature à tous ceux qui sont les produits de la même structure.

La théorie de l'habitus fait surgir tout un ensemble de questions que la notion d'inconscient a pour effet d'occulter et qui renvoient toutes à la question de la maîtrise pratique et des effets de la maîtrise symbolique de cette maîtrise, dont la question des effets de l'institutionnalisation et de l'explicitation corrélative des schèmes est un cas particulier. La réaction contre le juridisme en sa forme ouverte ou masquée ne doit pas conduire à faire de l'habitus le principe exclusif de toute pratique, bien qu'il n'y ait pas de pratique qui n'ait l'habitus à son principe. A la question des rapports entre les « stratégies objectives » et les stratégies proprement dites qui se trouvait implicitement posée par l'opposition entre une description téléologique de l'interaction entre deux agents et un modèle invoquant seulement l'orchestration des habitus, il va de soi que l'on ne peut répondre en opposant, selon l'alternative du tout ou rien, la conscience parfaitement transparente à l'inconscient totalement opaque, la présence continue à l'absence non moins continue de la conscience : s'il est vrai que les pratiques produites par les habitus, les manières de marcher, de parler, de manger, les goûts et les dégoûts, etc., présentent toutes les propriétés des conduites instinctives, et en particulier l'automatisme, il reste qu'une forme de conscience partielle, lacunaire, discontinue, accompagne toujours les pratiques, que ce soit sous la forme de ce minimum de vigilance qui est indispensable pour contrôler le fonctionnement des automatismes ou sous la forme de discours destinés à les rationaliser (au double sens du terme).

A la façon du praticien expert qui ne parvient à appréhender analytiquement tel ou tel moment commun à des mouvements ou des tours de main différents qu'en recoupant plusieurs structures motrices agies comme indécomposables, les agents ne peuvent se donner une maîtrise symbolique de leur pratique que par une « opération à la seconde puissance » qui, comme l'observe Merleau-Ponty, « présuppose les structures qu'elle analyse »[94]. Les récits ou les commentaires de celui que Hegel appelle l'« historien original » (Hérodote, Thucydide, Xénophon ou César, et, plus généralement, l'*informateur* sous toutes ses formes), et qui, « vivant dans l'esprit même de l'événement »[95], assume comme allant de soi les présupposés implicitement assumés comme allant de soi par les agents historiques, sont inévitablement soumis aux mêmes conditions d'existence et aux mêmes limitations tacites que leur objet : tout système de schèmes de perception et de pensée exerce une censure primordiale en ce qu'il ne peut donner à penser et à percevoir ce qu'il donne à penser et à percevoir, sans produire *eo ipso* un impensable et un innommable ; lorsqu'on a voulu construire des machines capables de jouer aux échecs, il a fallu leur enseigner expressément des « règles » qui vont tellement de soi que les joueurs les plus expérimentés n'en ont aucune conscience, comme celles qui interdisent par exemple de mettre deux pièces sur la même case ou une même pièce sur plusieurs cases. Tout se passe en effet comme si les agents avaient d'autant moins besoin de maîtriser sur le mode conscient les principes qui les disposent à percevoir, à concevoir ou à agir selon une logique déterminée (donc à comprendre de manière en apparence immédiate les produits, œuvres ou pratiques, de principes semblables à ceux qu'ils mettent en œuvre dans leurs pratiques) qu'ils maîtrisent plus complètement ces principes sur le mode pratique.

Les rationalisations que produisent inévitablement les agents lorsqu'ils sont invités à prendre sur leur pratique un point de vue qui n'est plus celui de l'action sans être celui de l'interprétation scientifique viennent en quelque sorte au-devant du légalisme juridique, éthique ou grammatical auquel incline la situation d'observateur. La relation entre l'informateur et l'ethnologue n'est pas sans analogie avec une relation pédagogique dans laquelle le maître doit porter à l'état explicite, pour les besoins de la transmission, les schèmes inconscients de sa pratique : de même que l'enseignement du tennis, du violon, des échecs, de la danse ou de la boxe décompose en positions, en pas ou en coups, des pratiques qui intègrent toutes ces unités élémentaires de comportement, artificiellement isolables, dans l'unité d'une conduite organisée, de même le discours par lequel l'informateur s'efforce de se donner les apparences de la maîtrise symbolique de sa pratique tend à attirer l'attention sur les « coups » les plus remarquables, c'est-à-dire les plus recommandés ou les plus réprouvés, de différents jeux sociaux (comme le *bahadla* dans le jeu de l'honneur ou le mariage avec la cousine parallèle dans les stratégies matrimoniales), plutôt que sur les principes à partir desquels ces coups et tous leurs compossibles, équivalents ou différents, peuvent être engendrés et qui, appartenant à l'univers de l'indiscuté, restent le plus souvent à l'état implicite.

Mais le piège le plus subtil réside sans doute dans le fait que ce discours recourt volontiers au vocabulaire fort ambigu de la *règle*, celui de la grammaire, de la morale et du droit, pour exprimer une pratique sociale qui obéit à de tout autres principes : cette sorte de malédiction spéciale qui veut que les sciences de l'homme aient affaire à un objet qui parle les voue à osciller entre un excès de confiance dans l'objet lorsqu'elles prennent à la lettre son discours et un excès de défiance lorsqu'elles oublient que sa pratique enferme plus de vérité que son discours ne peut en livrer. C'est dans l'*opus operatum* et là seulement que se révèle le *modus operandi*, disposition cultivée qui ne peut être maîtrisée par un simple retour réflexif (*reflexive consciousness*) : si les agents sont possédés par leur habitus plus qu'ils ne le possèdent, c'est d'abord parce qu'ils ne le possèdent qu'en tant qu'il agit en eux comme principe d'organisation de leurs actions, c'est-à-dire sur un mode tel qu'ils en sont du même coup dépossédés sur le mode symbolique. Cela signifie que le privilège traditionnellement conféré à la conscience et à la connaissance réflexives est dépourvu de fondement et que rien n'autorise à établir une différence de nature entre la connaissance de soi et la connaissance d'autrui.

L'explication que les agents peuvent fournir de leur pratique, au prix d'un retour quasi théorique sur leur pratique, dissimule, à leurs yeux même, la vérité de leur maîtrise pratique comme *docte ignorance*, c'est-à-dire comme mode de connaissance pratique n'enfermant pas la connaissance de ses propres principes : comme l'indique Heidegger, l'action de marteler est à la fois plus et moins, en tout cas tout à fait autre chose, que la connaissance consciente de l'ustensilité du marteau puisqu'elle maîtrise cet outil d'une manière tout à fait adéquate en se soumettant à sa fonction spécifique sans pour autant impliquer la connaissance thématique de la structure de l'outil en tant que telle ou de sa fonction d'ustensile défini par le fait d'être disponible pour le maniement [96]. Il s'ensuit que cette docte ignorance ne peut donner lieu qu'à un discours de trompeur trompé, ignorant et la vérité objective de sa maîtrise pratique comme ignorance de sa propre vérité et le véritable principe de la connaissance qu'elle enferme. C'est pourquoi les théories indigènes sont moins redoutables en ce qu'elles orientent la recherche vers les explications illusoires des rationalisations et des idéologies qu'en tant qu'elles empruntent la théorie implicite de la pratique que proposent les *œuvres* appréhendées comme fait accompli : elles apportent ainsi à l'inclination intellectualiste qui est inhérente à l'approche objectiviste des pratiques un renfort dont elle n'a pas besoin. Ainsi, par exemple, l'usage idéologique que nombre de sociétés font du modèle de la lignée et, plus généralement, des représentations généalogiques [97], pour justifier et légitimer l'ordre établi (par exemple en choisissant, entre deux manières possibles de classer un mariage, la plus *orthodoxe*), serait sans doute apparu plus tôt aux ethnologues, s'ils avaient porté à l'ordre du discours explicite les principes de l'habileté que manifestent parfois leurs rapports avec les « pères fondateurs » de la discipline, ancêtres éponymes utilisés comme bannières dans les luttes présentes. Mais, pour parler plus sérieusement, l'usage théorique qu'ils font eux-mêmes de cette construction théorique les empêche de s'interroger sur les fonctions des généalogies et des *généalogistes* et, du même coup, d'appréhender la généalogie qu'ils construisent comme le recensement théorique de l'univers des relations théoriques à l'intérieur duquel les individus ou les groupes définissent l'espace réel des relations *utiles* en fonction de leurs intérêts conjoncturels.

La grammaire demi-savante des pratiques que lègue le sens commun, dictons, proverbes, énigmes, secrets de spécialistes [98], poèmes gnomiques, et sur laquelle s'appuient les improvisations individuelles, a un statut ambigu qu'évoque bien le mot « règle », à la fois principe qui explique l'action et norme qui la régit. Cette « sagesse » dérobe l'intellection exacte de la logique du système dans le mouvement même pour l'indiquer : ainsi, les explicitations partielles que livre tel dicton (« la jeune fille, c'est le tombeau ») ou tel précepte (« prends ta terre et pétris-la » – invitation au mariage avec la cousine parallèle) sont de nature à détourner d'une explication systématique plutôt qu'à y introduire, en renforçant l'inclination à considérer chaque symbole pour lui-même, à l'état séparé, comme s'il était investi d'une signification qui lui serait attachée intrinsèquement, selon la logique de la clé des songes. Les « théories » spontanées doivent leur structure ouverte, leurs incertitudes, leurs imprécisions, voire leurs incohérences, au fait qu'elles restent subordonnées à des fonctions pratiques. Mais lors même qu'elles ne donnent qu'une représentation fausse de la pratique et des principes auxquels celle-ci obéit réellement, elles peuvent orienter et modifier la pratique, quoique dans des limites très restreintes, les « explications secondaires », par exemple la signification que les agents attribuent à des rites, des mythes ou des thèmes décoratifs, étant beaucoup moins stables, dans l'espace et, sans aucun doute, dans le temps, que la structure des pratiques correspondantes [99]. On peut trouver chez Pareto une sorte de modèle simplifié de la dialectique entre le *schème* immanent à la pratique qu'il engendre et organise et la norme capable de contrarier ou de renforcer l'efficacité du principe dont elle s'impute l'efficacité bien qu'elle en soit le produit : « Sous l'influence des conditions de la vie, on fait certaines actions P…Q, puis quand on raisonne sur elles, on découvre, ou on croit découvrir un principe commun à P et à Q et alors on s'imagine qu'on a fait P…Q comme conséquence logique de ce principe, mais c'est le principe qui est la conséquence de P…Q. Il est vrai que, quand le principe est établi, il s'ensuit des actions R…S qui s'en déduisent, et ainsi la proposition contestée n'est qu'en partie fausse. Les lois du langage nous fournissent un bon exemple. La grammaire n'a pas précédé, mais suivi la formation des mots ; pourtant, une fois établies, les règles grammaticales ont donné naissance à certaines formes, qui sont venues s'ajouter aux formes existantes. En résumé, faisons deux groupes des actions P…Q et R…S : le premier P…Q, qui est le plus nombreux et le plus important, préexiste au principe qui semble régir ces actions ; le second R…S, qui est accessoire et souvent de faible importance, est la conséquence du principe ; ou, en d'autres termes, il est la conséquence indirecte des mêmes causes qui ont directement donné P…Q[100]. »

En fait, de même que la question des rapports entre la conscience et l'inconscience risquait d'occulter la question, plus importante, des rapports entre les schèmes générateurs des pratiques et les représentations que les agents donnent ou se donnent de leur pratique, de même cette question risque à son tour de dissimuler la question plus fondamentale que pose l'existence, en toute société, d'une différenciation en domaines de la pratique plus ou moins explicitement réglés, un des pôles du continuum étant constitué par les domaines apparemment « libres » parce que abandonnés en fait à l'habitus et à ses stratégies automatiques, l'autre étant représenté par les domaines expressément réglés par des normes éthiques et surtout juridiques, explicitement constituées et soutenues par des sanctions sociales. C'est ainsi que le débat sur les « règles » des échanges matrimoniaux gagnerait grandement en clarté si l'on précisait en chaque cas la *modalité de la prescription* – qui ne se réduit pas à la probabilité, statistiquement établie ou non, de la pratique correspondante, même si elle n'en est que la forme transfigurée –, la nature des sanctions attachées à la transgression et les instances chargées de les infliger. Il va de soi que l'on peut trouver tous les degrés intermédiaires entre les « rationalisations », « théories pratiques » que les agents produisent, soit spontanément soit en réponse à l'interrogation savante de l'ethnologue, pour *rationaliser* leur pratique, pour lui conférer plus de rationalité et en rendre raison, et qui, lors même qu'elles sont totalement étrangères à la vérité de la pratique, peuvent encore être structurées selon les schèmes organisant la pratique, et, à l'autre extrémité, un corpus *de normes juridiques*, produit accumulé du travail d'un corps de spécialistes expressément mandatés pour les soumettre à une systématisation explicite et pour en faire respecter l'application, fût-ce en usant de la force. Faute de soumettre les documents qu'il enregistre – discours, récits, codes juridiques – à une critique visant à déterminer le statut du discours considéré, c'est-à-dire les conditions sociales de sa production et de son utilisation (*e. g.* discours officiel et autorisé ou privé et personnel ; légitime ou illégitime ; improvisé ou routinisé, etc.), l'ethnologue s'expose à n'écouter jamais assez ses informateurs ou à les écouter toujours trop : parce que toute la tradition de la profession lui recommande ou lui commande de révoquer en doute le discours que l'indigène produit à propos de ses pratiques, il suspecte toutes les explications spontanées et en particulier celles qui invoquent des fonctions, et cela d'autant plus qu'elles semblent le plus souvent contradictoires. Ce qui ne l'empêchera pas d'enregistrer avec empressement tous les discours *officiels* qui lui sont spontanément offerts par ses informateurs et qui, plus conformes à sa représentation de l'objectivité, sont aussi plus faciles à recueillir et à déchiffrer, parce que plus formalisés : on sait la prédilection des ethnologues pour toutes les quasi-théorisations et toutes les codifications qui, comme l'a montré la discussion à propos du mode de composition des poèmes homériques, sont déjà fixées et comme déjà pré-disposées pour l'écriture avant même que la technique de l'écriture soit disponible, comme les chants, les récits mythiques, les incantations ou les allocutions cérémonielles, les catalogues de dictons, de proverbes ou d'énigmes, et surtout les coutumiers chers à tous les juridismes, à commencer par celui des professions de droit, des administrateurs ou des militaires qui, dans la plupart des pays colonisés et dans les provinces, ont recueilli et codifié les coutumes souvent à des fins d'administration et de gouvernement. On observerait sans doute, dans les sociétés sans écriture elles-mêmes, tous les passages entre le corpus que l'on pourrait appeler *pré-écrit* et les improvisations ponctuelles et circonstancielles des sujets (qui ne sont jamais, dans ce contexte, des « opinions » au sens où on l'entend naïvement). Il faudrait alors mettre en relation les différents types de savoir avec les différents modes de thésaurisation du savoir et de transmission du savoir thésaurisé qui commandent la structure même du savoir. L'indifférence à la *genèse* et à la *fonction*, c'est-à-dire aux conditions sociales dans lesquelles s'effectuent la production, la reproduction (avec, par exemple, l'usage de moyens mnémotechniques, internes à l'acte de composition, comme les « formules », ou externes, comme la pictographie destinée à soutenir la récitation des formules magiques), la circulation et la consommation des biens symboliques est au principe d'erreurs systématiques[101]. Ainsi, les ethnologues ne semblent guère s'interroger sur le mode de fabrication des textes qu'ils soumettent à l'analyse ni davantage sur le mode de formation de ceux qui les produisent et les reproduisent (on sait que, dans les royaumes d'Irlande, les collèges de druides, de poètes et crieurs de lois passaient vingt années à mémoriser le droit irlandais et la littérature gaélique et aussi que, en de nombreuses sociétés, les cérémonies accompagnant les rites de passage donnaient lieu à des récitations méthodiques de textes juridiques et mythiques). Entre toutes les oppositions, la plus importante est sans doute celle qui s'établit entre l'écrit et l'oral ou mieux entre le mode de transmission écrit et le mode de transmission oral. Le texte écrit, qu'on l'utilise comme document (à la façon des historiens de la coutume ou du droit) ou qu'on le prenne comme objet (à la façon des herméneutes structuralistes), détient des propriétés que met en lumière une analyse même sommaire des effets du passage de la tradition culturelle fondée sur un *mode de transmission oral* à une tradition thésaurisée grâce à l'écriture, donc disponible pour toutes les réinterprétations et les compilations amalgamant des styles, des thèmes et des objets d'époques et de cultures différentes[102]. L'écriture fixe, stabilise, bref éternise, et permet de faire l'économie de toute la *mnémotechnique* qui est au principe de la composition même du texte oral, en même temps qu'elle rend possible la manipulation lettrée, c'est-à-dire tout le travail de réinterprétation et de raffinement, et, si l'on permet l'expression, l'*accumulation primitive du capital symbolique* (marquée par des techniques comme la cryptographie, l'hermétisme, etc.). Il s'ensuit que l'application des techniques classiques de l'analyse structurale à des textes qui intègrent des significations d'âges différents ne peut que manquer l'essentiel, c'est-à-dire le jeu polyphonique entre les différentes lignes sémantiques.

Dans des sociétés où, comme en Kabylie, il n'existe pas d'appareil juridique doté du monopole de la violence physique ou même symbolique et où les assemblées de clan, de village ou de tribu fonctionnent comme des instances d'arbitrage, c'est-à-dire comme des conseils de famille plus ou moins élargis, les règles de droit coutumier n'ont quelque efficacité pratique que dans la mesure où, habilement manipulées par les détenteurs de l'autorité dans le clan (« les garants »), elles viennent *redoubler et renforcer* les dispositions collectives de l'habitus ; elles ne sont donc séparées que par des différences de degré des explicitations partielles et souvent fictives des principes de la pratique qui ne font que parer aux défaillances ou aux incertitudes de l'habitus en énonçant les solutions appropriées aux situations difficiles[103]. Le juridisme n'est jamais aussi fallacieux que lorsqu'il s'applique aux sociétés les plus homogènes et aux secteurs les moins différenciés des sociétés différenciées où la plus grande part des pratiques, y compris les plus ritualisées en apparence, peut être abandonnée à l'improvisation orchestrée des dispositions communes : la règle n'est jamais qu'un pis-aller destiné à régler les ratés de l'habitus, c'est-à-dire à réparer les ratés de l'entreprise d'inculcation destinée à produire des habitus capables d'engendrer des pratiques réglées en dehors de toute réglementation expresse et de tout rappel institutionnalisé à la règle.

De façon plus générale, les pratiques n'atteignent que par exception l'une ou l'autre de ces limites que sont la pure stratégie ou le simple rituel, c'est-à-dire, pour reprendre l'exemple déjà cité, le pôle défini par le modèle téléologique selon lequel l'individu A produit une action a_1 pour déterminer B à produire b_1 et pouvoir faire a_2 (ou, de proche en proche a_n), et le pôle représenté par le modèle typique du juridisme selon lequel la règle veut que A produise a_1 et que B réponde b_1 et que A réponde a_1 et ainsi de suite. Le juridisme, qui fait de la règle le principe de toutes les pratiques, et l'interactionnisme, qui décrit les pratiques comme des *stratégies* explicitement orientées par référence aux indices anticipés de la réaction aux pratiques, ont en commun d'ignorer l'harmonisation des habitus qui, en dehors de tout calcul intentionnel et de toute référence consciente à la norme, produit des pratiques mutuellement ajustées et qui n'exclut jamais les prises de conscience partielles, facilitées par les préceptes et les recettes du sens commun. Pour faire l'économie du recours à des « règles » telles que celles qui sont censées régir les échanges matrimoniaux, il faudrait établir en chaque cas une description complète (dont l'invocation de la règle permet de faire l'économie) de la relation entre les dispositions socialement constituées et la situation dans laquelle se définissent les intérêts objectifs et subjectifs des agents et, du même coup, les motivations précisément spécifiées de leurs pratiques particulières. Il devrait être à peine besoin de rappeler, avec Weber, que la règle juridique ou coutumière n'est jamais qu'un *principe secondaire* de détermination des pratiques qui n'intervient, au titre de substitut, que lorsque le principe primaire, à savoir l'intérêt (subjectif ou objectif) est en défaut[104]. Ainsi, c'est dans la relation entre les dispositions et la situation que se définissent les intérêts ou, mieux, les *fonctions*, c'est-à-dire non seulement les fonctions subjectivement posées et appréhendées ou, mieux, les *fins* explicitement calculées (les seules que connaisse et reconnaisse le modèle téléologique du calcul stratégique) mais aussi les fonctions objectives (ou les intérêts objectifs, plus ou moins clairement aperçus) que le juridisme exclut pour les réintroduire à la dérobée, sous la forme des fonctions que la communication ou l'échange (*e. g.* de femmes) remplit pour le groupe dans son ensemble[105]. En fait, c'est dans la relation entre l'habitus comme système de structures cognitives et motivatrices et la situation (ou l'objet) que se définissent les intérêts qui sont au principe du passage à l'acte par lequel les dispositions se réalisent et se déterminent : et l'orchestration des dispositions est au fondement de la convergence objective des intérêts ou de la concertation intentionnelle des aspirations qui fondent les alliances et les clivages entre les groupes en concurrence ou en conflit.

Pour mettre au jour la logique du juridisme, cette sorte d'académisme des pratiques sociales qui, ayant extrait de l'*opus operatum* les principes supputés de sa production, en fait la norme régissant explicitement les pratiques (avec des phrases telles que : « la bienséance *demande* que... », « la coutume *exige* que... », « la règle *veut* que... »), il suffira d'un exemple. Il n'est pas d'informateur, ni d'ethnologue, qui ne professe que, dans les pays arabes et berbères, chaque garçon a un « droit » sur sa cousine parallèle (fille du frère du père) : « Si le garçon veut la fille du frère de son père, il a un *droit* sur elle. Mais s'il n'en veut pas, il n'est pas consulté. C'est comme la terre. » Ces propos d'un informateur sont infiniment plus proches de la réalité des pratiques que le discours du juridisme ethnologique qui ne soupçonne même pas l'homologie entre la relation aux femmes de la lignée et la relation à la terre, ici directement évoquée ; mais, en empruntant le langage officiel du droit, il masque la réalité réelle, infiniment plus complexe, qui unit un individu à sa cousine parallèle. Si l'on reprend le problème à la racine, on voit d'emblée que le prétendu droit d'un individu sur la *bent'amm*, la fille du frère du père, peut être un *devoir*, une *obligation* qui obéit aux mêmes principes que l'obligation de venger un parent ou de racheter une terre familiale convoitée par des étrangers et qui, *eo ipso*, ne s'impose en toute rigueur que dans des circonstances très particulières et même assez exceptionnelles. Le fait que, dans le cas de la terre, le droit de préemption (*achfa'*) soit formulé et codifié par la tradition juridique savante (dotée d'une autorité institutionnalisée et garantie par les tribunaux) ainsi que par la « coutume » (*qanun*) n'implique aucunement que l'on puisse faire de la règle juridique ou coutumière le principe des pratiques effectivement observées en matière de circulation des terres : en réalité, parce que la vente d'une terre du patrimoine est avant tout une affaire interne à la lignée, le recours aux autorités qui transmuent l'obligation d'honneur en droit (s'agirait-il de l'assemblée du clan ou du village) est tout à fait exceptionnel et l'invocation du droit ou de la coutume de *chafa'* (ou *achfa'*) s'inspire presque toujours de principes qui n'ont rien à voir avec ceux du droit, comme l'intention de *défier* l'acquéreur en demandant l'annulation de la vente d'une terre tenue pour illégitime, et qui commandent la plupart des pratiques d'achat et de vente de terres. L'obligation d'épouser une femme qui n'est pas « protégée contre la honte » (« il l'a protégée », dit-on souvent du mari) et qui est semblable à une terre en friche, abandonnée par ses maîtres (*athbur*, la jeune fille, *el bur*, la friche), s'impose seulement avec moins d'urgence que l'obligation d'acheter une terre mise en vente par l'un des membres du groupe ou de racheter une terre tombée entre des mains étrangères, terre mal défendue et mal possédée, et, avec infiniment moins de force que le devoir de ne pas laisser sans vengeance le meurtre d'un membre du groupe. Dans tous les cas, l'impérativité du devoir est fonction de la position dans la généalogie et aussi, évidemment, des dispositions des agents : ainsi, dans le cas de la vengeance, l'obligation d'honneur peut devenir un droit à l'honneur pour certains (le même meurtre s'étant parfois trouvé vengé deux fois, le second des « vengeurs » s'estimant plus « autorisé » généalogiquement que le premier) tandis que d'autres se dérobent ou ne s'exécutent que sous la contrainte morale ou physique ; dans le cas de la terre, l'intérêt matériel à racheter étant évident, la hiérarchie des droits à l'honneur et des obligations d'achat est à la fois plus visible et plus souvent transgressée, non sans des conflits et des transactions très complexes entre les membres de la famille qui se sentent obligés d'acheter mais ne le peuvent pas et ceux qui ont moins de droits-devoirs d'acheter mais ont les moyens de le faire. L'obligation d'épouser la cousine parallèle ne s'impose que dans le cas où une fille n'a pas trouvé un mari ou, à tout le moins, un mari digne de la famille : étant donné que tous les enfants du groupe et notamment les filles doivent trouver un parti, en dépit de tous les handicaps (pauvreté, infirmité physique, etc.), l'honneur commande que l'on fasse disparaître cette occasion de vulnérabilité que représente la femme tard mariée en « couvrant la honte avant qu'elle se dévoile » ou, dans le langage de l'intérêt symbolique, avant que ne se dévalue le capital symbolique d'une famille incapable de placer ses filles sur le marché matrimonial. Mais, là encore, on connaît toutes sortes d'accommodements et, bien sûr, de stratégies : si, dans le cas des terres, le parent le mieux placé peut se sentir talonné par des parents moins proches, désireux de s'assurer le profit matériel et symbolique procuré par un achat aussi méritoire, ou, dans le cas de la vengeance d'honneur, par celui qui est prêt à le remplacer et à prendre à son compte la vengeance et l'honneur qu'elle procure, on n'observe rien de tel dans le cas du mariage, et les moyens employés pour se dérober sont multiples : il arrive que le fils s'enfuie, avec la complicité de ses parents, fournissant à ceux-ci la seule excuse recevable en face de la demande d'un frère ; sans aller jusqu'à ce moyen extrême, il n'est pas rare que l'obligation d'épouser les filles délaissées soit imposée aux membres les plus pauvres de la famille, liés par toutes sortes d'« obligations » aux plus riches du groupe. Et il n'est pas de meilleure preuve de la *fonction idéologique* du mariage avec la cousine parallèle que l'usage que le groupe peut faire, en de pareils cas, de la représentation exaltée de ce mariage idéal : il est facile en effet d'assimiler tout mariage avec une cousine de la lignée paternelle, si éloignée soit-elle, à un mariage avec la cousine parallèle, les ethnologues ne procédant d'ailleurs pas autrement, au nom des « équivalences structurales ». Le groupe sait mobiliser toutes les ressources de son appareil de représentations mythiques pour justifier ces mariages forcés qui sont aussi les « beaux mariages », ceux qu'il est obligé d'imposer parce qu'ils sont sociologiquement nécessaires, comme lorsqu'il destine l'un à l'autre dès l'enfance deux cousins pauvres, faute de pouvoir payer le prix (matériel et symbolique) d'une alliance à l'extérieur. Et l'on peut maintenant, sans risque de retomber dans le juridisme, observer que la relation entre frères interdit que l'on refuse sa fille lorsqu'elle est demandée pour son fils par un frère, surtout plus âgé : dans ce cas limite où le preneur est en même temps le donneur, en tant qu'équivalent et substitut du père, toute dérobade, toute hésitation même est impensable, de même que dans le cas où l'oncle demande sa nièce pour un autre auprès de qui il s'est engagé ; plus, ce serait offenser gravement ses frères que de marier sa fille sans les informer et les consulter, et le désaccord du frère, souvent invoqué pour justifier un refus, n'est pas toujours un prétexte rituel. Les impératifs de solidarité sont plus rigoureux encore, et le refus est impensable, quand c'est le père de la fille qui, enfreignant tous les usages (c'est toujours l'homme qui « demande » en mariage), propose celle-ci pour son neveu, par une allusion aussi discrète qu'il se peut, encore que, pour oser pareille transgression, il faille s'autoriser d'une relation aussi forte que celle qui existe entre des frères très unis. Ainsi, ce que le juridisme décrit comme un véritable droit de préemption, semblable à celui qui vaut pour la terre, n'est autre chose qu'un enchevêtrement de stratégies, beaucoup plus complexes encore que cette évocation rapide ne le laisserait croire : et l'on est en droit de supposer que c'est la représentation, mythiquement fondée, de la hiérarchie entre les sexes qui, dans ce réseau d'obligations à double sens – l'obligation pour le garçon d'épouser n'étant pas moins forte et moins fréquemment imposée que l'impératif inverse –, porte à sélectionner celle qui affirme les privilèges de la masculinité [106].

Comme on le voit clairement en ce cas, il ne s'agit pas seulement de substituer à une explication par la règle une explication par l'intérêt. Il ne suffit même pas de dire que la règle détermine la pratique lorsque l'intérêt à lui obéir l'emporte sur l'intérêt à lui désobéir. La dernière ruse de la règle consiste à faire oublier qu'il y a un intérêt à obéir à la règle, ou, plus exactement, à *être en règle*. La réduction brutalement matérialiste que l'axiome anthropologique de l'intérêt invite à opérer permet de rompre avec les naïvetés de la théorie spontanée des pratiques ; mais elle risque de faire oublier l'intérêt que l'on a à être en règle et qui est au principe des stratégies du second ordre visant, comme on dit, à se *mettre en règle* ou à *mettre le droit de son côté*[107]. C'est ainsi que la conformité parfaite à la règle peut procurer, outre le profit direct assuré par la pratique prescrite, un profit secondaire, tel que le prestige et le respect qui sont à peu près universellement promis à une action sans autre détermination apparente que le respect *pur et désintéressé* de la règle. C'est dire que les stratégies directement orientées vers le profit primaire de la pratique (par exemple le prestige procuré par un mariage) se doublent à peu près toujours de stratégies du second degré qui visent à donner une satisfaction apparente aux exigences de la règle officielle et à cumuler ainsi les satisfactions de l'intérêt bien compris et les profits de l'impeccabilité. Et l'illusion de la règle n'aurait pas une telle force dans les écrits des anthropologues, malgré les dénonciations innombrables, si elle n'était assurée de la complicité du « point d'honneur spiritualiste » qui préfère à la détermination par l'intérêt la libre soumission à la règle. Dans des formations sociales où l'expression des intérêts est très fortement censurée et où l'autorité politique est très peu institutionnalisée, les stratégies politiques de mobilisation ne peuvent avoir quelque efficacité que si les intérêts qu'elles poursuivent et qu'elles proposent se présentent sous les apparences méconnaissables des *valeurs* que le groupe honore : mettre des formes, agir dans les règles, ce n'est pas mettre le droit de son côté, c'est mettre le groupe de son côté en donnant à ses intérêts la seule forme sous laquelle il peut les reconnaître, en honorant ostensiblement les valeurs qu'il met son point d'honneur à honorer.

Le corps géomètre

Le logicisme inhérent au point de vue objectiviste incline à ignorer que la construction savante ne peut appréhender les principes de la logique que les agents s'approprient sous la forme d'un « art » qu'en leur faisant subir un changement de nature : l'explication réfléchissante convertit une succession pratique en succession représentée, une action orientée par rapport à un espace objectivement constitué comme structure d'exigences, d'appels, d'interdits ou de menaces (les choses « à faire » ou « à ne pas faire »), en opération réversible, effectuée dans un espace continu et homogène. Ainsi par exemple, aussi longtemps que l'espace mythico-rituel est appréhendé comme *opus operatum*, c'est-à-dire comme espace géographique ou géométrique susceptible d'être représenté sous forme de *cartes* ou de *schémas* permettant de saisir *uno intuitu* en tant qu'ordre des choses coexistantes, ce qui ne peut être parcouru que successivement, donc dans le temps, il n'est jamais qu'un espace théorique, balisé par les points de repère que sont les termes des relations d'opposition (haut/bas, est/ouest, etc.) et où ne peuvent s'effectuer que des opérations théoriques, c'est-à-dire des déplacements et des transformations logiques, dont nul ne contestera qu'elles sont à des mouvements et des transformations réellement accomplis, comme une chute ou une ascension, ce que le chien animal céleste est au chien animal aboyant. Ayant établi que chacune des régions de l'espace intérieur de la maison kabyle reçoit une signification symétrique et inverse lorsqu'on la replace dans l'espace total, on est fondé à dire, comme on l'a fait ci-dessus, que chacun des deux espaces peut être défini comme la classe des mouvements effectuant un même déplacement, c'est-à-dire une demi-rotation, par rapport à l'autre, qu'à condition de rapatrier le langage dans lequel la mathématique exprime ses opérations sur le sol originaire de la pratique en donnant à des termes comme mouvement, déplacement et rotation, leur sens pratique de *mouvements du corps*, tels qu'aller vers l'avant ou vers l'arrière, ou faire demi-tour[108]. Ici encore, on se serait sans doute épargné bien des erreurs théoriques si, par une sorte d'ethnocentrisme inversé, on n'avait inconsciemment prêté aux « sauvages » le rapport au monde que l'intellectualisme prête à toute « conscience » : de même en effet qu'on se serait moins étonné, au temps de Lévy-Bruhl, des bizarreries de la « mentalité primitive » si l'on avait su rompre avec la théorie intellectualiste des passions qui ne pouvait concevoir que l'univers de l'émotion ait quelque rapport avec la logique de la magie et de la « participation », on s'émerveillerait moins aujourd'hui des prouesses « logiques » des indigènes australiens si l'on ne passait sous silence la transformation conduisant des opérations maîtrisées à l'état pratique aux opérations formelles qui leur sont isomorphes et si l'on n'omettait du même coup de s'interroger sur les conditions sociales de cette transformation.

La science du mythe est en droit d'emprunter à la théorie des groupes le langage dans lequel elle décrit la syntaxe du mythe, mais à condition de ne pas oublier (ou laisser oublier) que ce langage détruit la vérité qu'il permet d'appréhender parce qu'il a été conquis et construit contre l'expérience même qu'il permet de nommer : il est à peine besoin de rappeler, après toutes les analyses des phénoménologues, que l'on n'agit pas dans un espace géométrique et, après Bachelard, que l'on ne peut pas plus donner la science de l'oxydation pour la vérité anthropologique de l'expérience du feu contre laquelle elle a été construite que l'on ne peut donner l'espace continu et homogène de la géométrie pour l'espace pratique, avec ses dissymétries, ses discontinuités et ses directions conçues comme des propriétés substantielles, droite et gauche, est et ouest.

« *Denken ist Handwerk* », dit Heidegger. Et l'on pourrait dire de même que la gymnastique ou la danse est géométrie, à condition de ne pas entendre par là que le gymnaste et le danseur sont géomètres. Peut-être serait-on moins tenté de traiter implicitement ou explicitement l'agent comme un opérateur logique si (sans prendre parti sur la question de l'antériorité chronologique) on remontait du logos mythique à la praxis rituelle qui met en scène, sous forme d'actions réellement effectuées, c'est-à-dire de mouvements corporels, les opérations que l'analyse savante découvre dans le discours mythique, *opus operatum* qui masque sous ses significations réifiées le moment constituant de la pratique « mythopoiétique ». A la façon des actes de jurisprudence, la pratique rituelle doit sa *cohérence pratique* (qui peut être restituée sous la forme d'un *schéma* objectivé d'opérations) au fait qu'elle est le produit d'un seul et même mystère de *schèmes immanents* à la pratique qui organisent non seulement la perception des objets (et, dans le cas particulier, le classement des instruments, des circonstances – lieu et moment – et des agents possibles de l'action rituelle) mais aussi la production des pratiques (soit, ici, les mouvements et les déplacements constitutifs de l'action rituelle). L'accomplissement d'un rite suppose en effet toute autre chose que la maîtrise consciente de ces sortes de catalogues d'oppositions qu'établissent les commentateurs lettrés lorsqu'ils s'efforcent de maîtriser symboliquement une tradition finissante ou morte (que l'on pense aux « tableaux de correspondance » des mandarins chinois) et aussi les ethnologues dans la première phase de leur travail : la maîtrise pratique de principes qui ne sont pas plus complexes ni plus nombreux, après tout, que les principes de la statique des solides mis en œuvre dans l'utilisation d'une brouette, d'un levier ou d'un casse-noix [109] permet de produire des actions rituelles, *compatibles* avec les fins poursuivies (*e. g.* obtenir la pluie ou la fécondité des bêtes) et intrinsèquement *cohérentes* (au moins relativement), c'est-à-dire des combinaisons d'un type déterminé de circonstances (lieux et moments), d'instruments et d'agents (que les taxinomies intériorisées distribuent selon les grandes oppositions fondamentales), enfin et surtout, de déplacements et de mouvements rituellement qualifiés en propices et néfastes, comme aller (ou jeter) vers le haut ou l'est, vers le bas ou vers l'ouest, avec toutes les actions équivalentes – placer sur le toit de la maison, ou vers le *kanun*, enterrer sur le seuil ou vers l'étable, aller ou jeter vers la gauche ou de la main gauche –, et aller ou jeter vers la droite ou de la main droite, faire tourner de gauche à droite, ou de droite à gauche, fermer (ou nouer) et ouvrir (ou dénouer), etc. En fait, une analyse de l'univers des objets mythiquement ou rituellement qualifiés, à commencer par les circonstances, les instruments et les agents de l'action rituelle, établit que les innombrables oppositions qui peuvent être enregistrées dans tous les domaines de l'existence se laissent ramener à un petit nombre de couples qui apparaissent comme fondamentaux – puisque, n'étant liés entre eux que par des analogies faibles, ils ne peuvent être réduits les uns aux autres que de manière forcée et artificielle –, et qui ont presque tous pour principe des mouvements ou des états du corps humain : comme monter et descendre (ou aller en avant et aller en arrière), aller à droite et aller à gauche, entrer et sortir (ou remplir et vider), être couché et être debout, etc. Et si cette « géométrie dans le monde sensible », comme dit Jean Nicod[110] à qui ces réflexions doivent beaucoup, géométrie pratique ou, mieux, pratique géométrique, fait un tel usage de l'inversion, c'est sans doute que, à la façon du miroir qui porte au jour les paradoxes de la symétrie bilatérale, le corps humain fonctionne comme un opérateur pratique qui cherche à gauche la main droite qu'il faut serrer, engage le bras gauche dans la manche du vêtement qui était à droite lorsqu'il était posé ou inverse la droite et la gauche, l'est et l'ouest, par le seul fait d'effectuer un demi-tour, de « faire face » ou de « tourner le dos » ou encore « met à l'envers » ce qui était « à l'endroit » ou à l'endroit ce qui était à l'envers, autant de mouvements que la vision mythique du monde charge de significations sociales et dont le rite fait un usage intensif.

> Je me surprends à définir le seuil
> Comme étant le lieu géométrique
> Des arrivées et des départs
> Dans la Maison du Père [111].

Si le poète trouve d'emblée le principe des relations entre l'espace de la maison et le monde extérieur dans les mouvements de sens inverse (au double sens du mot « sens ») que sont l'entrer et le sortir, c'est peut-être que, petit producteur attardé de mythologies privées, il a moins de peine à écarter les métaphores mortes pour aller au principe de la pratique mythopoiétique, c'est-à-dire aux mouvements et aux gestes qui, comme dans telle phrase d'Albert le Grand reprise par René Char, peuvent déceler la dualité sous l'unité apparente de l'objet : « Il y avait, en Allemagne, des enfants jumeaux dont l'un ouvrait les portes en les touchant avec son bras droit, l'autre les fermait en les touchant avec son bras gauche [112]. »

Il suffit en effet, pour reprendre l'opposition de Wilhelm von Humboldt, d'aller de l'*ergon* à l'*energeia*, c'est-à-dire, ici, des objets ou des actes aux principes de leur production, pour dissiper les prestiges du *panlogisme* qu'encourage la version exotérique du structuralisme, porté à fonder sur le dévoilement d'une cohérence non voulue, souvent décrite par les linguistes (Sapir ou Troubetzkoy par exemple) et même les anthropologues comme « finalité inconsciente », une métaphysique de la nature habillée du langage de la science naturelle et pour mettre en question la cohérence parfaite que la conversion en thèse ontologique du postulat méthodologique de l'intelligibilité porte à accorder aux systèmes historiques. Le paralogisme consistant, comme le montre Ziff, à convertir la régularité en règle, qui suppose le plan, ne trouve qu'une correction apparente dans l'hypothèse de l'*inconscient* que l'on tient pour le seul moyen d'expliquer, sans recourir à l'hypothèse des causes finales, que les phénomènes culturels se présentent comme des totalités dotées de structure et de sens [113]. En fait, ce plan sans planificateur n'est pas moins mystérieux que celui d'un planificateur suprême et l'on comprend que la vulgate structuraliste ait pu jouer pour certains le rôle d'un teilhardisme intellectuellement acceptable, c'est-à-dire acceptable dans les milieux intellectuels.

Le préjugé antigénétique, qui incline au refus inconscient ou affirmé de rechercher dans l'histoire individuelle ou collective la genèse des structures objectives et des structures intériorisées, se conjugue avec le préjugé antifonctionnaliste, qui porte à refuser de prendre en compte les fonctions pratiques que peuvent remplir les systèmes symboliques, pour renforcer l'inclination à accorder plus de cohérence qu'ils n'en ont et qu'il ne leur en faut pour fonctionner à des systèmes historiques qui, comme la culture selon Lowie, restent « faits de pièces et de morceaux » (*things of shreds and patches*), même si ces morceaux sont continûment soumis à des restructurations et des remaniements inconscients et intentionnels tendant à les intégrer au système.

Les systèmes symboliques doivent leur *cohérence pratique*, c'est-à-dire leurs régularités et aussi leurs irrégularités, voire leurs incohérences, les unes et les autres également *nécessaires* parce que inscrites dans la logique de leur genèse et de leur fonctionnement, au fait qu'ils sont le produit de pratiques qui ne peuvent remplir leurs fonctions pratiques qu'en tant qu'elles engagent, à l'état pratique, des principes qui sont non seulement cohérents – c'est-à-dire capables d'engendrer des pratiques intrinsèquement cohérentes en même temps que compatibles avec les conditions objectives –, mais aussi pratiques au sens de commodes, c'est-à-dire immédiatement maîtrisés et maniables parce que obéissant à une logique pauvre et économique. Il n'est sans doute personne qui ait été plus sensible que Leach à la « différence essentielle entre la description rituelle des relations structurales et la description scientifique de l'anthropologue », et, en particulier, à l'opposition entre la terminologie « sans ambiguïté » de l'ethnologue, qui utilise des concepts arbitrairement forgés, et les concepts que les agents emploient, dans des actions rituelles, pour exprimer les relations structurales. Rien n'est en effet plus suspect que la rigueur ostentatoire de schémas de l'organisation sociale des sociétés berbères que proposent les ethnologues et dont Jeanne Favret donne un exemple quand elle suit Hanoteau sur un « terrain » où ses idées générales sentent le plus les idées de général, comme aurait dit Virginia Woolf : si son goût de la provocation paradoxale ne l'avait pas portée à réhabiliter « l'ethnologie sauvage » du bon général de brigade contre l'ethnologie professionnelle (au demeurant fort peu professionnalisée dans ce secteur), Jeanne Favret n'aurait pas recherché dans « l'ethnologie innocente et minutieuse de Hanoteau et Letourneux » le fondement de la taxinomie pure et parfaite de l'organisation politique qu'elle oppose à la tradition ethnologique, reprochant à celle-ci à la fois d'être « seulement plus sophistiquée et plus ignorante de ses limites » que l'ethnologie militaire du général et d'ignorer des distinctions que cette dernière permet de dégager[114]. Une lecture plus compréhensive de cette littérature, qui est d'ailleurs produite pour l'essentiel par des administrateurs et des militaires (ou des professeurs de droit), ferait voir que l'imprécision des terminologies sociales qu'elle propose pourrait être seulement la résultante d'une certaine familiarité avec les réalités kabyles et d'une ignorance des traditions théoriques et des prétentions corrélatives à la systématicité théorique. Sans entrer dans une discussion approfondie de la présentation schématique que Jeanne Favret donne de la terminologie recueillie par Hanoteau[115], on ne peut que rappeler quelques points fondamentaux de la description de la structure du village d'Aït Hichem[116] qui péchait peut-être simplement par une excessive « rationalisation » des catégories indigènes. Si le lexique des divisions sociales varie selon les lieux, il reste que la hiérarchie des unités sociales fondamentales, celles que désignent les mots *thakharubth* et *adrum*, est presque toujours l'*inverse* de celle que propose Jeanne Favret suivant Hanoteau. On peut trouver quelques cas où, comme le veut Hanoteau, *thakharubth* englobe *adrum*, sans doute parce que les terminologies recueillies en des temps et des lieux déterminés désignent le résultat d'*histoires* différentes, marquées par des scissions, des disparitions – sans doute assez fréquentes – ou des annexions des lignées. Il arrive aussi que ces mots soient employés indifféremment pour désigner une division sociale de même niveau ; c'est le cas dans la région de Sidi Aïch où l'on distingue, en partant des unités les plus restreintes, donc les plus réelles, (a) *el hara*, la famille indivise (désignée à Aït Hichem du nom de *akham*, la maison, *akham n'Aït Ali*) ; (b) *akham*, la famille étendue, groupant les gens qui sont désignés du nom du même ancêtre (à la troisième ou quatrième génération) – *Ali ou* X, parfois désignée aussi d'un terme sans doute suggéré par la topographie, le chemin dessinant un coude quand on passe d'un *akham* à l'autre, *thaghamurth*, le coude ; (c) *adrum*, *akharub* (ou *thakharubth*) ou *aharum* rassemblant des gens dont l'origine commune remonte au-delà de la quatrième génération ; (d) le *ṣuf* ou plus simplement « ceux d'en haut » ou « ceux d'en bas » ; (e) le village, unité purement locale, groupant ici les deux ligues. Les synonymes auxquels il faut ajouter *tha'rifth* (de *'arf*, se connaître), réunion de personnes de connaissance, équivalent de *akham* ou de *adrum* (ailleurs de *tha-*

kharubth), pourraient n'être pas employés strictement au hasard, les uns mettant plutôt l'accent sur l'intégration et la cohésion interne (*akham* ou *adrum*) et les autres sur l'opposition aux autres groupes (*taghamurth, aharum*). Le *ṣuf* qui est employé pour évoquer une unité « arbitraire », une alliance conventionnelle par opposition aux autres termes désignant des individus dotés d'une appellation commune (Aït...), se distingue ici de *adrum* avec lequel il coïncide à Aït Hichem tandis qu'en d'autres cas il peut coïncider avec des unités plus petites. Tout se passe comme si l'on allait par gradations insensibles de la famille patriarcale au clan (*adrum* ou *thakharubth*), l'unité sociale fondamentale, les unités intermédiaires correspondant à des points de segmentation plus ou moins arbitraires (ce qui explique l'incertitude de la terminologie, souvent mal maîtrisée par les informateurs), qui se révèlent surtout en cas de conflit (du fait que ces unités ne sont séparées que par des différences de degré comme on voit par exemple dans le dégradé des obligations en cas de deuil, les plus proches parents offrant le repas, les autres contribuant pour une petite part, en aidant à la préparation du repas, en apportant des jarres d'eau ou quelques légumes, les plus éloignés enfin – ou les amis d'un autre clan – donnant un repas, après la fin du deuil, à l'intention de la famille du mort) et qui sont affectés de changements incessants, les limites virtuelles pouvant devenir réelles lorsque le groupe s'étend (ainsi, à Aït Hichem, les Aït Mendil, unis à l'origine, constituent deux *thakharubth*) et les limites réelles pouvant disparaître (les Aït Isaad regroupant en une seule *thakharubth* plusieurs *thakharubth* diminuées). Bref, on ne peut présenter l'image systématique des unités emboîtées que, de Hanoteau à Jeanne Favret en passant par Durkheim, les ethnologues « sauvages » ou civilisés ont proposée qu'à condition d'ignorer la dynamique incessante d'unités qui se font et se défont continûment et le *flou* qui est consubstantiel aux notions indigènes parce qu'il est à la fois la condition et le produit de leur fonctionnement ; il en va des taxinomies politiques et généalogiques comme des taxinomies temporelles du calendrier agraire : le niveau où se situent les oppositions effectivement mobilisées dépend fondamentalement de la situation, c'est-à-dire de la relation entre les groupes ou les individus qu'il s'agit de *démarquer* en recourant aux taxinomies politiques ou généalogiques.

Ainsi, les propriétés les plus spécifiques d'un corpus rituel, c'est-à-dire celles qui le définissent en tant que système pratiquement cohérent, ne peuvent être appréhendées et adéquatement comprises que si l'on aperçoit qu'il est le produit (*opus operatum*) d'une maîtrise pratique (*modus operandi*) qui ne doit son efficacité pratique qu'au fait qu'elle opère des mises en relation fondées sur ce que Jean Nicod appelle la *ressemblance globale*[117]. Ne se limitant jamais expressément et systématiquement à l'un des aspects des termes qu'il relie, ce mode d'appréhension prend chaque fois chacun d'eux comme un seul bloc, tirant tout le parti possible du fait que deux « données » ne se ressemblent jamais par *tous* les aspects mais se ressemblent toujours, au moins indirectement (c'est-à-dire par la médiation de quelque terme commun), par *quelque* aspect. Ainsi s'explique d'abord que, parmi les différents aspects (ou « profils ») des symboles « impurs », c'est-à-dire à la fois indéterminés et surdéterminés qu'elle manipule, la pratique rituelle n'oppose jamais clairement des aspects qui symbolisent quelque chose et des aspects qui ne symbolisent rien et dont elle ferait abstraction (comme, dans le cas des lettres de l'alphabet, la couleur des traits ou leur dimension et, dans une page d'écriture, l'ordre des mots en colonne) : si par exemple l'un des trois aspects différents par lesquels un « donné » comme le fiel peut être mis en relation avec d'autres « donnés » (eux-mêmes également « équivoques »), soit l'amertume (il a pour équivalents le laurier-rose, l'absinthe ou le goudron et s'oppose au miel), la verdeur (il s'associe au lézard et à la couleur verte) et l'hostilité (inhérente aux deux qualités précédentes), vient nécessairement au premier plan, les autres aspects ne cessent pas pour autant d'être perçus simultanément, l'accord symbolique pouvant se trouver à l'état fondamental, lorsque l'accent est mis sur la qualité fondamentale, ou à l'état de renversement. Sans vouloir pousser trop loin la métaphore musicale, on peut toutefois suggérer que nombre d'enchaînements rituels peuvent être compris comme des *modulations* : particulièrement fréquentes parce que le souci de mettre toutes les chances de son côté, principe spécifique de l'action rituelle, porte à la logique du *développement*, avec ses variations sur fond de redondance ; ces modulations jouent des propriétés harmoniques des symboles rituels, soit qu'on redouble un des thèmes par un strict équivalent sous tous les rapports (le fiel appelant l'absinthe qui unit comme lui l'amertume et la verdeur), soit qu'on module en des tonalités plus éloignées en jouant des associations d'une des harmoniques secondaires (lézard-crapaud)[118].

La pratique rituelle opère une *abstraction incertaine* qui fait entrer le même symbole dans les relations différentes par des aspects différents ou qui fait entrer des aspects différents du même référent dans le même rapport d'opposition ; en d'autres termes, elle exclut la question socratique du *rapport sous lequel* le référent est appréhendé (forme, couleur, fonction, etc.), se dispensant par là de définir en chaque cas le principe de sélection de l'aspect retenu et, *a fortiori*, de s'obliger à s'en tenir continûment à ce principe. Mais les principes différents qu'elle engage successivement ou simultanément dans la mise en relation des objets et dans la sélection des aspects retenus sont indirectement réductibles les uns aux autres, en sorte que cette taxinomie pratique peut classer les mêmes « donnés » de plusieurs points de vue sans les classer de manières différentes (à la différence d'un système plus rigoureux qui opérerait autant de classements qu'il distinguerait de propriétés) ; l'univers se trouve ainsi soumis à une division que l'on peut dire logique, bien qu'elle viole en apparence toutes les règles de la division logique – par exemple, en procédant à des divisions qui ne sont ni exclusives ni exhaustives –, parce que toutes les dichotomies sont indéfiniment redondantes, étant en dernière analyse le produit d'un seul et même *principium divisionis*. Du fait que le principe selon lequel s'opposent les termes mis en relation (par exemple le soleil et la lune) n'est pas défini et se réduit le plus souvent à une simple contrariété (la relation de contradiction supposant une analyse préalable), l'*analogie* (toujours exprimée de manière elliptique, « la femme, c'est la lune ») établit un rapport d'homologie entre des rapports d'opposition (homme : femme : : soleil : lune) établis selon deux principes indéterminés et surdéterminés (chaud : froid : : masculin : féminin : : jour : nuit : : etc.) qui diffèrent sans aucun doute des principes selon lesquels seraient établies d'autres homologies dans lesquelles l'un ou l'autre des termes concernés pourrait venir à entrer (homme : femme : : est : ouest ou soleil : lune : : sec : humide). C'est dire que l'abstraction incertaine est aussi une fausse abstraction puisque les propriétés par lesquelles tel « donné » se distingue de tel autre restent attachées aux propriétés non pertinentes, si bien que, même lorsqu'elle est motivée fondamentalement par un seul de ses aspects, l'assimilation est totale et globale : l'aspect de chacun des termes qui est (implicitement) sélectionné d'un point de vue unique dans une mise en relation particulière reste attaché aux autres aspects par lesquels il pourra être opposé à d'autres aspects d'un autre référent dans d'autres mises en rapport. Le même terme pourrait donc entrer dans une infinité de rapports si le nombre des manières d'entrer en rapport avec ce qui n'est pas lui n'était limité à quelques oppositions fondamentales qui présentent entre elles assez d'enchaînements (*e. g.* chaud : froid : : masculin :

féminin : : est : ouest) pour fonctionner comme un principe de division unique. La pratique rituelle ne procède pas autrement que cet enfant qui désespérait André Gide, voulant que le contraire de blanc soit blanche et que le féminin de grand soit petit[119]. Bref, le « sens analogique » qu'inculque la prime éducation est, comme dit Wallon de la pensée par couples, une sorte de « sentiment du contraire », qui engendre les innombrables applications de quelques contrariétés fondamentales capables d'assurer le minimum de détermination (l'homme n'est pas la femme – le crapaud n'est pas la grenouille) et qui ne peut rien enseigner sur les rapports (a : b et b : c) qu'il met en rapport puisqu'il ne peut fonctionner que grâce à l'indétermination des uns et des autres[120]. Les incertitudes et les malentendus qui sont inhérents à cette logique de la double-entente et du sous-entendu sont donc la contrepartie inévitable de l'*économie* qu'elle procure en permettant de ramener l'univers des relations entre contraires et des relations entre ces relations à quelques relations fondamentales à partir desquelles toutes les autres peuvent être engendrées.

Aller de l'analogie effectuée, fait accompli et lettre morte (a : b : : c : d), que considère l'herméneutique objectiviste, à la pratique analogique comme transfert de schèmes que l'habitus opère sur la base d'équivalences acquises facilitant la substituabilité d'une réaction à une autre[121] et permettant de maîtriser par une sorte de généralisation pratique tous les problèmes de même forme pouvant surgir dans des situations nouvelles, pour établir les limites que doit s'imposer toute reconstruction logique sous peine de se condamner à la *surinterprétation* par ignorance du principe spécifique d'une logique visant à assurer un minimum d'ordre au moindre coût, fût-ce au détriment de la rigueur et de la fécondité : la construction de *schémas* permettant d'appréhender dans la *simultanéité* d'un regard totalisant un corpus d'énoncés et de pratiques produits, à des fins pratiques, par l'application *successive* des mêmes principes pratiques, constitue, par soi, une véritable transmutation ontologique qui, si elle n'est pas aperçue comme telle, condamne l'analyste à renouer avec les jeux inépuisables et stériles de l'exégèse lettrée [122].

En distribuant selon les lois de la succession (soit 1° Y suit X exclut X suit Y, 2° Y suit X et Z suit Y entraînent Z suit X, 3° ou Y suit X, ou X suit Y) toutes les oppositions temporelles susceptibles d'être méthodiquement recueillies et rassemblées, le schéma synoptique permet d'appréhender d'un seul coup d'œil, *uno intuitu*, comme disait Descartes, *monothétiquement* comme dit Husserl [123], des significations qui sont produites et utilisées *polythétiquement* [124] et qui, comme le montrent les contradictions nées de la conversion du polythétique en monothétique, ne peuvent être pratiquement produites et utilisées que successivement, c'est-à-dire non seulement l'une après l'autre, mais une à une, *coup par coup*. Le propre de la *série* complète des oppositions temporelles que produit le travail de l'interprète est de ne pas être mobilisée et mobilisable en tant que telle, dans son entier et dans tous ses détails, les besoins de l'existence n'exigeant jamais une telle appréhension synoptique, lorsqu'ils ne la découragent pas par leurs urgences : bref, ce que l'on appellera la *polythétie* constitue, avec la polysémie, la condition du fonctionnement d'une logique pratique, qui ne peut organiser toutes les pensées, les perceptions et les actions au moyen de quelques principes eux-mêmes à la limite réductibles à une dichotomie fondamentale que parce que toute son *économie* suppose le sacrifice de la clarté et de la distinction au profit de la simplicité et de la généralité. En cumulant des informations qui ne sont pas toujours maîtrisées et maîtrisables par un seul informateur et jamais en tout cas dans l'instant, l'analyste s'assure le privilège de la totalisation (grâce aux instruments d'*éternisation* que sont l'écriture et toutes les techniques d'enregistrement et grâce aussi au loisir dont il dispose pour les analyser) et se donne ainsi le moyen d'appréhender la logique du système qui échapperait à une vue partielle et discrète ; mais, dans la même mesure, il a toutes les chances d'ignorer le changement de statut épistémologique qu'il fait subir à la pratique et à ses produits et, du même coup, de s'acharner à chercher des solutions à des questions que la pratique ne pose pas et ne peut pas se poser, au lieu de se demander si le propre de la pratique indigène ne réside pas dans le fait qu'elle exclut ces questions [125].

Il faut donc reconnaître à la pratique une logique qui n'est pas celle de la logique pour éviter de lui demander plus de logique qu'elle n'en peut donner et de se condamner ainsi soit à lui extorquer des incohérences inintelligibles ou plutôt incomprises dans leur principe, soit à lui imposer une cohérence forcée [126]. La conversion du polythétique en monothétique, la juxtaposition dans la simultanéité de toutes les oppositions susceptibles d'être mises en œuvre successivement par des agents différents dans des situations différentes, bref l'établissement d'une série unique crée de toutes pièces une foule de relations qui ne peuvent manquer de se révéler problématiques, puisqu'elles sont exclues de la logique de la pratique : l'effort pour fixer en un système cohérent toutes les relations entre des traits culturels semblables mais dispersés dans l'ordre du temps (deux moments pouvant être définis par leur position relative – avant/après – et par leur ressemblance) et les relations entre des traits occupant des positions homologues dans la série temporelle se heurte à des contradictions parce que l'homogénéité de l'espace géométrique et la totalisation synoptique portent à mettre sur le même plan des oppositions de degré différent, donc pratiquement exclusives : par exemple, si l'on peut opposer *en-nissan*, période bénie, qui englobe les derniers jours du printemps et les premières chaleurs de l'été, la dernière période du « vert », du cru et du jeune, et la première période du sec, du mûr et du cuit, à *el husum*, période néfaste, située à la fin de *En-nayer* (janvier) et au début de *Furar* (février), on peut, étant à l'intérieur de *en-nissan* opposer « les verts » et « les jaunes », ou, étant à l'intérieur de *el husum*, une première partie, située à la fin de l'hiver et plus défavorable, elle-même divisée en jours « brûlés » et en jours « salés » ou « piquants », et une deuxième partie, située au début du printemps et moins défavorable, comme l'indiquent les noms de ses subdivisions, « les bénéfiques » et « les ouverts ». Étant donné que ces subdivisions sont produites et utilisées dans des situations différentes, on n'a jamais à se poser pratiquement la question théorique de la relation que chacune d'entre elles entretient avec l'unité supérieure ou, *a fortiori*, avec les subdivisions de son opposé. De même, il serait vain d'essayer d'établir une mise en relation systématique de deux séries telles que le cycle de la vie humaine et le cycle de l'année agraire, ou entre l'une ou l'autre de ces deux séries et la série des moments de la journée, qui sont pourtant suggérées expressément par une ou plusieurs relations partielles (*e. g.* soir : automne : : matin : printemps).

Si l'on permet, ici encore, une analogie en apparence ethnocentrique, on peut suggérer que le rapport entre la série construite des moments obéissant aux lois de la succession et les oppositions temporelles mises en pratique successivement, de telle manière qu'elles ne puissent se télescoper dans le même lieu, est homologue de la relation entre l'espace politique continu et homogène des échelles d'opinion et les prises de position politiques pratiques qui, toujours effectuées en fonction d'une situation particulière et d'interlocuteurs ou d'adversaires particuliers, mobilisent des oppositions de degré différent selon la distance politique entre les interlocuteurs (gauche : droite ou gauche de la gauche : droite de la gauche : : gauche de la gauche de la gauche : droite de la gauche de la gauche : : etc.) en sorte que le même agent peut se trouver successivement à sa propre droite et à sa propre gauche dans l'espace « absolu » de la géométrie, contredisant la troisième des lois de la succession. Bref, du fait que les oppositions fondamentales (ou les oppositions secondaires qui en sont dérivées) ne peuvent jamais se trouver mobilisées simultanément, la logique pratique ne peut jamais être confrontée aux incohérences que ferait surgir la juxtaposition d'oppositions construites sous des rapports différents et, en définitive, la « polythétie » est la condition du fonctionnement d'un système logique reposant sur le bon usage de la polysémie.

L'action du temps et le temps de l'action

L'effet de réification de la théorie que produit la conversion du polythétique en monothétique ne s'exerce jamais aussi intensément que lorsqu'il s'applique à des pratiques qui se définissent par le fait que leur structure temporelle, c'est-à-dire leur orientation et leur rythme, est constitutive de leur sens : toute manipulation de cette structure, inversion, accélération ou ralentissement, leur fait subir une déstructuration, irréductible à l'effet d'un simple changement d'axe de référence. Ainsi, on se rappelle que Lévi-Strauss, reprochant à Mauss de s'être situé au niveau d'une « phénoménologie » de l'échange de dons, opère une rupture tranchée avec l'expérience indigène et la théorie indigène de cette expérience pour poser que l'échange, en tant qu'objet construit, « constitue le phénomène primitif, et non les opérations discrètes en lesquelles la vie sociale le décompose [127] », ou, autrement dit, que les « lois mécaniques » du cycle de réciprocité sont le principe inconscient de l'obligation de donner, de l'obligation de rendre et de l'obligation de recevoir [128]. L'analyse « phénoménologique » et l'analyse objectiviste portent au jour deux aspects antagonistes de l'échange, le don tel qu'il est vécu ou, du moins, tel qu'il veut se vivre, et le don tel qu'il apparaît du dehors. S'arrêter à la vérité « objective » du don, c'est-à-dire au modèle, c'est écarter la question de la relation entre la vérité que l'on peut à peine appeler subjective, parce qu'elle représente la définition officielle de l'échange, et la vérité que l'on appelle objective. Il faut prendre au sérieux le fait que les agents vivent comme irréversible une séquence d'actions que l'observateur appréhende comme réversible, et que l'irréversibilité et la réversibilité sont également inscrites dans la vérité objective de cette pratique. L'appréhension totalisante ou, si l'on veut, monothétique substitue une structure objective fondamentalement définie par sa *réversibilité* à une succession tout aussi objectivement *irréversible* (et pas seulement vécue comme telle) de dons qui, comme le défi dans le modèle de l'honneur, ne sont pas mécaniquement liés à la réponse qu'ils appellent avec insistance : toute analyse objective de l'échange de dons, de paroles, de défis ou même de femmes doit en effet prendre en compte le fait que chacun de ces actes inauguraux peut tomber à faux et qu'il reçoit son sens, en tout cas, de la réplique qu'il déclenche, s'agirait-il d'une absence de réplique propre à lui ôter rétrospectivement son sens intentionnel. Dire que le don ne voit reconnu et consacré le sens que lui donnait son auteur que lorsque le contre-don est accompli, cela ne revient pas à restaurer sous d'autres mots la structure du cycle de réciprocité. Cela signifie que même si la réversibilité est la vérité objective des actes discrets et vécus comme tels que l'expérience commune met sous le nom d'échanges de dons, elle n'est pas la vérité complète d'une pratique qui ne pourrait exister si elle se percevait conformément au modèle. La structure temporelle de l'échange de dons, que l'objectivisme ignore et abolit, est ce qui rend possible la coexistence de deux vérités opposées qui définit le don dans sa pleine vérité : on observe en effet, en toute société, que, sous peine de constituer une offense, le contre-don doit être *différé* et *différent*, la restitution immédiate d'un objet exactement identique équivalant de toute évidence à un refus (*i. e.* à la restitution de l'objet) ; c'est dire que l'échange de dons s'oppose d'une part au donnant-donnant qui, comme le *modèle théorique de la structure du cycle de réciprocité*, télescope dans le même instant le don et le contre-don et, d'autre part, au *prêt*, dont la restitution explicitement garantie par un acte juridique est comme *déjà effectuée* dans l'instant même de l'établissement d'un contrat capable, en tant que tel, d'assurer la prévisibilité et la calculabilité des actes prescrits. S'il faut introduire dans le modèle la double différence, et tout particulièrement le *délai*, qu'abolit le modèle monothétique, ce n'est pas, comme le suggère Lévi-Strauss, pour obéir à un souci « phénoménologique » de restituer l'expérience vécue de la pratique de l'échange ; c'est que le fonctionnement de l'échange de dons suppose la méconnaissance de la vérité du « mécanisme » objectif de l'échange, celle-là même que la restitution immédiate dévoile brutalement : l'intervalle de temps qui sépare le don et le contre-don est ce qui permet de percevoir comme *irréversible* une structure d'échange toujours menacée d'apparaître et de s'apparaître comme réversible, c'est-à-dire comme à la fois *obligée* et *intéressée*. « Le trop grand empressement que l'on a de s'acquitter d'une obligation, dit La Rochefoucauld, est une espèce d'ingratitude. » Trahir la hâte que l'on éprouve d'être libéré de l'obligation contractée et manifester ainsi trop ostensiblement la volonté de payer les services rendus ou les dons reçus, d'être quitte, de ne rien devoir, c'est dénoncer rétrospectivement le don initial comme inspiré par l'intention d'obliger. Si tout est ici affaire de manière, c'est-à-dire, en ce cas, d'opportunité et d'à-propos, si le même acte (faire un don ou le rendre, offrir ses services, rendre une visite, etc.)

change complètement de sens selon son moment, c'est-à-dire selon qu'il vient à temps ou à contretemps, à propos ou hors de propos, s'il n'est guère d'échange important (offrandes à l'accouchée ou cadeaux à l'occasion du mariage) auquel on assigne *son* moment, c'est que le temps qui, comme on dit, *sépare* le don du contre-don autorise la bévue délibérée et le mensonge à soi-même collectivement soutenu et approuvé qui constitue la condition du fonctionnement de l'échange symbolique, cette fausse circulation de fausse monnaie : pour que le système fonctionne, il faut que les agents n'ignorent pas complètement les schèmes qui organisent leurs échanges et dont le modèle mécanique de l'anthropologue explicite la logique et en même temps qu'ils se refusent à connaître et à reconnaître cette logique[129]. Bref, tout se passe comme si la pratique des agents, et, en particulier, la manipulation qu'ils font subir à la *durée*, s'organisait tout entière en vue de dissimuler, à soi et aux autres, la vérité de la pratique que l'ethnologue et ses modèles portent au jour en substituant purement et simplement le modèle intemporel au schème qui ne s'effectue qu'en son temps et dans le temps.

Mais, en outre, abolir l'intervalle, c'est abolir la stratégie. Cette période intercalaire, qui ne doit pas être trop courte (comme on le voit bien dans l'échange de dons) mais qui ne peut pas être trop longue (en particulier dans l'échange de meurtres de la vengeance), est tout le contraire du temps mort, du temps pour rien, qu'en fait le modèle objectiviste. Aussi longtemps qu'il n'a pas rendu, celui qui a reçu est un *obligé*, tenu de manifester sa gratitude envers son bienfaiteur ou, en tout cas, d'avoir des égards pour lui, de le ménager, de ne pas employer contre lui toutes les armes dont il dispose, sous peine d'être accusé d'ingratitude et de se voir condamné par « la parole des gens », qui décide du sens objectif des actions. Celui qui n'a pas vengé le meurtre, racheté sa terre possédée par une famille rivale, marié ses filles à temps, voit son capital entamé, chaque jour davantage, par le temps qui passe ; à moins qu'il ne soit capable de transformer le *retard* en retardement stratégique : différer la restitution du don ou la vengeance, cela peut être une façon de tenir le partenaire-adversaire dans l'incertitude de ses propres intentions, le point étant impossible à fixer, comme le moment réellement maléfique dans les périodes funestes du calendrier rituel, où la courbe rebrousse, la non-réponse cessant d'être négligence pour devenir refus méprisant ; c'est aussi une façon de lui imposer les conduites déférentes qui s'imposent aussi longtemps que les relations ne sont pas rompues ; c'est enfin, dans le cas de la vengeance, user sa patience par une menace toujours suspendue et conserver l'avantage de l'initiative. On comprend dans cette logique que celui dont on demande la fille se doive de répondre le plus rapidement possible si sa réponse est négative, sous peine de paraître abuser de son avantage et d'offenser le demandeur, alors qu'il est libre au contraire de différer autant qu'il le peut la réponse positive, pour maintenir l'avantage conjoncturel que lui donne sa position de sollicité et qu'il perdra d'un coup, au moment où il donnera son accord définitif. Tout se passe comme si la ritualisation des interactions avait pour effet de donner toute son efficacité sociale au temps, jamais aussi agissant que dans ces moments où il ne se passe rien, sinon du temps : le temps, dit-on, travaille pour lui ; l'inverse peut être vrai aussi. C'est dire que le temps tient son efficacité de l'état de la structure des relations dans laquelle il intervient ; ce qui ne signifie pas que le modèle de cette structure puisse en faire abstraction. Lorsque le déroulement de l'action est très fortement ritualisé, comme dans la dialectique de l'offense et de la vengeance, il y a encore place pour les stratégies qui consistent à jouer avec le temps ou, mieux, avec le *tempo* de l'action, en laissant traîner la vengeance et en perpétuant ainsi la menace ; et il en est ainsi, à plus forte raison, dans toutes les actions moins strictement réglées qui offrent libre carrière aux stratégies visant à tirer parti des possibilités offertes par la manipulation du tempo de l'action, soit temporiser ou atermoyer, ajourner ou différer, faire attendre et faire espérer, ou, au contraire, brusquer, précipiter, devancer, prendre de court, surprendre, prendre les devants, sans parler de l'art d'offrir ostentatoirement du temps (« consacrer son temps à quelqu'un ») ou au contraire de le refuser (manière de faire sentir qu'on réserve un « temps précieux »).

Soit un exemple de la stratégie très généralement employée pour engager une discussion d'affaires avec une personne familière ou lui présenter une demande intéressée. A vient voir B (garagiste) sur le lieu de son travail pour le consulter à propos de l'achat d'une voiture d'occasion : le premier temps est consacré à des plaisanteries, à l'évocation de souvenirs communs (champignons offerts par A à B) qui donnent matière à de nouvelles plaisanteries quasi rituelles (sur la gourmandise de B) ; le deuxième temps, directement consacré à l'affaire, est marqué par un changement de ton destiné à manifester l'intérêt et le sérieux que le solliciteur et le sollicité accordent à la question débattue, le ton de la plaisanterie réapparaissant de loin en loin, mais seulement par brèves échappées, destinées à assurer la transition ; l'affaire conclue (« je vais faire de mon mieux », « d'accord, tu le fais »), la conversation se poursuit sur le ton de la badinerie, entrecoupée de retours à l'affaire qui deviennent de plus en plus rares tandis que les plaisanteries se multiplient sur différents thèmes (B a prêté son fusil à A et aussi son permis...) dont la gourmandise de B ; par cette transition, la prise de congé se fait naturellement, A demande à B : « Tu es invité à la noce ? » (sans plus de précision, étant ordonné qu'il ne peut s'agir que d'une noce et d'une seule ; au point que la question est structurellement « rituelle », B sachant la réponse). « Oui. – Et tu sais le menu ? – Non, c'est ce qui m'embête ! – Ah, celui-là ! »

L'objectivisme réduirait aussitôt cette séquence d'actions, si tant est qu'il puisse l'appréhender, à la règle qui veut que le solliciteur évite d'en venir directement au fait : en réalité, pareil ensemble quasi concerté d'actions quasi rituelles s'observerait sans doute en toute rencontre du même type, c'est-à-dire toutes les fois qu'une relation continûment entretenue comme en elle-même et pour elle-même (par l'échange de cadeaux, de services et de visites) est mise au service d'une fonction intéressée, et que cette utilisation ponctuelle qui menace de rejaillir sur toute la série des échanges antérieurs, ainsi rétrospectivement finalisés, et de les faire apparaître comme objectivement orientés vers cette fin (au double sens du terme) strictement intéressée doit être réinsérée, et ainsi camouflée, dans la série des échanges passés (objet ici d'évocations explicites) en même temps que dans une interaction qui reproduit, dans son déroulement même, toute l'histoire des interactions antérieures, entourant le temps de l'échange intéressé de deux moments de pure gratuité.

On sait par exemple tout le parti que le détenteur d'un pouvoir transmissible peut tirer de l'art d'en différer la transmission et de maintenir l'indétermination et l'incertitude sur ses intentions ultimes. Cela sans oublier toutes les stratégies qui, n'ayant d'autre fonction que de neutraliser l'action du temps et d'assurer la continuité des relations sociales, visent à produire du continu avec du discontinu, à la façon des mathématiciens, en multipliant à l'infini l'infiniment petit, sous la forme par exemple de ces « petits cadeaux » dont on dit qu'« ils entretiennent l'amitié » (« Ô cadeau – *thunticht*, pluriel *thuntichin* –, tu ne m'enrichis pas mais tu noues l'amitié »). Les petits cadeaux doivent être de faible valeur, donc faciles à rendre, donc faits pour être rendus et rendus facilement ; mais ils doivent être *fréquents* et en quelque sorte continus, ce qui implique qu'ils fonctionnement dans la logique de la « surprise » ou de l'« attention » (qui sont aussi cadeau) plus que selon les mécanismes du rituel. Ces présents destinés à entretenir l'ordre ordinaire des relations familières consistent à peu près toujours en un plat de nourriture cuite, de couscous (accompagné d'un morceau de fromage, lorsqu'ils marquent le premier lait d'une vache) et suivent le cours ordinaire des petites réjouissances familiales, celles du troisième ou du septième jour après la naissance, de la première dent ou du premier pas du bébé, de la première coupe de cheveux, du premier marché ou du premier jeûne du garçon ; associés à des moments du cycle de vie des hommes ou de la terre, ils engagent ceux qui entendent *faire part* de leur joie et ceux qui, en contrepartie, *prennent part* à cette joie, dans un véritable rite de fécondité : on ne rend jamais le récipient dans lequel était contenu le cadeau sans y mettre, « pour le bon augure » (*el fal*), un peu de blé, de semoule (jamais de l'orge, plante féminine, symbole de fragilité) ou, mieux, des légumes secs, pois chiches, lentilles, etc., appelés *ajedjig*, fleur, offerts afin que « le garçon (qui est l'occasion de l'échange) fleurisse », qu'il pousse fort et produise des fruits. Les Kabyles opposent clairement ces présents ordinaires (auxquels il faut ajouter certains de ceux qu'ils désignent du nom de *tharzefth* et qui sont faits à l'occasion des visites) aux présents extraordinaires, *lkhir* ou *lehna*, offerts lors des grandes fêtes appelées *thimeghriwin* (sing. *thameghra*), mariages, naissances, circoncisions. Et, de fait, les petits cadeaux entre parents et voisins sont au cadeau en argent et en œufs qu'offrent les alliés éloignés tant dans l'espace que dans la généalogie, et aussi dans le temps – puisqu'on ne les voit que de loin en loin, de manière discontinue, dans les « grandes occasions » – et qui, par son importance et sa solennité, est toujours une sorte de défi contrôlé, ce que les mariages sans histoire de l'endogamie de lignée-voisinage, si fréquents et si étroitement insérés dans la trame des échanges ordinaires entre cousins-voisins qu'ils passent complètement inaperçus, sont aux mariages extra-ordinaires, entre villages ou tribus différents, destinés parfois à sceller des alliances ou des réconciliations, toujours marqués par des cérémonies solennelles, plus prestigieux mais aussi infiniment plus périlleux.

On voit combien on est loin de l'enchaînement mécanique d'actions à l'avance réglées que l'on associe communément à la notion de rituel : seul le virtuose parfaitement maître de son « art de vivre » peut jouer de toutes les ressources que lui offrent les ambiguïtés et les indéterminations des conduites et des situations pour produire les actions qui conviennent en chaque cas, pour faire « *ce qu'il y avait à faire* », ce dont on dira qu'« il n'y avait pas autre chose à faire », et le faire comme il faut. Loin aussi des normes et des règles : sans doute connaît-on, ici comme ailleurs, les fautes de langue, les maladresses et les bévues ; et aussi les grammairiens des convenances qui savent dire, et fort bien, ce qu'il est bien de faire et de dire, mais qui, à la différence des ethnologues, ne prétendent pas enfermer dans un catalogue des situations récurrentes et des stratégies de riposte correspondantes l'« art » de l'*improvisation nécessaire* qui définit l'excellence.

Pour restituer à la pratique sa vérité pratique d'improvisation réglée et sa *fonction* qui, dans sa définition complète, peut englober, comme dans le cas de l'échange, la dissimulation des fonctions objectives[130], il faut réintroduire le temps dans la représentation théorique d'une pratique temporellement structurée, donc intrinsèquement définie par son *tempo*. Le schème générateur et organisateur, celui qui donne son unité à une discussion ou son « fil » à un discours improvisé et qui n'a pas besoin d'accéder à l'expression consciente pour s'effectuer et même se communiquer, est un principe de sélection et d'effectuation souvent imprécis, mais systématique, qui, par des retouches et des corrections discontinues et pourtant orientées, tend à éliminer les accidents lorsqu'il est impossible d'en tirer parti et à conserver les réussites, même fortuites : de même que le joueur d'échecs « voit » toute une série de coups à venir dans la configuration présente du jeu, de même, on « voit » ce que quelqu'un « veut dire » ou « veut faire » dans ce qu'il dit et ce qu'il fait et même malgré ce qu'il dit et ce qu'il fait, comme dans le cas du lapsus. C'est donc la pratique dans ce qu'elle a de plus spécifique que l'on anéantit en identifiant le schème au modèle, se condamnant ainsi à changer la nécessité rétrospective en nécessité prospective, ou, plus simplement, le produit en projet, l'advenu, qui ne peut plus ne pas arriver, en avenir de l'action qui l'a fait advenir ; c'est poser implicitement, avec Diodore, que ce dont il est vrai de dire qu'il sera, il faudra bien qu'il soit vrai un jour de dire qu'il est [131] ou encore, selon un autre paradoxe, qu'« aujourd'hui est demain puisque hier demain était aujourd'hui ». Toute l'expérience de la pratique contredit ces paradoxes et rappelle que les cycles de réciprocité ne sont pas de ces engrenages mécaniques de pratiques obligées qui n'existent que dans la tragédie antique : le don peut rester sans contrepartie, lorsqu'on oblige un ingrat ; il peut être repoussé comme une offense [132]. Il suffit que la possibilité existe qu'il en aille autrement que ne le veut la « loi mécanique » du « cycle de réciprocité », pour que toute la logique de la pratique s'en trouve changée. Même dans le cas où les habitus des agents sont parfaitement harmonisés et où l'enchaînement des actions et des réactions est entièrement prévisible *du dehors*, l'incertitude sur l'issue de l'interaction demeure, aussi longtemps que la séquence n'est pas achevée. Cette incertitude – qui trouve son fondement objectif dans la logique probabiliste des lois sociales – suffit à modifier non seulement l'expérience de la pratique (que décrit l'analyse phénoménologique, plus attentive que l'objectivisme à la temporalité de l'action) mais la pratique elle-même, en donnant une raison d'être à des *stratégies* qui peuvent avoir pour objectif d'éviter l'issue la plus probable. Le passage de la probabilité la plus élevée à la certitude absolue est un saut qualitatif qui n'est pas proportionné à l'écart numérique.

Substituer la *stratégie* à la *règle*, c'est réintroduire le temps, avec son rythme, son orientation, son irréversibilité. Il y a un temps de la science qui n'est pas le temps de la pratique. Pour l'analyste, le temps ne compte plus : non seulement parce que, comme on l'a beaucoup répété depuis Max Weber, tout étant déjà advenu, il ne peut avoir d'incertitude sur ce qui peut advenir, mais aussi parce qu'il a le temps de totaliser, c'est-à-dire de surmonter les effets du temps, alors que l'agent est pris dans l'urgence. La pratique scientifique est si « détemporalisée » qu'elle tend à exclure même l'idée de ce qu'elle exclut : parce que la science n'est possible que dans un rapport au temps qui s'oppose à celui de la pratique, elle tend à ignorer le temps et, par là, à réifier les pratiques (c'est dire, une fois encore, que la réflexion épistémologique est constitutive de la pratique scientifique elle-même : pour comprendre ce qu'est la pratique – et en particulier les propriétés qu'elle doit au fait qu'elle se déroule dans le temps –, il faut donc savoir ce qu'est la science – et en particulier ce qui est impliqué dans la temporalité spécifique de la pratique scientifique). La mise entre parenthèses du temps est un des effets que produit la science lorsqu'elle oublie ce qu'elle fait à des pratiques inscrites dans la durée, c'est-à-dire détotalisées, par le seul fait de les totaliser (par exemple, avec l'appréhension synoptique autorisée par le schéma).

Bref, l'illusion rétrospective qui est impliquée dans la confusion du schème et du modèle ne laisse d'autre choix que de faire comme si la représentation de la pratique avait coïncidé avec la vérité objective de cette pratique, le modèle théorique s'identifiant alors au plan explicite de l'action en train de s'accomplir, ou comme si la pratique s'était réglée de manière entièrement inconsciente sur le modèle théorique de l'action en train de s'effectuer. En fait, le schème qui « importe de l'ordre dans l'action » n'est ni un « plan » consciemment établi à l'avance qu'il suffirait d'exécuter (« ce qui se conçoit bien s'énonce clairement ») ni un « inconscient » qui orienterait mécaniquement l'action. Faute de la théorie adéquate de la pratique qui conduit à la construction du concept d'habitus, on se condamne à réduire le *système des propositions théoriques* que la science construit pour rendre raison des pratiques soit au programme prédéterminé d'un mécanisme simple, fonctionnant selon un schéma probabiliste de type markovien, soit à un répertoire de solutions typiques où les agents iraient puiser, comme dans le colombier dont parle Platon, les « coups » indispensables à leur pratique, soit encore au corpus de normes auxquelles les agents obéiraient consciemment. A moins qu'on mette, à la façon de Chomsky, les règles dans le cerveau, « incorporant » en quelque sorte le modèle construit : « Une personne qui connaît une langue possède dans son cerveau un système très abstrait de structures en même temps qu'un système abstrait de règles qui déterminent, par libre itération, une infinité de correspondances son-sens [133]. »

Le capital symbolique

La construction théorique qui projette rétrospectivement le contre-don dans le projet du don n'a pas pour effet seulement de transformer en enchaînements mécaniques d'actes obligés les improvisations à la fois automatiques et contrôlées, hasardeuses et nécessaires, des stratégies quotidiennes qui doivent leur infinie complexité au fait que le calcul inavoué du donateur doit compter avec le calcul inavoué du donataire, donc satisfaire à ses exigences en ayant l'air de les ignorer. Elle fait disparaître, dans la même opération, les conditions de possibilité de la *méconnaissance institutionnellement organisée et garantie*[134] qui est au principe de l'échange de dons, et peut-être, de tout le travail symbolique visant à transmuer, par la communication et la coopération, les relations inévitables qu'imposent la parenté, le voisinage ou le travail, en relations électives de réciprocité : dans le *travail de reproduction des relations établies* – fêtes, cérémonies, échanges de dons, de visites ou de politesses et surtout mariages –, qui n'est pas moins indispensable à l'existence du groupe que la reproduction des fondements économiques de son existence, le travail nécessaire pour dissimuler la fonction des échanges entre pour une part qui n'est pas moins importante que le travail exigé pour le remplissement de la fonction[135]. S'il est vrai que l'intervalle de temps interposé est ce qui permet au don ou au contre-don d'apparaître et de s'apparaître comme autant d'actes inauguraux de générosité, sans passé ni avenir, c'est-à-dire sans *calcul*, on voit qu'en réduisant le polythétique au monothétique l'objectivisme anéantit la vérité de toutes les pratiques qui, comme l'échange de dons, tendent ou prétendent à suspendre pour un temps l'exercice de la loi de l'intérêt. Parce qu'il dissimule, en l'étalant dans le temps, la transaction que le contrat rationnel resserre dans l'instant, l'échange de dons est le seul mode de circulation des biens à être sinon pratiqué, du moins pleinement reconnu, en des sociétés qui, selon le mot de Lukacs, nient « le sol véritable de leur vie » et qui, comme si elles ne voulaient et ne pouvaient conférer aux réalités économiques leur sens purement économique, ont une économie en soi et non pour soi. Tout se passe en effet comme si le propre de l'économie « archaïque » résidait dans le fait que l'action économique ne peut reconnaître explicitement les fins économiques par rapport auxquelles elle est objectivement orientée : « l'idolâtrie de la nature » qui interdit la constitution de la nature comme matière première et du même coup la constitution de l'action humaine comme *travail*, c'est-à-dire comme lutte agressive de l'homme contre la nature extérieure, et l'accentuation systématique de l'aspect symbolique des actes et des rapports de production tendent à empêcher la constitution de l'économie en tant que telle, c'est-à-dire en tant que système régi par les lois du calcul intéressé, de la concurrence ou de l'exploitation.

L'effet de réification de la théorie qui était à la racine du juridisme est aussi au principe de l'économisme : en tant qu'il réduit cette économie à sa vérité objective, il ne peut qu'en anéantir la spécificité qui réside précisément dans le décalage socialement entretenu entre la vérité objective connue-méconnue ou, si l'on veut, socialement refoulée, de l'activité économique et la représentation sociale de la production et de l'échange. Ce n'est pas un hasard si le lexique de l'économie archaïque est tout entier fait de ces notions à double face que l'histoire même de l'économie voue à la dissociation parce que, en raison de leur dualité, les relations sociales qu'il désigne représentent autant de structures instables, condamnées à se dédoubler dès que s'affaiblissent les mécanismes sociaux visant à les soutenir. Ainsi, pour prendre un exemple extrême, la *rahnia*, contrat d'antichrèse par lequel l'emprunteur cède au prêteur l'usufruit d'une terre jusqu'à la date du remboursement et qui est tenu pour la forme la plus odieuse de l'usure lorsqu'elle conduit à la dépossession, n'est séparée que par la qualité sociale de la relation entre les parties, et du même coup par les modalités de la convention, de l'assistance accordée à un parent dans la détresse pour lui éviter de vendre une terre qui, lors même que l'usage en est laissé à son propriétaire, constitue une sorte de gage [136]. « Ce sont justement les Romains et les Grecs, écrit Mauss, qui, peut-être à la suite des Sémites du Nord et de l'Ouest, ont inventé la distinction des droits personnels et des droits réels, séparé la vente du don et de l'échange, isolé l'obligation morale et le contrat, et surtout conçu la différence qu'il y a entre des rites, des droits et des intérêts. Ce sont eux qui, par une véritable, grande et vénérable révolution ont dépassé toute cette moralité vieillie et cette économie du don trop chanceuse, trop dispendieuse et trop somptuaire, encombrée de considérations de personnes, incompatible avec un développement du marché, du commerce et de la production et au fond, à l'époque, antiéconomique[137]. » Les situations historiques dans lesquelles s'opère la dissociation conduisant des structures instables, artificiellement maintenues, de l'économie de la bonne foi aux structures *claires et économiques* (par opposition à dispendieuses) de l'économie de l'intérêt sans masque font voir ce qu'il en coûte de faire fonctionner une économie qui, en refusant de se reconnaître et de s'avouer comme telle, se condamne à dépenser à peu près autant d'ingéniosité et d'énergie pour dissimuler la vérité des actes économiques que pour les accomplir : la généralisation des échanges monétaires qui dévoile les mécanismes objectifs de l'économie porte au jour du même coup les mécanismes institutionnels, propres à l'économie archaïque, qui ont pour fonction de limiter et de dissimuler le jeu de l'intérêt et du calcul économiques (au sens restreint). Ainsi, par exemple, un maçon réputé, qui avait appris son métier en France, fit scandale, autour de 1955, en rentrant chez lui, son travail terminé, sans prendre le repas traditionnellement offert en son honneur lors de la construction des maisons, et en demandant, en plus du prix de sa journée de travail (1 000 francs), un dédommagement de 200 francs, pour le prix du repas : réclamer l'équivalent en monnaie du repas, c'était opérer un renversement sacrilège de la formule par laquelle l'alchimie symbolique visait à transfigurer le prix du travail en don gracieux, dévoilant ainsi le procédé le plus constamment utilisé pour sauver les apparences par un faire-semblant collectivement concerté. En tant qu'acte d'échange par lequel on scelle les alliances (« je mets entre nous la galette et le sel »), le repas final, lors de la *thiwizi* de la moisson ou de la construction d'une maison, était prédisposé à jouer le rôle d'un *rite de clôture* destiné à transfigurer rétrospectivement une transaction intéressée en échange généreux (à la façon des dons qui couronnent les marchandages)[138]. Alors que l'on accordait la plus grande indulgence aux subterfuges que certains employaient pour minimiser les frais entraînés par les repas marquant la fin de la *thiwizi* (soit par exemple l'invitation des seuls « notables » de chaque groupe, ou d'un homme par famille), manquement aux principes où s'exprimait encore la reconnaissance de la légitimité des principes, on ne peut manquer de ressentir comme un scandale ou une provocation la prétention de celui qui, en proclamant la convertibilité du repas en monnaie, trahit le mieux et le plus mal gardé des secrets, puisque tout le monde en a la garde, et qui viole la loi du silence assurant à l'économie de la bonne foi la complicité de la mauvaise foi collective.

L'*économie de la bonne foi* appelle cette étrange incarnation de l'*homo economicus* qu'est le *bu niya* (ou *bab niya*), l'homme de la bonne foi (*niya* ou *thi'ugganth*, de *a'ggun*, l'enfant qui ne parle pas encore, par opposition à *thahraymith*, l'intelligence calculatrice et technicienne) qui ne songerait pas à vendre à un autre paysan certains produits de consommation immédiate (lait, beurre et fromages, légumes et fruits) toujours distribués aux amis ou aux voisins, qui ne pratique aucun échange faisant intervenir la monnaie et qui n'établit que des relations fondées sur la confiance entière et, à la différence du maquignon, ignore les garanties dont s'entourent les transactions mercantiles, témoins, gages, actes écrits. La loi générale des échanges fait que les conventions sont d'autant plus faciles à instaurer (donc d'autant plus fréquentes) et d'autant plus complètement abandonnées à la bonne foi que les individus ou les groupes qu'elles unissent sont plus proches dans la généalogie ; inversement, à mesure que la relation devient plus impersonnelle, c'est-à-dire à mesure que l'on va de la relation entre frères à la relation entre ces quasi-étrangers que sont les habitants de deux villages différents, ou même entre étrangers, la transaction a de moins en moins de chances de s'établir mais elle peut devenir et devient de plus en plus purement « économique », c'est-à-dire de plus en plus conforme à sa vérité économique, et le calcul intéressé qui n'est jamais absent de l'échange le plus généreux, transaction où les deux parties trouvent leur compte, donc comptent, peut se dévoiler de plus en plus ouvertement. Ainsi s'explique, par exemple, que la réticence que suscite le recours à des garanties formelles croît à mesure que décroît la distance sociale entre les contractants et à mesure que les garanties invoquées sont plus solennelles, parce que les autorités chargées de les authentifier et de les imposer sont plus lointaines et/ou plus consacrées (soit d'abord la parole des témoins, d'autant plus convaincante que les témoins sont plus éloignés et plus influents, puis le simple papier de lettré non spécialisé dans la production d'actes écrits, puis le contrat devant un *taleb*, fournissant une garantie religieuse mais non juridique (on dit qu'il ne peut être « enregistré ») et moins solennel lorsqu'il est établi par le *taleb* du village que par un *taleb* réputé, puis l'écrit du *cadi* et enfin l'acte passé devant un notaire) : on ne peut sans faire offense prétendre authentifier une transaction de confiance entre gens de confiance et *a fortiori* entre parents devant un notaire, un *cadi* ou même des témoins. De même la part du dommage que les partenaires acceptent d'assumer lorsqu'un accident survient à une bête peut varier du tout au tout selon l'appréciation des responsabilités qu'ils sont portés à faire en fonction de la relation qui les unit, celui qui a confié une bête à un parent très proche se devant de minimiser la responsabilité de son partenaire. C'est par un contrat en bonne et due forme passé devant le *cadi* ou devant des témoins que les Kabyles confiaient leurs bœufs en gardiennage aux nomades du Sud, pour une, deux ou trois saisons de travail (de l'automne à l'automne) contre vingt-deux doubles décalitres d'orge par bœuf et par an, avec partage des dommages en cas de perte et des bénéfices en cas de vente. Les transactions à l'amiable entre parents et alliés sont aux transactions du marché ce que la guerre rituelle est à la guerre totale. On oppose traditionnellement « les denrées ou les bêtes de *fellah* » et « les denrées ou les bêtes du marché » : les vieux informateurs sont tous intarissables lorsqu'il s'agit d'évoquer les ruses et les fourberies qui sont de bonne guerre sur les « grands marchés » (les plus souvent cités par les informateurs kabyles étant ceux de Bordj bou Arriridj, Akbou, Sidi Aïch, Bouira et Maison Carrée et, pour les bêtes de somme en particulier, Kroubs, Souk Aras), c'est-à-dire dans les échanges avec les inconnus. Ce ne sont qu'histoires de mulets qui se sauvent à peine rendus chez le nouvel acheteur, de bœufs que l'on frotte avec une plante qui fait enfler (*adriis*) – et qui, à ce titre, intervient souvent dans les rites de fécondité – afin de les faire paraître plus gras, d'acheteurs qui se concertent pour proposer un prix très bas et contraindre ainsi à la vente. L'incarnation de la guerre économique est le maquignon, l'homme sans foi ni loi. On se garde de lui acheter des bêtes de même qu'à toute personne complètement inconnue : comme l'indiquait un informateur, pour des biens sans équivoque, comme les terres, c'est le choix de la chose achetée qui commande le choix de l'acheteur ; pour des biens équivoques, comme les bêtes de somme, mulets en particulier, c'est le choix du vendeur qui décide et l'on s'efforce au moins de substituer une relation personnalisée (« de la part de ») à une relation complètement impersonnelle et anonyme. On trouve tous les passages : depuis la transaction fondée sur la défiance totale, telle celle qui s'établit entre le paysan et le maquignon, incapable d'exiger et d'obtenir des garanties parce que incapable de garantir la qualité de son produit et de trouver des garants, jusqu'à l'échange d'honneur qui peut ignorer les conditions et se fonder sur la seule bonne foi des « contractants ». Mais, dans la grande majorité des transactions, les notions d'acheteur et de vendeur tendent à se dissoudre dans le réseau des intermédiaires et des garants qui visent à transformer la relation purement économique entre l'offre et la demande en une relation généalogiquement fondée et garantie. Le mariage lui-même ne fait pas exception qui, sans parler du mariage avec la cousine parallèle, s'établit à peu près toujours entre des familles déjà unies par tout un réseau d'échanges antérieurs, véritable caution de la convention particulière. Il est significatif que, dans la première phase des négociations très complexes qui conduisent à la conclusion du mariage, les deux familles fassent intervenir, au titre de « garants », des parents ou des alliés de grand prestige, le *capital symbolique* ainsi exhibé constituant à la fois une arme dans la négociation et une garantie de l'accord conclu.

De la même façon, les discours indignés que suscitent les conduites hérétiques des paysans dépaysannés attirent l'attention sur les mécanismes qui inclinaient le paysan à entretenir une relation enchantée avec la terre et lui interdisaient de découvrir sa *peine* comme un *travail* : « C'est un sacrilège, ils ont profané la terre ; ils ont aboli la crainte (*elhiba*). Rien ne les effraie, rien ne les arrête, ils mènent tout de travers. Je suis sûr qu'ils finiront par labourer pendant *lakhrif* (la saison des figues, transition entre l'été et l'automne) s'ils sont trop pressés et s'ils comptent consacrer *lahlal* (période licite pour les labours, au début de l'automne) à d'autres occupations ou pendant *rbi'* (le printemps) s'ils ont été trop paresseux pendant *lahlal*. Tout leur est égal. »

Les rites prophylactiques auxquels donnent lieu les labours (ou le tissage, son homologue féminin) et la moisson remplissent en effet une fonction de dissimulation de la vérité objective de la pratique et sont à la production, au moins sous ce rapport, ce que les subtilités de l'échange de dons sont à la circulation. Tout se passe en effet comme si les rites collectifs les plus solennels (sacrifice collectif de l'ouverture des labours, rites de la moisson) avaient pour fonction de masquer la contradiction que la division opérée par les schèmes de la vision mythico-rituelle du monde fait surgir et d'autoriser la *coïncidentia oppositorum*, la rencontre des contraintes que la *diacrisis* originaire a séparés : d'un mot, le rite doit réunir ce que le mythe a divisé. Les grands moments de l'année agricole, ceux que Marx désigne comme périodes de *travail*, sont marqués par des rites prophylactiques, qui s'opposent par leur gravité, leur solennité, leur impérativité, aux rites propitiatoires des périodes de production (*i. e.* de l'hiver et du printemps), dont la seule fonction est en quelque sorte d'assister magiquement la *nature en travail*[139]. Laissée à elle-même, la nature va vers la gauche, la friche et la stérilité ; à la façon de la femme, tordue et maligne, elle ne peut produire ses bienfaits que si elle est soumise à la violence fécondante de l'homme, ouverte, forcée, dressée, redressée, amendée, émondée. Le labour et la moisson, en tant qu'ils appartiennent à la classe des opérations d'accouplement (du soc et de la terre – labour –, du feu et de l'eau – trempe du fer – et des sexes – mariage) et de coupure (du blé, du tissage, de la gorge du bœuf sacrifié), sont des actes objectivement rituels qui doivent être transfigurés par des opérations rituelles, mais intentionnelles et contrôlées : les rites qui accompagnent les labours ou le mariage ont pour fonction de dissimuler et de rendre licite la collision inévitable des deux principes opposés qu'opère l'action du paysan, contraint de forcer la nature, de lui faire viol et violence, en mettant en œuvre des instruments par soi redoutables, puisque produits par le forgeron, maître du feu, le soc, le couteau, la faucille et le métier à tisser ; quant au rite par lequel le maître du champ simule l'égorgement de la dernière gerbe, il ne peut se comprendre que comme la transfiguration du meurtre inévitable en sacrifice inscrit dans le cycle des saisons, donc aboli par la certitude de l'éternelle renaissance. Et toute la pratique du paysan actualise, sur un autre mode, l'intention objective que révèle l'analyse du rituel. Jamais traitée comme matière première qu'il s'agirait d'exploiter, la terre est l'objet d'un respect mêlé de crainte (*elhiba*) : elle saura, dit-on, « exiger des comptes » et tirer réparation des mauvais traitements que lui inflige le paysan précipité ou maladroit. Le paysan accompli se « présente » à la terre avec l'attitude qui convient à un homme et devant un homme, c'est-à-dire face à face, dans la disposition de familiarité confiante qui convient envers un parent respecté. Il ne saurait déléguer le soin de mener l'attelage pendant le labour et laisse seulement aux « clients » (*ichikran*) le soin de piocher la terre après le passage de la charrue : « Les vieux disaient qu'il fallait être le maître de la terre pour labourer comme il faut. Les jeunes étaient exclus : c'eût été faire injure à la terre que de lui "présenter" (*qabel*) des hommes qu'on n'oserait présenter à d'autres hommes. » « C'est celui qui fait face (reçoit) aux hommes, dit le proverbe, qui doit faire face à la terre. » Le paysan ne travaille pas à proprement parler, il peine, selon l'opposition que faisait Hésiode entre *ponos* et *ergon*. « Donne à la terre, elle te donnera », dit le proverbe. On peut entendre que la nature, obéissant à la logique de l'échange de dons, n'accorde ses bienfaits (qu'il faudrait écrire ses biens faits) qu'à ceux qui lui donnent leur peine en tribut. Et la conduite de ces hérétiques qui laissent à des jeunes le soin « d'ouvrir la terre et d'y enfouir la richesse de l'année nouvelle » détermine les anciens à exprimer le principe de la relation entre l'homme et la terre qui pouvait demeurer informulé aussi longtemps qu'il allait de soi : « La terre ne donne plus parce qu'on ne lui donne rien. On se moque ouvertement de la terre et c'est justice qu'en retour elle nous paie aussi de mensonges. » L'homme qui se respecte doit toujours être occupé à quelque chose : s'il ne trouve rien à faire, « qu'il taille au moins sa cuillère ». Autant qu'un impératif économique, l'activité est un devoir de la vie collective. Ce qui est valorisé, c'est l'activité en elle-même, indépendamment de sa fonction proprement économique, en tant qu'elle apparaît comme conforme à la fonction propre de celui qui l'accomplit [140]. Seule l'application de catégories étrangères à l'expérience du paysan (celles que la domination économique et la généralisation des échanges monétaires ont imposées) fait surgir la distinction entre l'aspect technique et l'aspect symbolique ou rituel de l'activité agricole ou encore entre le travail productif et le travail non productif. Accomplies à l'intérieur d'un cycle cosmique qu'elles scandent, les tâches agricoles, *horia érga*, comme disaient les Grecs, s'imposent avec la rigueur des devoirs traditionnels, au même titre que les actions rituelles qui en sont inséparables. Remplir sa tâche d'homme, c'est se conformer à l'ordre social, c'est-à-dire, fondamentalement, en respecter les rythmes, suivre la mesure, ne pas aller à contretemps. « Ne nous nourrissons-nous pas tous à la même heure ? » « N'accomplissons-nous pas les mêmes actes aux mêmes heures et les mêmes travaux aux mêmes époques ? » Ces différentes manières de réaffirmer la solidarité enferment une définition implicite de la vertu fondamentale, à savoir la conformité dont l'envers est la volonté de se singulariser. Travailler quand les autres se reposent, demeurer à la maison quand les autres travaillent aux champs, aller par les routes quand elles sont désertes, traîner par les rues du village quand les autres dorment ou sont au marché, autant de conduites suspectes. On appelle *amkhalef* (de *khalef*, se singulariser, contrevenir) l'original qui ne fait rien comme les autres, et l'on fait remarquer, en jouant sur les racines, que *amkhalef* c'est aussi celui qui est en retard (de *khellef*, laisser en arrière). Observer les rythmes collectifs, c'est se conformer à l'ordre du monde, « *Zên katà phùsin*, vivre conformément à la nature », c'est-à-dire à la nature rythmée par la coutume, avec son alternance de temps faibles et de temps forts, de travaux quotidiens et de fêtes.

La distinction entre le travail productif et le travail improductif ou entre le travail rentable et le travail non rentable étant ignorée, l'économie archaïque ne connaît que l'opposition entre le paresseux qui manque à son devoir social et le travailleur qui accomplit sa fonction propre, socialement définie, quel que puisse être le produit de son effort. Tout concourt à masquer la relation entre le travail et son produit. Ainsi l'opposition que fait Marx entre le *temps de travail* proprement dit – c'est-à-dire la période consacrée aux labours et à la moisson – et le *temps de production* – soit les neuf mois environ qui séparent les semailles de la moisson et pendant lesquels le travail réellement productif est à peu près inexistant – se trouve pratiquement dissimulée par la continuité apparente que confèrent à l'activité agricole les innombrables petits travaux destinés à assister la nature en travail, actes indissociablement techniques et rituels, dont nul n'aurait songé à évaluer l'efficacité technique ou le rendement économique, et qui étaient comme l'art pour l'art du paysan, clôture des champs, taille des arbres, protection des jeunes pousses contre les bêtes ou « visite » (*asafqadh*) et surveillance des champs, sans parler des pratiques que l'on range communément dans l'ordre des rites, comme les actes d'expulsion ou de transfert du mal (*assifedh*) ou les actes d'inauguration du printemps. De même, nul ne songerait à s'interroger sur la rentabilité de toutes les activités que l'application de catégories étrangères porterait à juger improductives, comme les fonctions que le chef de famille remplit en tant que représentant et responsable du groupe. « Si le paysan comptait, dit le proverbe, il ne sèmerait pas. » Peut-être faut-il entendre que la relation entre le travail et son produit n'est pas vraiment ignorée mais *socialement refoulée* ; que la productivité du travail est si faible que le paysan doit éviter de compter son temps pour conserver un sens à son travail ; ou, ce qui n'est contradictoire qu'en apparence, qu'il ne peut rien faire de mieux, qu'il ne peut rien faire d'autre, dans un univers où la rareté du temps est si faible et si grande la rareté des biens, que de dépenser son temps sans compter, de gaspiller du temps, la seule chose qui soit en abondance [141].

Ainsi, de même que l'opposition entre le temps de travail proprement dit et le temps de production, principe de structuration de toute l'activité technique et rituelle (et, par là, de toute la vision du monde), se trouvait en quelque sorte *socialement refoulée*, de même on n'aurait pas songé à distinguer entre les activités « techniques », économiquement rentables, et les activités purement « symboliques » que le chef de famille accomplissait, en tant que représentant du groupe : ordonnancement des travaux, palabres à l'assemblée des hommes, discussions au marché, lectures à la mosquée.

Bref, la vérité de la production ne semble pas moins refoulée que la vérité de la circulation et la « peine » est au *travail* ce que le don est au commerce, cette activité pour laquelle, comme l'observe Émile Benveniste, les langues indo-européennes n'avaient pas de nom : la découverte du travail suppose la constitution du sol commun de la production, c'est-à-dire le désenchantement d'un monde naturel désormais réduit à sa seule dimension économique ; cessant d'être le tribut payé à un ordre nécessaire, l'activité peut s'orienter vers une fin exclusivement économique, celle-là même que la monnaie, désormais mesure de toutes choses, désigne en toute clarté. C'en est fini dès lors de l'indifférenciation originelle, qui permettait les jeux de la foi, de la bonne foi et de la mauvaise foi individuelles et collectives : mesurée à l'étalon sans ambiguïté du profit monétaire, les activités les plus sacrées se trouvent négativement constituées comme *symboliques*, c'est-à-dire, en un sens que revêt parfois ce mot, comme dépourvues d'effet concret et matériel, bref *gratuites*, c'est-à-dire désintéressées mais aussi inutiles.

Ceux qui appliquent les catégories et les méthodes de la comptabilité économique à des économies archaïques sans prendre en compte la transmutation ontologique qu'ils font ainsi subir à leur objet ne sont sans doute pas les seuls aujourd'hui à traiter ce type d'économie « comme les Pères de l'Église traitaient les religions qui avaient précédé le christianisme » : le mot de Marx s'applique aussi à ceux d'entre les marxistes qui tendent à enfermer la recherche sur les formations qu'ils nomment « précapitalistes » dans une discussion scolastique sur la typologie des modes de production. La racine commune de cet ethnocentrisme n'est autre chose que l'emprunt inconscient d'une *définition restreinte de l'intérêt économique* qui, dans sa forme achevée, est le produit historique du capitalisme : la constitution de domaines relativement autonomes de la pratique s'accompagne en effet d'un processus au terme duquel les intérêts symboliques (souvent décrits comme « spirituels » ou « culturels ») se constituent contre les intérêts proprement économiques tels qu'ils se définissent sur le terrain des transactions économiques par la tautologie originaire « les affaires sont les affaires » ; l'intérêt proprement « culturel » ou « esthétique », comme intérêt désintéressé, est le produit paradoxal du travail idéologique auquel les écrivains et les artistes, premiers intéressés, ont pris une part importante et au terme duquel les intérêts symboliques s'autonomisent en s'opposant aux intérêts matériels, c'est-à-dire en s'annulant symboliquement comme intérêts. Parce qu'il ne connaît d'autre intérêt que celui que le capitalisme a produit, par une sorte d'opération réelle d'abstraction, en instaurant un univers de relations entre l'homme et l'homme fondées, comme dit Marx, sur « le froid paiement au comptant », l'économisme ne peut intégrer dans ses analyses et moins encore dans ses calculs l'intérêt proprement symbolique que l'on ne reconnaît parfois (lorsqu'il entre trop manifestement en conflit, comme en certaines formes de nationalisme ou de régionalisme, avec l'« intérêt » au sens restreint) que pour le réduire à l'irrationalité du sentiment ou de la passion. En fait, dans un univers qui se caractérise par la convertibilité à peu près parfaite du capital économique (au sens restreint) et du capital symbolique, le *calcul économique* qui oriente les stratégies des agents prend en compte indissociablement des profits et des pertes que la définition restreinte de l'économie rejette inconsciemment dans l'*impensable* et dans l'*innommable*, c'est-à-dire dans l'irrationalité économique. Bref, contrairement aux représentations naïvement idylliques des sociétés « précapitalistes » (ou de la sphère « culturelle » de sociétés capitalistes), les pratiques ne cessent pas d'obéir au calcul économique lors même qu'elles donnent toutes les apparences du désintéressement parce qu'elles échappent à la logique du calcul intéressé (au sens restreint) et qu'elles s'orientent vers des enjeux non matériels et difficilement quantifiables.

C'est dire que la théorie des pratiques proprement économiques n'est qu'un cas particulier d'une théorie générale de l'économie des pratiques. On ne peut échapper en effet aux naïvetés ethnocentriques de l'économisme sans tomber dans l'exaltation populiste de la naïveté généreuse des origines qu'à condition d'accomplir jusqu'au bout ce qu'il ne fait qu'à moitié et d'étendre à *tous* les biens, matériels ou symboliques, sans distinction, qui se présentent comme *rares* et dignes d'être recherchés dans une formation sociale déterminée – s'agirait-il de « bonnes paroles » ou de sourires, de serrements de mains ou de haussements d'épaules, de compliments ou d'attentions, de défis ou d'injures, d'honneur ou d'honneurs, de pouvoirs ou de plaisirs, de « ragots » ou d'informations scientifiques, de distinction ou de distinctions, etc. –, le calcul économique qui n'a pu s'approprier le terrain objectivement livré à la logique impitoyable de « l'intérêt tout nu », comme dit Marx, qu'en abandonnant un îlot de sacré, miraculeusement épargné par « l'eau glaciale du calcul égoïste », asile de ce qui n'a pas de prix, par excès ou par défaut. Mais la comptabilité des échanges symboliques risquerait elle-même de conduire à une représentation biaisée de l'économie archaïque si l'on oubliait qu'étant le produit de l'application d'un principe de différenciation étranger à l'univers auquel il s'applique, à savoir la distinction entre le capital économique et le capital symbolique, elle ne peut appréhender l'indifférenciation du capital économique et du capital symbolique que sous la forme de leur convertibilité parfaite. De même que la constitution de l'art en tant qu'art, qui est corrélative du développement d'un champ artistique relativement autonome, n'autorise à penser comme esthétiques certaines pratiques primitives ou populaires qu'en les exposant à toutes les erreurs ethnocentriques auxquelles on se condamne lorsqu'on oublie qu'elles ne peuvent se penser comme telles, de même, toute objectivation partielle ou totale de l'économie archaïque qui n'inclut pas une théorie de l'*effet de réification de la théorie* et des conditions sociales de possibilité de l'appréhension objective et, corrélativement, une théorie du rapport de cette économie à sa vérité objective, comme rapport de connaissance-méconnaissance, succombe à la forme la plus subtile et la plus irréprochable de l'ethnocentrisme.

En sa définition complète, le patrimoine de la famille ou de la lignée comprend non seulement la terre et les instruments de production mais aussi la parentèle et la clientèle, la *nasba*, réseau d'alliances ou, plus largement, de relations, qu'il s'agit de conserver intactes et d'entretenir régulièrement, héritage d'engagements et de dettes d'honneur, *capital social* de relations, impliquant des droits et des devoirs, qui, accumulé au cours des générations successives, est une force d'appoint susceptible d'être mobilisée lorsque des situations extra-ordinaires viennent rompre la routine quotidienne : pour si grand que soit son pouvoir de régler la routine de l'ordre ordinaire par la stéréotypisation rituelle et de réduire la crise en la produisant symboliquement ou en la ritualisant, à peine survenue, l'économie archaïque n'ignore pas l'opposition entre les occasions ordinaires et les occasions extraordinaires, entre les besoins réguliers, susceptibles d'être satisfaits par la communauté domestique, et les besoins exceptionnels, tant matériels que symboliques, en biens et en services, que suscitent les circonstances d'exception, crise économique ou conflit politique ou, plus simplement, urgence du travail agricole, et qui exigent l'assistance bénévole d'un groupe plus étendu. S'il en est ainsi c'est qu'en effet, contrairement à ce que suggère Max Weber lorsqu'il oppose grossièrement le type traditionaliste au type charismatique, l'économie archaïque recèle la discontinuité non seulement dans l'ordre politique, avec les conflits qui, à partir d'un incident, peuvent s'amplifier en guerre de tribus par le jeu des « ligues », mais aussi, sur un autre mode, dans le domaine économique, avec l'opposition entre le *temps de travail*, particulièrement court dans la céréaliculture traditionnelle, et le *temps de production*, principe d'une des contradictions fondamentales de cette formation sociale et, en conséquence, des stratégies visant à la résoudre.

C'est une variante de cette contradiction qu'exprime le dicton : « Quand l'année est mauvaise, il y a toujours trop de ventres, quand elle est bonne, il n'y a pas assez de bras. » L'analyse du calendrier des travaux agricoles, du calendrier des assolements et du calendrier de présence du personnel d'une exploitation moyenne de Kabylie met en évidence l'existence des temps forts et des temps faibles de l'année agraire. Pendant les deux grandes périodes de travail, la moisson en juin-juillet et les labours en novembre-décembre, tout le personnel masculin est mobilisé ; les labours occupent les deux hommes de la famille pendant une vingtaine de jours, huit jours sur leurs propres terres avec l'aide de leur « associé des labours » (l'exploitation ne comportant qu'un bœuf unique, on constitue une paire avec la bête de celui-ci), huit jours sur les terres de l'associé ; pendant trois ou quatre jours enfin, l'exploitation reçoit les services d'un voisin en échange d'une prestation équivalente sur les terres de celui-ci. Pour la moisson, femmes et enfants se joignent – mais pour le seul transport des gerbes, mouvement des champs vers la maison – aux hommes de la maison. Pendant tout un mois c'est tout le village qui, par le biais de l'échange ou du don de services, participe à un travail intensif ; le battage qui suit se fait avec le concours d'un parent, possesseur d'un bœuf (jamais avec l'associé des labours). Après la moisson et le battage, l'activité se ralentit et l'un des hommes émigre jusqu'au moment des labours. On observe un creux très marqué en février-mars durant lequel les deux hommes vont travailler en ville, d'où le cadet parti dès janvier ne revient que début mai : l'émigration ne fait que dévoiler les temps morts de l'activité masculine pendant lesquels, à une époque plus ancienne ou encore à l'époque de l'observation (*i. e.* 1960, c'est-à-dire avant la découverte de la rentabilité du travail), dans certaines familles particulièrement attachées aux traditions, les hommes *s'occupaient*. Pendant tout l'hiver et le printemps, les travaux de cueillette, d'entretien, de jardinage, sont assurés en grande partie par la femme et les enfants et les activités proprement masculines, comme les transports de fumier, le piochage des vergers, la taille des arbres, les labours de printemps, la fenaison, demandent un travail moins intensif (quoique constant) que le labour ou la moisson et surtout n'ont pas le même caractère d'urgence et la même valeur sociale : à preuve le fait que l'on y associe femmes et enfants selon leurs capacités.

La stratégie consistant à accumuler le capital d'honneur et de prestige qui produit la clientèle autant qu'il en est le produit fournit la solution optimale au problème qui se poserait au groupe s'il devait entretenir continûment (temps de production compris) toute la force de travail (humaine et animale) dont il a besoin pendant le temps de travail : elle permet en effet aux grandes familles de disposer de la force de travail maximale pendant la période de travail et de réduire au minimum la consommation pendant le temps, incompressible, de production, qu'il s'agisse de la consommation humaine (le groupe se trouvant réduit à l'unité minimale, c'est-à-dire à la famille) ou de la consommation animale (c'est la fonction des contrats de louage, tels que la *charka* du bœuf, par laquelle le propriétaire se décharge de sa bête en la confiant sans autre condition qu'une compensation en argent ou en nature de l'« usure du capital ») ; la contrepartie de ces prestations ponctuelles et limitées aux périodes d'urgence, comme la moisson, est d'autant moins lourde qu'elle sera fournie, soit sous forme de travail, mais en dehors de la période de pleine activité, soit sous d'autres formes (protection, prêt de bêtes, etc.).

D'une façon générale, tout se passe comme si le capital n'était jamais perçu et traité comme capital et cela même dans le cas d'une transaction qui, telle la *charka* du bœuf, n'est concevable qu'entre les plus étrangers parmi les individus en droit de contracter : dans ce contrat qui s'établit surtout entre membres de villages différents et que les deux partenaires tendent d'un commun accord à dissimuler (l'emprunteur préférant cacher son dénuement et laisser croire que le bœuf est sa propriété avec la complicité du prêteur, également disposé à cacher une transaction suspecte de ne pas obéir au strict sentiment de l'équité), un bœuf est confié par son propriétaire, contre un certain nombre de mesures d'orge ou de blé, à un paysan trop pauvre pour en faire l'achat ; ou bien un paysan pauvre s'entend avec un autre pour qu'il achète une paire de bœufs et les lui confie pour un, deux ou trois ans selon les cas, et si les bœufs sont vendus, le bénéfice est partagé à parts égales. Là où l'on serait tenté de voir un simple prêt, le bailleur de fonds confiant un bœuf moyennant un intérêt de quelques mesures de blé, les agents voient une transaction équitable excluant tout prélèvement de plus-value : le prêteur donne la force de travail du bœuf, mais l'équité est satisfaite puisque l'emprunteur nourrit et soigne le bœuf, ce que le prêteur eût été contraint de faire en tout cas, les mesures de blé n'étant qu'une compensation de la dévaluation du bœuf entraînée par le vieillissement. Les différentes variantes de l'association concernant les chèvres ont en commun de faire supporter aux deux parties l'amoindrissement du capital initial dû au vieillissement. Le propriétaire, une femme qui place ainsi son pécule, confie ses chèvres pour trois ans à un cousin éloigné, relativement pauvre, dont elle sait qu'il les nourrira et les soignera bien. On estime les bêtes et l'on convient que le produit (lait, toison, beurre) en sera partagé. Chaque semaine, l'emprunteur envoie une calebasse de lait par un enfant. Celui-ci ne saurait repartir les mains vides (*elfal*, le porte-bonheur ou la conjuration du malheur, a une signification magique du fait que rendre un ustensile *vide*, rendre le vide, ce serait menacer la prospérité de la maison) : on lui donne des fruits, de l'huile, des olives, des œufs, selon le moment. Au terme, l'emprunteur rend les bêtes et on partage les produits. Variante : le troupeau de six chèvres ayant été évalué à 30 000 francs le gardien rend 15 000 francs et la moitié du troupeau initial, c'cst-à-dire trois vieilles chèvres ; le gardien rend la totalité du troupeau mais il garde toute la toison.

Ainsi, on le voit, un capital symbolique qui, comme le prestige et le renom attachés à une famille et à un nom, se reconvertit aisément en capital économique constitue peut-être la *forme la plus précieuse d'accumulation* dans une société où la rigueur du climat (les grands travaux, labours et moisson, se concentrant en un temps très court) et la faiblesse des moyens techniques (la moisson étant faite à la faucille) exigent le travail collectif. Faut-il voir là une forme déguisée d'achat de la force de travail ou une extorsion clandestine de corvées ? Sans aucun doute, mais à condition de *tenir ensemble* dans l'analyse ce qui tient ensemble dans l'objet, à savoir la *double vérité* de pratiques intrinsèquement *équivoques et ambiguës*, piège tendu à tous ceux qu'une représentation naïvement dualiste des rapports entre les pratiques et les idéologies, entre l'économie « indigène » et la représentation « indigène » de l'économie, voue à des démystifications automystificatrices [142] : la vérité complète de cette appropriation de prestations réside dans le fait qu'elle *ne peut* s'effectuer que sous le déguisement de la *thiwizi*, aide bénévole qui est aussi corvée, corvée bénévole et aide forcée, et qu'elle suppose, si l'on permet cette métaphore géométrique, une double demi-rotation reconduisant au point de départ, c'est-à-dire une conversion de capital matériel en capital symbolique lui-même reconvertible en capital matériel.

L'appropriation d'une clientèle, même héritée, suppose tout un *travail*, indispensable pour établir et entretenir les relations et aussi des *investissements* importants, tant matériels que symboliques – qu'il s'agisse de l'assistance politique contre les agressions, vols, offenses ou injures, ou de l'assistance économique, souvent très coûteuse, en particulier en cas de disette. Investissements en richesses matérielles, mais aussi en temps, dans la mesure où la valeur du travail symbolique ne peut être définie indépendamment du temps qu'on lui consacre, le *don du temps* ou le *gaspillage de temps* constituant un des dons les plus précieux [143]. Il est clair que, dans ces conditions, l'accumulation de capital symbolique ne peut se faire qu'au détriment de l'accumulation de capital économique. Dans la mesure où elle s'ajoutait aux obstacles objectifs liés à

zone proximal dev
[illegible]

MP

curriculum: ~~structure~~ structurante
(classroom org)

phenomenological

↕ dialectic: praxis: Strategy / emotional expression

everyday life experience: the ~~family~~ peer groups

writing pedagogy

expression: langue v. parole

MM

epic/proverb: as a reflection of society's rules L-S

comme l'ethnométhodologie

la phénoménologie: valorise l'expérience 1ère

l'objectivisme: le structuralisme — sayable or thinkable, taken for granted

mets en Q l'expérience doxique

la praxéologie: " " " les relations dialectiques

entre les structures objectives

opus operatum — modus operandi

rapports entre la culture ("structures sociales") et

la {conduite / exécution} et la pratique

la faiblesse des moyens de production, l'action des mécanismes sociaux qui, en imposant la dissimulation ou le refoulement de l'intérêt économique, tendent à faire de l'accumulation de capital symbolique la seule forme reconnue et légitime d'accumulation suffisait à freiner, voire à interdire, la concentration du capital matériel et il était sans doute rare que l'assemblée fût obligée d'intervenir expressément pour sommer quelqu'un de « cesser de s'enrichir[144] » : on sait en effet que la pression collective, avec laquelle les plus aisés doivent compter parce qu'ils tiennent d'elle non seulement leur autorité mais aussi, le cas échéant, un pouvoir politique qui est fonction, en dernière analyse, de leur aptitude à mobiliser le groupe pour ou contre des individus ou des groupes, impose aux riches non seulement les plus fortes participations aux échanges cérémoniels (*tawsa*) mais aussi les plus lourdes contributions à l'entretien des pauvres, à l'hébergement des étrangers ou à l'organisation des fêtes. La richesse implique surtout des devoirs : « Le généreux, dit-on, est ami de Dieu. » Sans doute, la croyance en la justice immanente, qui commande nombre de pratiques (comme le serment collectif), contribue-t-elle à faire de la générosité un sacrifice destiné à mériter en retour cette bénédiction qu'est la prospérité : « Mange, celui qui a coutume de donner à manger. » « Oh ! mon Dieu, dit-on encore, donne-moi pour que je puisse donner. » Mais les deux formes de capital sont si inextricablement mêlées que l'exhibition de la force matérielle et symbolique représentée par des alliés prestigieux est de nature à apporter par soi des profits matériels, dans une économie de la bonne foi où une bonne renommée constitue la meilleure sinon la seule garantie économique : on comprend que les grandes familles ne manquent pas une occasion (c'est là une des raisons de leur prédilection pour les mariages lointains et leurs vastes cortèges) d'organiser de ces exhibitions de capital symbolique (dont la consommation ostentatoire n'est que l'aspect le plus visible), cortèges de parents et d'alliés qui solennisent le départ ou le retour du pèlerin, escorte de la mariée dont la valeur s'apprécie au nombre des « fusils » et à l'intensité des salves tirées en l'honneur des mariés, présents prestigieux, parmi lesquels les moutons, qui sont offerts à l'occasion du mariage, témoins et garants que l'on peut mobiliser en tout lieu et en toute occasion, que ce soit pour attester la bonne foi d'une transaction de marché ou pour renforcer la position de la lignée dans une négociation matrimoniale et pour solenniser la conclusion du contrat. Si l'on sait que le capital symbolique est un *crédit*, mais au sens le plus large du terme, c'est-à-dire une espèce d'avance que le groupe et lui seul peut accorder à ceux qui lui donnent le plus de *garanties* matérielles et symboliques, on voit que l'exhibition du capital symbolique (toujours fort coûteuse sur le plan économique) est un des mécanismes qui font (sans doute universellement) que le capital va au capital.

C'est donc à condition d'établir une *comptabilité totale* des profits symboliques tout en ayant à l'esprit l'indifférenciation des composantes symboliques et des composantes matérielles du patrimoine que l'on peut saisir la rationalité économique de conduites que l'économisme rejette dans l'absurdité : par exemple, le choix d'acheter une seconde paire de bœufs après la moisson, en prétextant qu'on en a besoin pour le dépiquage – façon de faire entendre que la récolte a été abondante –, puis se voir obligé de la revendre, faute de fourrage, avant les labours d'automne, moment où elle serait techniquement nécessaire, ne paraît économiquement aberrant que si l'on oublie tous les profits matériels et symboliques que peut procurer une telle augmentation, même fictive et truquée, du capital symbolique de la famille en une période, la fin de l'été, où se négocient les mariages. Si cette stratégie de bluff est parfaitement rationnelle, c'est que le mariage est l'occasion d'une circulation économique (au sens large) dont on ne peut avoir qu'une idée très imparfaite lorsqu'on prend en compte seulement les biens matériels ; c'est aussi que les profits qu'un groupe a chances de tirer de cette transaction sont d'autant plus grands qu'est plus important son patrimoine matériel et surtout symbolique ou, si l'on accorde cet emprunt au langage bancaire, « le crédit de notoriété » sur lequel il peut compter. Ce crédit, qui dépend de l'aptitude du point d'honneur à assurer l'invulnérabilité de l'honneur et qui constitue un tout indivis où entrent indissociablement la quantité et la qualité des biens et la quantité et la qualité des hommes capables de les faire valoir, est ce qui permet d'acquérir, principalement par le mariage, les alliés prestigieux, donc la richesse en « fusils » qui se mesure non seulement au nombre des hommes mais aussi à leur qualité, à leur point d'honneur, et qui définit l'aptitude du groupe à sauvegarder sa terre et son honneur, et, en particulier, celui des femmes, c'est-à-dire le capital de force matérielle et symbolique susceptible d'être effectivement mobilisé pour les transactions du marché, pour les combats d'honneur ou pour le travail de la terre. Ainsi, les conduites d'honneur ont pour principe un intérêt pour lequel l'économisme n'a pas de nom et qu'il faut bien appeler symbolique bien qu'il soit de nature à déterminer des actions très directement matérielles ; de même qu'ailleurs il est des professions, comme celle de notaire ou de médecin, dont les titulaires doivent être, comme on dit, « au-dessus de tout soupçon », de même une famille a ici un intérêt vital à tenir son capital d'honneur, c'est-à-dire son crédit d'honorabilité, à l'abri de la suspicion. Et la sensibilité exacerbée aux moindres atteintes, aux moindres allusions (*thasalqubth*) s'explique, comme le foisonnement des stratégies destinées à les démentir ou à les écarter, par le fait que le capital symbolique ne se laisse pas aussi facilement mesurer et dénombrer que la terre ou le bétail et que le groupe qui peut seul, en dernier ressort, en accorder le crédit est toujours porté à le retirer, donc à orienter ses soupçons sur les plus grands, comme si, en matière d'honneur comme en matière de terre, l'enrichissement de l'un ne pouvait se faire qu'au détriment des autres [145].

Seul un matérialisme inconséquent, parce que partiel, donc incapable de penser les structures de l'économie archaïque et surtout la complexité prodigieuse des pratiques économiques caractéristiques d'un système fondé sur une ambiguïté structurale, peut ignorer que des stratégies qui ont pour enjeu la conservation ou l'augmentation de l'honneur du groupe, et parmi lesquelles il faut ranger au premier chef la vengeance du sang et le mariage, obéissent à des intérêts non moins vitaux que les stratégies successorales ou les stratégies de fécondité. Le piège tendu au matérialisme partiel de l'économisme est d'autant plus infaillible lorsque, comme dans le cas du mariage, la circulation des biens matériels immédiatement perceptibles comme le douaire, enjeu apparent des négociations matrimoniales, dissimule la circulation totale, actuelle et potentielle, de biens indissociablement matériels et symboliques dont ils ne sont que l'aspect le plus visible à l'œil de l'*homo economicus* capitaliste. Le montant du douaire, toujours très faible en valeur relative et absolue, ne justifierait pas les négociations acharnées dont il fait l'objet s'il ne revêtait une valeur symbolique de la plus haute importance en manifestant sans équivoque la valeur des produits d'une famille sur le marché des échanges matrimoniaux, en même temps que l'aptitude des responsables de cette famille à obtenir le meilleur prix de leurs produits par leurs qualités de négociateurs. La meilleure preuve de l'irréductibilité des enjeux de la stratégie matrimoniale au seul douaire est fournie par l'histoire qui, ici encore, a dissocié les aspects symboliques et les aspects matériels des transactions : réduit à sa pure valeur monétaire, le douaire s'est trouvé dépossédé, aux yeux mêmes des agents, de sa signification de cote symbolique, les discussions d'honneur se trouvant ainsi rabattues au plan des simples marchandages désormais considérés comme honteux.

Comme le montre le fait que, en cas d'offense, la possibilité même de refuser le jeu (en ne ripostant pas ou en tendant l'autre joue par exemple) est exclue comme impensable et innommable, l'intérêt qui détermine un agent à défendre son capital symbolique est inséparable de l'adhésion tacite, inculquée par la prime éducation et renforcée par toutes les expériences ultérieures, à l'axiomatique objectivement inscrite dans les régularités du système qui fait exister comme digne d'être recherché et conservé un type déterminé de capital symbolique : l'harmonie objective entre les dispositions des agents (ici leur propension et leur aptitude à jouer le jeu de l'honneur) et les régularités objectives dont elles sont le produit fait que l'appartenance à ce cosmos économique (au sens large) implique la reconnaissance inconditionnelle des enjeux qu'il propose par son existence même comme *allant de soi*, c'est-à-dire la méconnaissance de l'arbitraire de la valeur qu'il leur confère et qui est propre à déterminer des investissements et des surinvestissements (au double sens économique et psychanalytique) bien faits pour renforcer, par l'effet de la concurrence et de la rareté ainsi créées, l'illusion bien fondée que la valeur des biens symboliques est inscrite dans la nature des choses, comme l'intérêt pour ces biens dans la nature des hommes.

Pour éviter un retour offensif du matérialisme réduit et réducteur, il faudrait analyser en détail les mécanismes qui confèrent parfois à une pièce de terre une valeur qui ne correspond pas toujours à ses qualités proprement tech niques et économiques (au sens restreint). Si les terres les plus proches, les mieux entretenues et aménagées (clôturées, comportant des bâtiments, régulièrement travaillées et continûment exploitées, etc.), les plus accessibles aux femmes (grâce à des chemins privés, *thikhuradjiyin*), sont prédisposées à se voir accorder une plus forte valeur par un *acheteur quelconque*, il est des qualités qui ne leur adviennent que dans la relation qu'elles entretiennent avec une famille déterminée et qui sont fonction d'un type particulier de dispositions économiques (au sens large) : il en est ainsi de ce que l'on pourrait appeler le degré d'intégration de la terre au patrimoine familial, qui dépend de son histoire (le plus souvent indiquée par son nom, plus ou moins noble et ancien), de sa position plus ou moins centrale dans les terres traditionnellement possédées par le groupe. Si la valeur symbolique et la valeur économique coïncident le plus souvent, les terres les plus proches et les plus accessibles étant aussi les mieux exploitées, selon des modes de faire-valoir plus intenses et plus diversifiés, donc les plus « productives », il arrive qu'une terre prenne une valeur symbolique disproportionnée avec sa valeur économique en fonction de la définition socialement admise du patrimoine symbolique : c'est ainsi que l'on se dessaisira d'abord de la terre la moins intégrée au patrimoine, la moins associée au nom de ses propriétaires actuels, celle qui a été acquise, et acquise récemment, plutôt qu'héritée, celle qui a été acquise auprès d'étrangers plutôt que celle qui a été achetée à des parents. Mais rien n'est encore aussi simple, la valeur symbolique de la terre étant définie par la relation historique que les propriétaires et les acheteurs entretiennent avec elle, c'est-à-dire entre eux par son intermédiaire et à son propos. C'est ainsi qu'une terre est évidemment plus précieuse lorsque, dotée de toutes les propriétés qui définissent une forte intégration au patrimoine, elle est possédée par des étrangers : en ce cas, la racheter devient une affaire d'honneur, analogue à la vengeance d'une offense, et la terre peut atteindre des prix exorbitants. Les vendeurs peuvent jouer cyniquement de la relation entre les acheteurs et la terre – dans certaines limites seulement, parce que leur réputation en souffrirait ; mais le plus fréquent est qu'ils mettent autant de point d'honneur à défendre la terre, surtout si l'appropriation est assez récente pour garder sa valeur de défi lancé au groupe étranger, que les autres mettent d'acharnement à la racheter et à tirer vengeance de l'atteinte portée à la *ḥurma* de leur terre. Il peut se faire qu'un troisième groupe vienne surenchérir, lançant ainsi un défi non point au vendeur, qui y trouve son compte, mais aux propriétaires « légitimes ». Bref, il suffit d'avoir à l'esprit l'homologie de la relation que le groupe entretient avec sa terre et de la relation qu'il entretient avec ses femmes pour comprendre que le souci de sauvegarder le capital symbolique de la famille, composante fondamentale du patrimoine, conduise à accepter de payer au-delà de sa valeur « marchande » une terre ancestrale qui menace de sortir du groupe, ou qui est déjà aux mains d'étrangers, ou, en sens inverse, une des terres ancestrales d'un groupe rival, l'achat prenant alors le sens d'un défi. Inversement, pareilles surenchères sont autant qu'il se peut exclues des transactions entre parents, l'honneur interdisant que l'on tire parti du dénuement de celui qui est contraint de vendre.

Ainsi, les correspondances qui s'établissent entre la circulation des terres vendues et rachetées, celles des « gorges » « prêtées » et « rendues » ou celles des femmes accordées ou reçues (*i. e.* entre les espèces différentes du capital et les modes de circulation correspondants) obligent à abandonner la dichotomie de l'économique et du non-économique qui empêche d'appréhender la science des pratiques économiques comme un cas particulier d'une *science générale de l'économie des pratiques*, capable de traiter toutes les pratiques, y compris celles qui se veulent désintéressées ou gratuites, donc affranchies de l'économie, comme des pratiques économiques, orientées vers la maximisation du profit, matériel ou symbolique. Le capital accumulé par les groupes, cette énergie de la physique sociale – soit ici le capital de force physique (lié à la capacité de mobilisation, donc au nombre et à la combativité), le capital « économique » (la terre et le bétail), le capital social et le capital symbolique, toujours associé par surcroît à la possession des autres espèces de capital mais susceptible d'être augmenté ou amoindri selon la manière d'en user – peut exister sous *différentes espèces* qui, bien que soumises à de strictes lois d'équivalence, donc mutuellement convertibles, produisent des effets spécifiques. Forme transformée et par là *dissimulée* du capital « économique » et physique, le capital symbolique produit, ici comme ailleurs, son effet propre dans la mesure et dans la mesure seulement où il dissimule que ces espèces « matérielles » du capital sont à son principe et, en dernière analyse, au principe de ses effets.

ANNEXE

Pratiques économiques et dispositions temporelles

Il est vrai que rien n'est plus étranger à l'économie précapitaliste que la représentation du futur comme champ de possibles qu'il appartient au calcul d'explorer et de maîtriser ; on ne saurait toutefois en conclure, comme on l'a souvent fait, que le paysan traditionnel soit incapable de viser un avenir lointain, puisque la défiance à l'égard de toute tentative pour prendre possession de l'avenir coexiste toujours en lui avec la prévoyance nécessaire pour répartir une bonne récolte dans le temps, parfois sur plusieurs années. En fait, la mise en réserves qui consiste à prélever en vue de la consommation future une part des biens directs (*i. e.* capables d'offrir à tout moment une satisfaction immédiate tels ces biens de consommation dont s'entoure le *fellah* et qui constituent la garantie palpable de sa sécurité) suppose la visée d'un « à venir » virtuellement enfermé dans le présent directement perçu ; au contraire, l'accumulation capitaliste de biens indirects pouvant concourir à la production de biens directs sans être source en eux-mêmes d'aucune satisfaction ne prend sens que par rapport à un futur construit par le calcul. « Prévoir, disait Cavaillès, ce n'est pas voir à l'avance. » La pré-voyance (comme voir à l'avance) se distingue de la pré-vision en ce que l'avenir qu'elle appréhende est directement inscrit dans la situation elle-même, telle qu'elle peut être perçue à travers les schèmes de perception et d'appréciation technico-rituels inculqués par des conditions matérielles d'existence, elles-mêmes appréhendées au travers des catégories des mêmes schèmes de pensée : la décision économique n'est pas déterminée par la prise en compte d'une fin explicitement posée en tant que future comme celle qui est établie par le calcul dans le cadre d'un plan ; l'action économique s'oriente vers un « à venir » directement saisi dans l'expérience ou établi par toutes les expériences accumulées qui constituent la tradition. Ainsi, de façon générale, le paysan engage ses dépenses en fonction du revenu procuré par la campagne précédente et non point du revenu escompté ; en outre, en cas de récolte excédentaire, il tend à traiter le blé ou l'orge supplémentaires comme biens directs, préférant les accumuler en vue de la consommation plutôt que de les semer et d'accroître l'espérance de la récolte future et sacrifiant ainsi l'avenir de la production à l'avenir de la consommation. Loin d'être dictées par la visée prospective d'un futur projeté, les conduites de pré-voyance obéissent au souci de se conformer à des modèles hérités : ainsi, le point d'honneur exige que, même si l'on ne possède pas de grenadiers, on mette en réserve les grains de grenade qui entrent dans le couscous servi aux *khammès* ou aux voisins lors de la première sortie des bœufs pour les labours ; ou que l'on fasse des réserves de viande salée en vue des fêtes. La maîtresse de maison mettait sa fierté à constituer une réserve spéciale, appelée *thiji*, et constituée de tout ce que l'on avait produit de meilleur, les meilleurs fruits (figues, raisins secs, grenades, noix, etc.), l'huile extraite des meilleures olives, le meilleur beurre, etc.[1]. Dans ce domaine comme ailleurs, les normes éthiques sont, indissociablement, des impératifs rituels et l'homologie qui unit la fécondité de la maison et la fécondité de la terre fait de la mise en réserve, qui assure la plénitude de la maison (*la'mmara ukham*), un rite propitiatoire autant qu'un acte économique. De même, nombre de conduites qui pourraient apparaître comme des investissements obéissent à une logique qui n'est pas celle du calcul économique rationnel : c'est ainsi que les achats de terres qui se sont multipliés à mesure que les bases économiques de l'ancienne société s'effondraient, avec la généralisation des échanges monétaires et la crise corrélative de l'*ethos* paysan, ont été souvent déterminés, jusqu'à une date récente, par le souci d'éviter que la terre familiale ne vînt à tomber aux mains d'une famille étrangère. De même, il arrivait que l'on achetât une seconde paire de bœufs, à la belle saison, en prétextant qu'on en avait besoin pour le dépiquage (ce qui donnait à entendre que la récolte avait été abondante), en réalité, bien souvent, afin d'accroître le *capital symbolique* de la famille en une période stratégique, à la fin de l'été, époque où se négocient et se célèbrent les mariages, et il n'était pas rare que le fourrage qui eût à peine nourri une paire de bœufs se trouvant épuisé, la famille dont on avait pu dire « c'est la maison des deux paires de bœufs et du mulet » fût obligée de vendre la seconde paire avant les labours d'automne, c'est-à-dire au moment où elle eût été techniquement nécessaire. De même enfin, le sentiment de l'honneur est encore à l'origine de bien des initiatives novatrices qui s'observent, depuis une cinquantaine d'années, dans le domaine de l'équipement agricole et domestique, et il n'est pas rare que les compétitions de prestige entre les deux « partis » qui divisent la plupart des villages ou bien entre deux grandes familles les aient conduits à se pourvoir l'un et l'autre des mêmes équipements, pressoirs à huile, moulins à moteur, camions, etc., sans s'inquiéter de la rentabilité.

Dans une économie agricole où le cycle de production peut être embrassé d'un seul regard, les produits se renouvelant en général en l'espace d'une année, le paysan ne dissocie pas plus son travail du produit « à venir » dont il est « gros » que, dans l'année agraire, il ne distingue le temps de travail du temps de production, période pendant laquelle son activité est quasi suspendue. Au contraire, parce que la longueur du cycle de production y est généralement beaucoup plus longue, l'économie capitaliste suppose la constitution d'un futur médiat et abstrait, le calcul rationnel devant suppléer au défaut d'intuition du processus dans son ensemble. Mais, pour qu'un tel calcul soit possible, il faut que se réduise l'écart entre le temps de travail et le temps de production ainsi que la dépendance corrélative à l'égard des processus organiques ; autrement dit, il faut que se trouve rompue l'unité organique qui unissait le présent du travail à son « à venir », unité qui n'est autre que celle des cycles insécables et inanalysables de reproduction ou celle du produit lui-même, comme le montre la comparaison d'une technique artisanale fabriquant des produits entiers et de la technique industrielle fondée sur la spécialisation et le morcellement des tâches. On comprend que des mesures tendant à modifier la longueur traditionnelle des cycles agraires et demandant que l'on sacrifie un intérêt immédiatement tangible à un intérêt abstrait (comme celle qui consistait à offrir aux agriculteurs de construire gratuitement des banquettes où seraient plantés des arbres) aient rencontré chez les paysans algériens des résistances qui n'ont été levées (très partiellement d'ailleurs) que devant le succès de travaux entrepris sur les terres des colons européens, empressés à bénéficier de ces avantages. Plus généralement, si les plans ne suscitèrent souvent que l'incompréhension ou le scepticisme, c'est que, fondés sur le calcul abstrait et supposant la mise en suspens de l'adhésion au donné familier, ils sont affectés de l'irréalité de l'imaginaire : comme si la planification rationnelle était à la pré-voyance coutumière ce qu'une démonstration rationnelle est à une « monstration » par découpage et pliage, un projet ne peut rencontrer l'adhésion que s'il propose des résultats concrètement et immédiatement perceptibles ou s'il a la caution d'un « garant » reconnu et respecté (tel l'instituteur d'autrefois, *chikh el lakul*).

De même, si les paysans algériens ont longtemps manifesté une vive défiance à l'égard de la monnaie, c'est que, sous le rapport de la structure temporelle qu'il exige, l'échange monétaire est au troc ce que l'accumulation capitaliste est à la mise en réserves[2]. Tandis que l'objet échangé livre directement à l'intuition l'usage que l'on pourra en faire et qui se trouve inscrit en lui au même titre que le poids, la couleur et la saveur, la monnaie, bien indirect par excellence, n'est source en elle-même d'aucune satisfaction (comme le rappelle la fable du *fellah* qui mourut en plein désert auprès de la peau de mouton pleine de pièces d'or qu'il venait de découvrir) et l'usage futur qu'elle indique est lointain, imaginaire et indéterminé. Avec la monnaie fiduciaire, toute la sagesse traditionnelle le rappelle, on ne possède plus les choses, mais les signes de leurs signes : « un produit, dit-on, vaut plus que son équivalent (en monnaie) », « acquiers des produits plutôt que de l'argent ». Instrument qui sert à n'importe qui, n'importe où, pour n'importe quelle opération d'échange, « qui ne sert à rien que de pouvoir servir à tout », la monnaie permet en premier lieu la prévision d'un usage indéterminé et la quantification de l'infinité des emplois dont elle enferme la virtualité, autorisant par là une véritable comptabilité des espérances[3].

En second lieu, du fait que les différentes affectations d'une somme déterminée s'excluent dès qu'on entreprend de les réaliser, l'utilisation rationnelle d'une quantité limitée de monnaie suppose un calcul tendant premièrement à déterminer les usages futurs qui sont possibles dans la limite des moyens disponibles et, parmi eux, ceux qui sont mutuellement compatibles, deuxièmement, à définir le choix « raisonnable » par référence à une structure hiérarchisée de fins. Tout à l'opposé, les marchandises échangées dans le troc sur la base d'équivalences traditionnelles livrent immédiatement leur usage potentiel et leur valeur qui est indépendante, à la différence de la monnaie, de conditions extérieures. Aussi est-il beaucoup plus facile de gérer « raisonnablement » des réserves de biens de consommation que de distribuer sur tout un mois une somme d'argent ou d'établir une hiérarchie rationnelle des besoins et des dépenses : la propension à tout consommer est infiniment moins grande, évidemment, que l'inclination à réaliser d'un coup l'argent possédé. Les Kabyles enferment le blé ou l'orge dans de grandes jarres de terre percées de trous à différentes hauteurs et la bonne maîtresse de maison, responsable de la gestion des réserves, sait que lorsque le grain descend au-dessous du trou central nommé *thimith*, le nombril, il importe de modérer la consommation : le calcul, on le voit, se fait tout seul et la jarre est comme un sablier qui permet de percevoir à chaque moment ce qui n'est plus et ce qui reste. Bref, l'usage de la monnaie exige une conversion analogue à celle qu'opère, dans un autre ordre, la géométrie analytique : à l'évidence claire, fournie par l'intuition, se substitue « l'évidence aveugle », issue du maniement des symboles. Désormais, on ne raisonne plus sur des objets annonçant de façon quasi tangible et palpable leur usage et la satisfaction qu'ils promettent, mais sur des signes qui ne sont en eux-mêmes source d'aucune jouissance. Entre le sujet économique et les marchandises ou les services qu'il attend s'interpose l'écran de la monnaie. Par suite, des agents économiques formés à une autre logique économique doivent faire à leurs dépens l'apprentissage de l'utilisation rationnelle de la monnaie comme médiation universelle des relations économiques : la tentation est grande en effet de convertir le salaire à peine reçu en biens réels, nourriture, linge, mobilier, et il n'était pas rare, il y a une cinquantaine d'années, de voir des ouvriers dépenser en quelques jours le revenu d'un mois de travail ; à une date plus récente, on a pu observer des pratiques analogues lorsque, chez les nomades du Sud, les bergers, jusque-là rétribués en nature, ont commencé à recevoir un salaire en argent [4].

De toutes les institutions et les techniques économiques introduites par la colonisation, la plus étrangère à la logique de l'économie précapitaliste est sans aucun doute le crédit : il suppose la référence à un futur abstrait, défini par un contrat écrit et garanti par tout un système de sanctions et qui, avec la notion d'intérêt, fait intervenir la valeur comptable du temps [5]. Tandis que le crédit se soucie de garantir sa sécurité en s'assurant de la solvabilité du débiteur, les conventions à l'amiable (les seules que reconnaisse la morale de l'honneur) ne connaissent d'autre garantie que la bonne foi, les assurances sur l'avenir étant fournies non par la richesse mais par celui qui en dispose. L'emprunteur se rend chez un parent ou un ami : « Je sais que tu détiens telle somme et que tu n'en as pas besoin ; tu peux la considérer comme étant encore dans ta maison. » On ne fixe pas d'échéance précise (« jusqu'à l'été » ou « jusqu'à la récolte »). Du fait qu'on ne contracte qu'entre personnes de connaissance, parents, amis ou alliés, l'avenir de l'association se trouve assuré, dans le présent même, non seulement par l'expérience que chacun a de l'autre, réputé pour être fidèle à ses engagements, mais aussi et surtout par la relation objective qui unit les partenaires et qui survivra à leur transaction, garantissant l'avenir de l'échange plus sûrement que toutes les codifications explicites et formelles dont le crédit doit s'armer parce qu'il suppose l'impersonnalité totale de la relation entre les contractants. Rien ne s'oppose plus radicalement à l'entraide, qui associe toujours des individus unis par des liens de consanguinité réelle ou fictive, que la coopération qui mobilise des individus sélectionnés en fonction des fins futures et construites par le calcul d'une entreprise spécifique : dans un cas, le groupe préexiste et survit à l'accomplissement en commun d'une œuvre commune ; dans l'autre cas, trouvant sa raison d'être hors de lui-même, dans l'objectif futur défini par le contrat, il cesse d'exister en même temps que le contrat qui le fonde [6].

L'« anticipation préperceptive » (selon l'expression de Husserl), visée de potentialités inscrites dans le présent directement perçu, s'oppose au projet, entendu comme projection imaginaire de possibles explicitement posés comme futurs, c'est-à-dire comme pouvant également advenir ou ne pas advenir, au prix d'une mise en suspens de l'adhésion au donné : ce qui distingue le futur, lieu des possibles abstraits d'un sujet interchangeable, de l'avenir pratique, le possible de la potentialité objective, ce n'est pas, comme on le croit, la plus ou moins grande distance par rapport au présent, puisque celui-ci peut ap-présenter (*i. e.* donner à anticiper pratiquement comme quasi présentes) des potentialités plus ou moins éloignées dans le temps objectif qui sont liées à lui dans l'unité immédiate d'une pratique [7].

La conscience populaire vit et agit cette distinction sans l'expliciter, sinon sous la forme de l'ironie sur soi. « Où vas-tu ? » demandait-on un jour à Djeha, personne imaginaire où les Kabyles aiment à se reconnaître. « Je vais au marché. » « Comment ! et tu ne dis pas "s'il plaît à Dieu" ? » Djeha passe son chemin, mais arrivé dans le bois, il est rossé et dépouillé par des brigands. « Où vas-tu Djeha ? » lui demande-t-on encore. « Je rentre à la maison… s'il plaît à Dieu. » « S'il plaît à Dieu », cela veut dire à la fois qu'il peut ne pas plaire à Dieu et plaise à Dieu. Cette locution marque que l'on passe à un autre monde, régi par une logique différente, le monde du futur et des possibles dont la propriété essentielle est de pouvoir ne pas advenir [8]. *Azka d'azqa*, « demain, c'est le tombeau » : le futur est un néant qu'il serait vain de tenter de saisir, un rien qui ne nous appartient pas [9]. De celui qui s'inquiète trop de l'avenir, oubliant qu'il échappe aux prises, on dit qu'« il veut se faire l'associé de Dieu » et, pour le rappeler à plus de mesure, on lui jette : « Ce qui t'es étranger, ne t'en soucie pas », ou encore : « L'argent hors de la bourse, n'y vois pas un capital » [10].

La fable de Djeha suffit à mettre en garde contre l'ethnocentrisme qui porte tant d'ethnologues à établir une différence de nature entre le système des dispositions à l'égard du temps qu'appelle l'économie précapitaliste et celui qu'exige et engendre l'économie monétaire : l'expérience temporelle que favorise l'économie précapitaliste est une des modalités que peut revêtir toute expérience de la temporalité, y compris celle des agents économiques les plus « rationnels » des sociétés qui produisent les ethnologues ; elle doit seulement sa spécificité au fait que, loin de se proposer comme une possibilité parmi d'autres, elle est imposée comme la seule possible par une économie incapable d'assurer les conditions de possibilité de la position du possible et, ce qui revient au même, par un *ethos* et une éthique qui ne sont que l'intériorisation et la rationalisation du système des possibilités et des impossibilités objectivement inscrites dans les conditions matérielles d'existence dominées par l'insécurité et l'aléa : tout se passe comme si, en décourageant expressément toutes les dispositions que l'économie capitaliste exige et favorise – esprit d'entreprise, souci de la productivité et du rendement, esprit de calcul, etc. – et en dénonçant l'esprit de prévision comme une ambition diabolique, au nom de l'idée que « l'avenir est la part de Dieu », on se contentait, ici comme ailleurs, de « faire de nécessité vertu » et d'ajuster les espérances aux chances objectives.

Notes

1. A. Comte, *Discours sur l'esprit positif*, Paris, Carilian-Goeury et Victor Dalmont, fév. 1884, rééd. in *Œuvres choisies* d'Auguste Comte, avec une introduction d'Henri Gouhier, Paris, Aubier, 1943.
2. Si l'on ne craignait pas de prêter à des lectures naïvement populistes, on proposerait une analyse plus systématique de la situation d'étranger qui est celle de l'ethnologue, exclu du jeu réel des activités sociales par le fait qu'il n'a pas sa place (sauf par choix ou comme par jeu) dans le système observé et qu'il n'a pas à s'y faire une place. On rappellera seulement telle analyse de Sartre, qui met en lumière un des aspects les mieux cachés de la vérité objective de la situation de l'« explorateur », c'est-à-dire, en un sens ancien, de l'*espion*, bien qu'elle passe un peu rapidement à la limite et que, par la métaphore, elle évoque certains discours du radicalisme puéril : « Le sociologue n'est pas situé [...] ; il se peut qu'il essaye de s'intégrer au groupe mais cette intégration est provisoire, il sait qu'il se dégagera, qu'il consignera ses observations dans l'objectivité ; bref, il ressemble à ces flics que le cinéma nous propose souvent pour modèles et qui gagnent la confiance d'un gang pour mieux pouvoir le donner » (J.-P. Sartre, *Critique de la raison dialectique*, précédé de *Questions de méthode*, Paris, Gallimard, 1960, p. 51). On voit, à la lumière de ce texte, qu'il n'est pas indifférent par exemple de prendre pour objet les classes dominées (si tant est qu'une recherche puisse se définir par de tels objets préconstruits).
3. C. Bally, *Le Langage et la Vie*, Genève, Droz, 1965, p. 58, 72 et 102. Ce n'est pas non plus un hasard si l'histoire de

l'art (et, à un moindre degré, de la littérature) née de la tradition de l'amateur, avec laquelle elle n'a que très rarement rompu, et qui lui a légué une tradition d'exaltation contemplative de l'œuvre, se pose, primordialement, le problème du *déchiffrement*, très proche en cela de la linguistique saussurienne, s'intéressant seulement de façon secondaire aux conditions sociales de la production, de la reproduction et de la circulation des œuvres ; c'est par exception et comme par accident que Panofsky lui-même s'arrache (à propos de l'abbé Suger, et de l'évolution de l'architecture gothique) au point de vue de l'interprète qui, s'attachant à l'*opus operatum* plutôt qu'au *modus operandi*, fait de la théorie de la production artistique, réduite au concept d'intention objective de l'œuvre, un simple aspect d'une théorie du déchiffrement et de la compréhension immédiate comme déchiffrement qui s'ignore.

4. Que l'on pense, en des domaines très différents, à la petite bourgeoisie, grande consommatrice de livres de civilité, et à tous les académismes, avec leurs traités de style.
5. R. Jakobson, *Essais de linguistique générale*, Paris, Éditions de Minuit, 1963, p. 46.
6. C. Bally, *op. cit.*, p. 21.
7. G. H. Mead, *L'Esprit, le soi et la société*, Paris, PUF, 1963, p. 37-38.
8. On pourra lire les analyses de l'échange de dons qui sont présentées ci-dessous comme une illustration paradigmatique de la théorie des rapports entre les trois modes de connaissance théorique (soit le mode de connaissance phénoménologique, avec l'analyse de Mauss, le mode de connaissance objectiviste, avec l'analyse de Lévi-Strauss, et l'analyse praxéologique).
9. Cf. A. Schutz, *Collected Papers. I, The Problems of Social Reality*, edited and introduced by Maurice Nathanson, La Haye, Martinus Nijhoff, 1962, p. 59. Schutz entend montrer que la contradiction qu'il constate lui-même entre ce qu'il appelle le postulat de l'interprétation subjective et la méthode des sciences les plus avancées comme l'économie n'est qu'apparente (cf. p. 34-35).
10. H. Garfinkel, *Studies in Ethnomethodology*, Englewood Cliffs, N. J., Prentice-Hall, 1967 ; P. Attewell, « Ethnome-

thodology since Garfinkel », *Theory and Society*, vol. 1, n° 2, Summer 1974, p. 179-210.

11. Ainsi, comme on essaiera de le montrer plus loin, c'est la construction objectiviste de la structure des chances statistiques objectivement attachées à une condition économique et sociale (celle d'une économie de reproduction simple ou d'un sous-prolétariat par exemple) qui permet de rendre compte complètement de la forme de l'expérience temporelle que met au jour l'analyse phénoménologique.
12. E. Husserl, *Ideas*, trad. W. R. Boyce Gibson, New York, Collin-Macmillan, 1962, p. 96.
13. La science sociale ne peut séparer de leurs conditions objectives des dispositions comme le *natural standpoint* ou des opérations comme l'*epokhe* que la phénoménologie décrit comme des opérations pures de la conscience : la critique de la *doxa* est inséparable de la *crise* des structures objectives et suppose l'existence du langage critique qui permet de nommer l'expérience corrélative.
14. « Ce qui se "donne" non pas pour nous, mais objectivement, en tant que sens ultime et définitif du phénomène artistique » (E. Panofsky, « Der Begriff des Kunswollens », *Zeitschrift für Aesthetik und allgemeine Kunstwissenschaft*, XIV, 1920, p. 321-339.
15. E. Husserl, *Logique formelle et logique transcendantale*, Paris, PUF, 1965, p. 52.
16. F. de Saussure, *Cours de linguistique générale*, Paris, Payot, 1960, p. 37-38.
17. S. Moscovici et M. Plon, « Les situations-colloques : observations théoriques et expérimentales », *Bulletin de psychologie*, janv. 1966, p. 701-722.
18. E. D. Chapple et C. S. Coon, *Principles of Anthropology*, Londres, J. Cape, 1947, p. 283.
19. L. J. Prieto, *Principes de noologie*, Paris, Mouton, 1964, et J.-C. Pariente, « Vers un nouvel esprit linguistique ? », *Critique*, avril 1966, p. 334-358.
20. J. Van Velsen, *The Politics of Kinship. A Study in Social Manipulation among the Lakeside Tonga*, Manchester, Manchester University Press, 1964, rééd. 1971.
21. Cf. M. Gluckman, « Ethnographic Data in British Social

Anthropology », *Sociological Review*, IX (I), mars 1961, p. 5-17.

22. E. Leach, « On Certain Unconsidered Aspects of Double Descent Systems », *Man*, LXII, 1962, p. 133.
23. J. Van Velsen, *op. cit.*, p. XXVI.
24. Malgré ce point de désaccord, les analyses de J. Van Velsen s'accordent, sur l'essentiel, avec mon analyse des usages stratégiques des relations de parenté (qui a été écrite avant que j'aie connaissance de *The Politics of Kinship*). Cf. par exemple, aux p. 73-74, la sélection des parents « pratiques » à l'intérieur des *nominal kinsmen* ; à la p. 182, le *matrilineal descent* comme rationalisation privilégiée d'actions déterminées par d'autres facteurs, ou la fonction de l'idéalisation du « *cross-cousin marriage as a mean of counteracting the fissiparous tendencies in the marriage and thus the village* ».
25. « La partie psychique n'est pas non plus tout entière en jeu : le côté exécutif reste hors de cause, car l'exécution n'est jamais faite par la masse ; elle est toujours individuelle et l'individu en est toujours le maître ; nous l'appellerons la *parole* » (F. de Saussure, *op. cit.*, p. 30). La formulation la plus explicite de la théorie de la parole comme exécution se trouve sans doute chez Hjelmslev, qui met bien en évidence les différentes dimensions de l'opposition saussurienne entre la langue et la parole, soit institution, social, « figé » et exécution, individuel, non figé (L. Hjelmslev, *Essais linguistiques*, Copenhague, Nordisk Sprog-og Kulturforlag, 1959, spécialement p. 79).
26. « Dire des modèles qu'ils agissent sur un individu n'est pas moins absurde que de tenir une équation du second degré pour capable de commettre un meurtre » (A. R. Radcliffe-Brown, *Structure and Function in Primitive Society*, Londres, Oxford University Press, 1952, p. 190). « Examinons en quoi consistent les faits concrets, observables, auxquels l'anthropologue social a affaire. Si nous entreprenons d'étudier, par exemple, les indigènes d'une région de l'Australie, nous rencontrons un certain nombre d'individus humains dans un environnement déterminé. Nous pouvons observer leurs conduites, y compris, naturellement, leurs paroles, et les produits matériels de leurs actions

passées. Nous n'observons pas une "culture", puisque ce mot désigne non une réalité concrète mais une abstraction et, dans son usage le plus courant, une abstraction fort vague. Mais c'est l'observation directe qui nous révèle que ces êtres humains sont reliés par un réseau complexe de relations sociales. J'appelle "structure sociale" ce réseau de relations dotées d'une existence effective (*this network of actually existing relations*) » (A. R. Radcliffe-Brown, « On Social Structure », *Journal of the Royal Anthropological Institute of Great Britain and Ireland*, vol. 70, 1940, p. 1-12). Il n'est sans doute pas excessif de voir le principe de la confusion extrême des débats sur la notion de culture dans le fait que la plupart des auteurs mettent sur le même plan, au moins pour les opposer, des concepts de statut épistémologique très différents, comme la culture et la société ou l'individu ou la conduite, etc. Le dialogue imaginaire sur la notion de culture que présentent Clyde Kluckhohn et William H. Kelly (cf. C. Kluckhohn and W. H. Kelly, « The Concept of Culture », in *The Science of Man in the World Crisis*, R. Linton (ed.), New York, Columbia University Press, 1945, p. 78-105) donne de ce débat une image plus sommaire peut-être, mais plus vivante que l'ouvrage de A. L. Kroeber et C. Kluckhohn, *Culture. A Critical Review of Concepts and Definitions* (*Papers of the Peabody Museum of American Archaelogy and Ethnology*, vol. XLVII, n° 1, Harvard University Press, 1952). Il n'a pas échappé à Leach que, en dépit de leur opposition apparente, Malinowski et Radcliffe-Brown s'accordent au moins pour considérer chaque « société » ou chaque « culture » (dans leur vocabulaire respectif) comme une « totalité faite d'un certain nombre de "choses" empiriques et discrètes, d'espèces très diverses, groupes d'individus, "institutions", coutumes » ou encore « comme un tout empirique fait d'un nombre limité de parties immédiatement identifiables », la comparaison entre sociétés différentes consistant à examiner si « des parties de même type » se rencontrent dans tous les cas (E. R. Leach, *Rethinking Anthropology*, Londres, The Athlone Press, 1961, p. 6).

27. En effet, si l'on excepte les rares auteurs à conférer à la

notion de conduite une acception rigoureusement définie par l'opération qui la constitue par opposition à la « culture » (par exemple H. D. Lasswell qui pose que « si un acte est conforme à la culture, c'est une conduite, sinon c'est un comportement », *in* « Collective Autism as a Consequence of Culture Contact », *Zeitschrift für Socialforschung*, 1935, vol. 4, p. 232-247) sans en tirer aucune conséquence, la plupart des utilisateurs de l'opposition proposent des définitions de la culture ou de la conduite épistémologiquement discordantes, qui opposent un objet construit à un donné préconstruit, laissant vide la place du second objet construit, à savoir la pratique comme exécution : ainsi, et c'est loin d'être le pire exemple, Harris oppose les « modèles culturels » (*cultural patterns*) aux « conduites culturellement modelées » (*culturally patterned behaviors*), comme « ce que l'anthropologue construit » et « ce que les membres de la société observent ou imposent aux autres » (M. Harris, « Review of Selected Writings of Edward Sapir », *Language, Culture and Personality*, *Language*, 1951, vol. 27, n° 3, p. 288-333).

28. É. Durkheim, *Les Règles de la méthode sociologique*, Paris, PUF, 13e édition, 1956 (1re éd., Alcan, 1895), p. 11.
29. C. Lévi-Strauss, *Les Structures élémentaires de la parenté*, Paris, Mouton, 1967, p. XX-XXI (souligné par moi).
30. *Ibid*, p. XX, cf. aussi la p. XXII.
31. C. Lévi-Strauss, *L'Anthropologie structurale*, Paris, Plon, 1958, p. 41.
32. C. Lévi-Strauss, *Les Structures élémentaires de la parenté*, *op. cit.*, p. XIX.
33. *Ibid.*
34. C'est un transfert indu du même type qui, selon Merleau-Ponty, est au principe de l'erreur intellectualiste et de l'erreur empiriste en psychologie (cf. M. Merleau-Ponty, *La Structure du comportement*, Paris, PUF, 1949, en particulier, p. 124 et 135).
35. L. Wittgenstein, *Investigations philosophiques*, Paris, Gallimard, 1961, p. 155.
36. P. Ziff, *Semantic Analysis*, New York, Cornell University Press, 1960, p. 38.
37. W. V. Quine, « Methodological Reflexions on current Lin-

guistic Theory », *in* Harman and Davidson (eds.), *Semantis of Natural Language*, Bordrecht, D. Reidel Publishing Company, 1972, p. 442-454.

38. L. Wittgenstein, *Le Cahier bleu et le cahier brun. Études préliminaires aux investigations philosophiques*, Paris, Gallimard, 1965, p. 57-58.

39. Le mot « disposition » paraît particulièrement approprié pour exprimer ce que recouvre le concept d'habitus (défini comme système de dispositions) : en effet, il exprime d'abord le *résultat d'une action organisatrice* présentant alors un sens très voisin de mots tels que structure ; il désigne par ailleurs une *manière d'être*, un *état habituel* (en particulier du corps) et, en particulier, une *prédisposition*, une *tendance*, une *propension* ou une *inclination*.

40. « Cette probabilité subjective, variable, qui parfois exclut le doute et engendre une certitude *sui generis*, qui d'autres fois n'apparaît plus que comme une lueur vacillante, est ce que nous nommons la *probabilité philosophique* parce qu'elle tient à l'exercice de cette faculté supérieure par laquelle nous nous rendons compte de l'ordre et de la raison des choses. Le sentiment confus de semblables probabilités existe chez tous les hommes raisonnables ; il détermine alors ou du moins il justifie les croyances inébranlables qu'on appelle de *sens commun* » (Cournot, *Essai sur les fondements de la connaissance et sur les caractères de la critique philosophique*, Paris, Hachette, 1922 (1re édition, 1851), p. 70).

41. « We are no sooner acquainted with the impossibility of satisfaying any desire, than the desire itself vanishes », D. Hume, *A Treatise of Human Nature*, L. A. Selby-Bigge M. A. (ed.), Oxford, Clarendon Press, p. XXII.

42. « Here we confront the distressing fact that the sample episode chain under analysis is a fragment of a larger segment of behavior which in the complete record contains some 480 separate episodes. Moreover, it took only twenty minutes for these 480 bevahior stream events to occur. If my wife's rate of behavior is roughly representative of that of others actors, we must be prepared to deal with an inventory of episodes produced at the rate of some 20 000 per sixteen-hour day, per actor [...]. In a population

consisting of several hundred actor-types, the number of different episodes in the total repertory must around to many millions during the course of an annual cycle », M. Harris, *The Nature of Cultural Things*, New York, Random House, 1964, p. 74-75.

43. C'est dire que « l'hypothèse, associée au nom d'Arrow, du *learning by doing* » (cf. K. J. Arrow, « The Economic Implications of Learning by Doing », *The Review of Economic Studies*, vol. XXIX (3), n° 80, June, 1962, p. 175-173) est un cas particulier (dont il faut préciser la particularité) d'une loi très générale : tout produit fabriqué – y compris les produits symboliques, comme les œuvres d'art, les jeux, les mythes, etc. – exerce par son fonctionnement même, et en particulier par l'utilisation qui en est faite, un effet éducatif qui contribue à rendre plus facile l'acquisition des dispositions nécessaires à son utilisation adéquate.
44. É. Durkheim, *L'Évolution pédagogique en France*, Paris, Alcan, 1938, p. 16.
45. J.-P. Sartre, *L'Être et le Néant*, Paris, Gallimard, 1943, p. 510.
46. J.-P. Sartre, « Réponse à Lefort », *Les Temps modernes*, avril 1953, n° 89, p. 1571-1629.
47. J.-P. Sartre, *L'Être et le Néant*, *op. cit.*, p. 669.
48. *Ibid.*, p. 521.
49. É. Durkheim, *Les Règles de la méthode sociologique*, *op. cit.*, p. 18.
50. *L'Être et le Néant*, *op. cit.*, p. 543.
51. *Ibid.*, p. 161.
52. J.-P. Sartre, *Critique de la raison dialectique*, *op. cit.*, p. 305.
53. *Ibid.*, p. 357.
54. É. Durkheim, *Les Règles de la méthode sociologique*, *op. cit.*, p. 19.
55. J.-P. Sartre, *Critique de la raison dialectique*, *op. cit.*, p. 133.
56. *Ibid.*, p. 234 et 281.
57. *Ibid.*, p. 294.
58. *Ibid.*, p. 179.
59. *Ibid.*, p. 182-193.
60. Cf. P. Bourdieu, « Champ du pouvoir, champ intellectuel

et habitus de classe », *Scolies*, 1, 1971, p. 7-26, spécialement p. 12-14.

61. Cf. A. Touraine, *Sociologie de l'action*, Paris, Éditions du Seuil, 1965, et « La raison d'être d'une sociologie de l'action », *Revue française de sociologie*, VII, oct.-déc. 1966, p. 518-527.
62. Leibniz, « Second éclaircissement du système de la communication des substances (1696) », in *Œuvres philosophiques*, t. II, P. Janet (éd.), Paris, de Ladrange, 1866, p. 548.
63. *Ibid.*
64. Un des mérites du subjectivisme et du moralisme est de démontrer, par l'absurde, dans les analyses où il condamne comme inauthentiques les actions soumises aux sollicitations objectives du monde (qu'il s'agisse des analyses heideggeriennes de l'existence quotidienne et du « on » ou des analyses sartriennes de l'esprit de sérieux), l'impossibilité de l'existence « authentique » qui reprendrait dans un projet de la liberté toutes les significations prédonnées et les déterminations objectives : la recherche *purement éthique* de l'« authenticité » est le privilège de celui qui, ayant le loisir de penser, est en mesure de faire l'économie de l'économie de pensée qu'autorise la conduite « inauthentique ».
65. Il est probable que si elle ne constituait pas une forme rudimentaire, donc économique et pratique, la pensée par couples ne serait pas aussi fréquente dans le langage ordinaire et même dans le langage savant, à commencer par celui des anthropologues, encore dominé par nombre de fausses dichotomies telles que individu et société, personnalité et culture, communauté et société, « folk » et « urban », etc., qui n'ont rien à envier aux dichotomies les plus traditionnelles de la philosophie comme matière et esprit, âme et corps, théorie et pratique, etc. (cf. R. Bendix et B. Berger, « Images of Society and Problems of Concept Formation in Sociology », *in* L. Gross (ed.), *Symposium on Sociological Theory*, New York, Harper and Row, 1959, p. 92-118).
66. R. Ruyer, *Paradoxes de la conscience et limites de l'automatisme*, Paris, Albin Michel, 1966, p. 136.
67. Si ce langage n'était pas dangereux d'une autre façon, on

aimerait dire, contre toutes les formes de volontarisme subjectiviste, que l'unité d'une classe repose fondamentalement sur l'« inconscient de classe » : la « prise de conscience » n'est pas un acte originaire qui constituerait la classe dans une fulguration de la liberté ; elle n'a quelque efficacité, comme toutes les actions de redoublement symbolique, que dans la mesure où elle porte au niveau de la conscience tout ce qui est implicitement assumé sur le mode inconscient dans l'habitus de classe.

68. L'illusion de la création libre trouve sans doute certaines de ses justifications dans le cercle caractéristique de toute stimulation conditionnelle qui veut que l'habitus ne puisse engendrer le type de réponse objectivement inscrit dans sa logique que pour autant qu'il confère à la conjoncture son efficacité de déclencheur en la constituant selon ses principes, c'est-à-dire en la faisant exister comme *question* par référence à une certaine manière d'interroger la réalité.

69. L'habitus est le *principe unificateur* de pratiques ressortissant à des domaines différents que l'analyse objectiviste assignerait à des « sous-systèmes » séparés, comme les stratégies matrimoniales, les stratégies de fécondité ou les choix économiques ; il est, si l'on veut, le point où se réalise pratiquement « l'articulation » des champs que l'objectivisme (de Parsons aux lecteurs structuralistes de Marx) dispose côte à côte sans se donner le moyen de découvrir le principe réel des homologies structurales ou des relations de transformation qui s'établissent objectivement entre eux (ce qui ne revient pas à nier que les structures soient des objectivités irréductibles à leur manifestation dans les habitus qu'elles produisent et qui tendent à les reproduire).

70. « L'histoire se fait de telle façon que le résultat final se dégage toujours des conflits d'un grand nombre de volontés individuelles dont chacune à son tour est faite ce qu'elle est par suite d'une foule de conditions particulières d'existence ; il y a donc là d'innombrables forces qui se contrecarrent mutuellement, un groupe infini de parallélogrammes de forces, d'où ressort une résultante – l'événement historique – qui peut être regardée elle-même, à son tour, comme le produit d'une force agissant comme un

tout, de façon inconsciente et aveugle. Car ce que veut chaque individu est empêché par chaque autre et ce qui s'en dégage est quelque chose que personne n'a voulu. C'est ainsi que l'histoire se déroule jusqu'ici à la façon d'un processus naturel et est soumise aussi, dans l'ensemble, aux mêmes lois de mouvement » (F. Engels, Lettre à Joseph Bloch du 21 septembre 1890, *in* K. Marx et F. Engels, *Lettres philosophiques*, Paris, Éditions Sociales, 1947, p. 124). « Les hommes font leur histoire eux-mêmes, mais jusqu'à présent *non avec la volonté collective d'un plan d'ensemble* même pas dans une société donnée, bien délimitée. Leurs efforts se contrecarrent, et c'est précisément pourquoi règne, dans toutes les sociétés de ce genre, la *nécessité*, complétée et exprimée par le *hasard* » (F. Engels, Lettre à Hans Starkenburg, 25 janvier 1894, *ibid.*, p. 132).

71. Cf. C. Du Bois, *The People of Alor*, Minneapolis, University of Minnesota Press, 1944.
72. A. F. Wallace, *Culture and Personality*, New York, Random House, 1965, p. 86.
73. Si les sociétés sans écriture semblent avoir une inclination particulière pour les jeux structuraux qui fascinent l'ethnologue, c'est parfois, tout simplement, comme me le faisait remarquer Marcel Maget, à des fins mnémotechniques : l'homologie remarquable entre la structure de la distribution des familles dans le village et la structure de la distribution des tombes dans le cimetière qui s'observe en Kabylie (Aït Hichem, Tizi Hibel) contribue évidemment à faciliter le repérage des tombes traditionnellement anonymes (aux principes structuraux, s'ajoutant des repères expressément transmis).
74. On pourrait parler de compréhension pratique, pour faire entendre tout ce qui sépare ce type d'acquisition d'un simple dressage par essais et erreurs, si ce n'était ouvrir une brèche fatale aux bavardages faussement diltheyens dont la niaiserie suffit à excuser les formes les plus extrêmes du structuralisme objectiviste.
75. B. Berelson and G. A. Steiner, *Human Behavior*, New York, Harcourt, Barce and World, 1964, p. 193.
76. Leeper, cité par B. Berelson and G. A. Steiner, *ibid.*

77. A. B. Lord, *The Singer of the Tales*, Cambridge, Harvard University Press, 1960, p. 30.
78. *Ibid.*, p. 32.
79. *Ibid.*, p. 24.
80. En fait, ici comme ailleurs, les différents types d'action pédagogique que l'on peut distinguer en fonction du degré auquel ils sont explicitement et expressément organisés en vue de l'inculcation sont complémentaires et pratiquement indissociables. Rien ne serait plus faux que d'imaginer quelque chose comme une éducation naturelle dans une société qui tend d'autant plus à substituer à l'expérience directe du monde des expériences socialement aménagées qu'elle se représente toute éducation (et en particulier l'éducation des filles et des femmes) comme dressage ou mieux redressement d'une nature gauche et tordue : « Redresse le bois quand il est vert ; une fois sec, personne ne peut le tailler » ; « comme on dit d'un bois tordu, si tu ne peux le redresser, casse-le » ; « l'arbre que tu n'auras pas taillé au début, te trahira à la fin » ; « une fille, éduque-la, sinon supporte-la ».
81. Les petits garçons sont, en outre, structuralement prédisposés au rôle d'intermédiaire entre le monde masculin et le monde féminin, soit qu'ils rapportent aux femmes les affaires de l'assemblée des hommes, soit qu'ils mettent leur fierté à surprendre quelque secret féminin pour le rapporter aux hommes.
82. Bien que les principes élémentaires de structuration de l'expérience spatiale ne soient peut-être accessibles qu'à une analyse de type phénoménologique, ce que l'on peut en saisir par l'observation et l'entretien permet de voir que les relations que l'expérience spatiale entretient, en Kabylie, avec une expérience kinesthésique ou coenesthésique sont conformes à celles qui s'observent dans la tradition européenne et peut-être plus universellement : ainsi la grandeur s'exprime en écartant largement le bras, la petitesse en tenant le poing fermé ; peu se dit en mettant le pouce sur l'auriculaire, rien par un coup d'ongle sur la dent ; le plat est comme la paume de la main ; le difficile comme une montée ; le facile comme l'eau qui s'écoule. Il est plus difficile d'établir la relation qui, selon certains,

s'établirait par la médiation des sensations kinesthésiques naissant de la taille de la cavité buccale, entre le symbolisme phonétique et des représentations spatiales telles que les oppositions du près et du loin, du moi et du toi, du ici et du là-bas, du petit et du grand, etc.

83. S. Freud, I, « Studien über Histerie, d. Fraülein Elisabeth V. R... », *Samtliche Werke*, p. 196 *sq*.
84. E. H. Erikson, « Childhood and Tradition in Two American Indian Tribes », in *The Psychoanalytic Study of the Child*, New York International Universities Press, 1945, t. I, p. 319-350 (*revised and reprinted* in *Personality*, Clyde Klukhohn and Henry A. Murray (ed.), Alfred A. Knopf) ; cf. aussi *Childhood and Society*, New York, W. W. Norton and Co, 1950, p. 109-186.
85. M. Klein, *Essais de psychanalyse* (trad. de M. Derrida), Paris, Payot, 1967, p. 133 n. 1 (« géographie du corps maternel »), p. 290 n. 1.
86. Cf. E. H. Erikson, « Observations on the Yurok ; Childhood and World Image », *University of California Publications in American Archaeology and Ethnology*, University of California Press, vol. 35, n° 10, 1943, p. 257-302.
87. « Les parents hurlent et trépignent en ordre et par ordre, chaque fois qu'arrive l'*heure rituelle* d'exprimer le chagrin familial et au signal donné par le chef de chœur. Tous "mettent alors leurs membres en mouvement", tous donnent de la voix "afin de calmer la peine et de diminuer l'angoisse". Ils bondissent et crient un nombre de fois déterminé et sur un rythme significatif de leur proximité avec le défunt – les hommes seuls se découvrant le bras droit et bondissant franchement –, les femmes sans se découvrir et sans que la pointe des pieds quitte terre mais en se frappant la poitrine – le fils vagissant à la manière des nouveau-nés, sans que jamais s'arrête le son de sa voix, tandis que les parents plus éloignés, qui, après trois modulations, laissent le son se prolonger et mourir, ne sont autorisés qu'à adopter un ton plaintif » (M. Granet, *La Civilisation chinoise*, Paris, Albin Michel, 1929, p. 392, souligné par moi). Cf. aussi « Le Langage de la douleur d'après le rituel funéraire de la Chine classique », *Journal de psychologie*, fév. 1922, p. 97-118.

88. A. Matheron, *Individu et société chez Spinoza*, Paris, Éditions de Minuit, 1969, p. 349.
89. A. Schutz, *Collected Papers. I, The Problem of Social Reality*, *op. cit.*, p. 145.
90. Les énoncés enfermés dans la coutume d'un groupe particulier ne représentent qu'une partie très faible de l'univers des actes de jurisprudence possibles (dont l'addition des énoncés produits à partir des mêmes principes et consignés dans les coutumiers de différents groupes ne donne elle-même qu'une faible idée). La comparaison des coutumiers de différents groupes (villages ou tribus) saisit des variations dans l'importance de la sanction infligée pour la même infraction qui, compréhensibles s'agissant de mises en pratique d'un même principe implicite, ne s'observeraient pas s'il s'agissait d'autant d'applications d'une même norme explicite, expressément produite pour servir de base à des actes de jurisprudence homogènes et constants, c'est-à-dire prévisibles et calculables.
91. A. Hanoteau et A. Letourneux, *op. cit.*, t. III, p. 338.
92. E. Sapir, « L'influence des modèles inconscients sur le comportement social », *Anthropologie*, Paris, Éditions de Minuit, 1967, I, p. 41.
93. É. Durkheim, *Éducation et Sociologie*, Paris, PUF, 1968 (1re édition 1922), p. 68-69.
94. M. Merleau-Ponty, *op. cit.*, p. 131-135.
95. Hegel, *La Raison dans l'histoire. Introduction à la philosophie de l'histoire* (trad., introd. et notes de K. Papaioannou), Paris, Plon, 1965, p. 26.
96. M. Heidegger, *L'Être et le Temps*, Paris, Gallimard, 1965, p. 93.
97. Sur le modèle du lignage comme cadre idéologique utilisé par les indigènes « pour se donner une compréhension de sens commun de leurs relations sociales », on pourra voir le très bel article de E. L. Peters, « Some Structural Aspect of the Feud Among the Camel-Herding Bedouin of Cyrenaica », *Africa*, vol. XXXVII, n° 3, july 1967, p. 261-282.
98. Ainsi selon M. Dewulder (*loc. cit.*), les femmes des Ouadhias pouvaient livrer la signification de certains des symboles qu'elles utilisaient dans leurs peintures murales.

99. F. Boas, *Anthropology and Modern Life*, New York, W. W. Norton and Co, 1962 (1re éd., 1928), p. 164-166.
100. W. Pareto, *Manuel d'économie politique*, Genève, Droz, 1966, p. 45.
101. Cf., sur ce point, P. Bourdieu, « Le Marché des biens symboliques », *L'Année sociologique*, vol. 22, 1971, p. 49-126.
102. Cf. par exemple A. B. Lord (*op. cit.*, p. 20, 124-125, 129, 221), et G. S. Kirk, *The Songs of Homer* (Cambridge, University Press, 1962, p. 86-87).
103. C'est ainsi que A. Hanoteau (général de brigade) et A. Letourneux (conseiller à la cour d'appel), qui présentent leur analyse des coutumiers kabyles selon le plan du Code civil, accordent à l'assemblée de village le rôle de juge (cf. A. Hanoteau et A. Letourneux, *La Kabylie et les Coutumes kabyles*, Paris, 1873, t. III, p. 2), tandis que le doyen M. Morand (cf. M. Morand, *Étude de droit musulman algérien*, 1910 ; « Le statut de la femme kabyle et la réforme des coutumes berbères », *Revue des études islamiques*, 1927 cahier I, p. 47-94) considère le *qanun* comme un ensemble de dispositions réglementaires ayant leur fondement dans des conventions et des accords contractuels. En réalité, l'assemblée ne fonctionne pas comme un tribunal qui énonce des verdicts en se référant à un code préexistant mais comme un conseil d'arbitrage ou de famille qui s'efforce de concilier les points de vue des adversaires et de leur faire accepter un arrangement : c'est dire que le fonctionnement du système suppose l'*orchestration des habitus*, puisque la décision de l'arbitre ne peut être exécutée qu'avec le consentement de la partie « condamnée » (faute de quoi le demandeur n'a d'autre recours que l'emploi de la force) et qu'elle n'a de chances d'être acceptée que si elle est conforme au « sens de l'équité » et imposée selon les formes reconnues par le « sens de l'honneur ».
104. Il faut lire tout le chapitre intitulé « Rechtsordnung, Konvention und Sitte », où Max Weber analyse les différences et les passages entre la coutume, la convention et le droit (M. Weber, *Wirtschaft und Gesellschaft*, Cologne, Berlin, Kiepenhauer und Witsch, 1964, I, p. 240-250, spécialement p. 246-249).
105. Ainsi les deux articles classiques sur le mariage entre

cousins parallèles, celui de F. Barth et celui de F. Murphy et L. Kasdan, proposent des thèses diamétralement opposées : pour le premier, ce type de mariage renforce l'intégration de la lignée par opposition aux autres, pour le second il tend à isoler et à replier les lignées sur elles-mêmes (cf. F. Barth, « Principles of Social Organization in Southern Kurdistan », *Universitets Etnografiske Museum Bulletin*, n° 7, Oslo, et F. Murphy et L. Kasdan, « The Structure of Parallel Cousin Marriage », *The American Anthropologist*, vol. 61, n° 1, feb. 1959, p. 17-29). Il ne suffit pas de remarquer avec C. Lévi-Strauss que ces deux interprétations, qui mettent l'accent l'une sur la tendance à la fusion, l'autre sur la tendance à la fission, « aussi opposées qu'elles soient en apparence, reviennent exactement au même » (C. Lévi-Strauss, Intervention aux entretiens interdisciplinaires sur les sociétés musulmanes, *Systèmes de parenté*, Paris, École pratique des hautes études, 1959, p. 19). Elles ont en commun d'accepter une définition indifférenciée de la fonction ainsi réduite à la fonction *pour le groupe*. Ainsi, par exemple, F. Murphy et L. Kasdan écrivent : « La plupart des explications du mariage entre cousins parallèles sont des explications par les causes et les motivations, suivant lesquelles l'institution doit être comprise par référence aux buts conscients des protagonistes individuels. Nous n'avons pas cherché à expliquer l'origine de la coutume mais, l'ayant prise comme une donnée de fait, nous nous sommes efforcés d'analyser sa fonction, *i. e.* son rôle à l'intérieur de la structure sociale bédouine, et il est apparu que le mariage des cousins parallèles contribue à l'extrême fission des lignées agnatiques dans la société arabe et, par l'endogamie, enkyste les segments patrilinéaires » (F. Murphy et L. Kasdan, *loc. cit.*, p. 27).

106. Pour corriger ce qu'il peut y avoir d'un peu simplificateur dans cette analyse qui, visant à démentir le modèle juridique, en prend par moments le contre-pied, il faut se reporter à l'analyse des stratégies matrimoniales qui a été imposée ci-dessus, p. 162-186.

107. La dénonciation rituelle du *legalism*, demi-vérité rassurante, à laquelle on tentera peut-être de réduire nombre des analyses présentées ici, a sans doute contribué à découra-

ger toute interrogation véritable sur les rapports entre la règle et la pratique et, plus précisément, sur les stratégies de jeu ou de double jeu avec la règle du jeu qui confèrent à la règle une réelle efficacité pratique mais d'une tout autre nature que celle que lui prêtait naïvement le *legalistic approach*, comme disait Malinowski (B. Malinowski, *Coral Gardens and their Magic*, vol. I, Londres, George Allen and Unwin Ltd, 1966 [1re éd. 1935], p. 379).

108. En effet, comme le montre Sartre dans une très belle analyse de « l'aventure de la droite », la démonstration géométrique, pour exister, doit détruire l'unité sensible de la figure comme *gestalt* et la « refouler dans le savoir implicite ». Plus profondément, « le géomètre ne s'intéresse pas aux actes, mais à leurs traces » (J.-P. Sartre, *Critique de la raison dialectique*, *op. cit.*, p. 151-152 n.).

109. Que des ouvriers qui utilisent un rouleau de bois et une barre de fer pour soulever une pierre mettent en application la règle de composition des forces parallèles et de même sens, qu'ils sachent faire varier la position du point fixe en fonction des fins poursuivies et du poids et du volume de la charge, *comme s'ils n'ignoraient pas* la règle qu'ils ne sont pas en mesure de formuler expressément et selon laquelle on peut équilibrer une résistance avec une force d'autant plus petite que le rapport des deux bras du levier est plus petit, ou, plus généralement, la règle qui veut que l'on gagne en force ce que l'on perd en déplacement, cela n'incite pas à invoquer les mystères d'un inconscient physicien ou les arcanes d'une philosophie de la nature, postulant une harmonie mystérieuse entre la structure du cerveau humain et la structure du monde physique. Il serait sans doute intéressant de savoir pourquoi le fait que la manipulation du langage suppose l'acquisition de structures abstraites et de règles d'effectuation de ces opérations (comme, selon Chomsky, la non-itérabilité de l'inversion) suscite de tels émerveillements.

110. J. Nicod, *La Géométrie dans le monde sensible*, préface de B. Russell, Paris, PUF, 1962.

111. Cité par G. Bachelard, *La Poétique de l'espace*, Paris, PUF, 1961, p. 201.

112. *Ibid.*

113. « Les sociologues et psychologues modernes résolvent de tels problèmes en faisant appel à l'activité inconsciente de l'esprit ; mais, à l'époque où Durkheim écrivait, la psychologie et la linguistique moderne n'avaient pas encore atteint leurs principaux résultats. Ce qui explique pourquoi Durkheim se débattait dans ce qu'il regardait comme une antinomie irréductible [...] : « le caractère aveugle de l'histoire et le finalisme de la conscience. Entre les deux se trouve évidemment la finalité inconsciente de l'esprit [...]. C'est [...] à ces niveaux intermédiaires ou inférieurs – tel celui de la pensée inconsciente – que disparaît l'opposition apparente entre individus et société et qu'il devient possible de passer d'un point de vue à l'autre » (C. Lévi-Strauss, « La Sociologie française », in *La Sociologie au xxe siècle*, Paris, PUF, 1947, t. II, p. 527).
114. Cf. J. Favret, « La Segmentarité au Maghreb », *L'Homme*, VI, 2, 1966, p. 105-111, et J. Favret, « Relations de dépendance et manipulation de la violence en Kabylie », *L'Homme*, VIII, 4, 1968, p. 18-44.
115. *Ibid.*, p. 21.
116. Exposée plus en détail *in* P. Bourdieu, *The Algerians*, Boston, Beacon Press, 1962, p. 14-20.
117. J. Nicod, *op. cit.*, p. 43-44.
118. Cf. pour des observations analogues, M. Granet, *La Civilisation chinoise*, Paris, *op. cit.*, *passim*, et en particulier p. 332. L'association par assonance qui peut conduire à des rapprochements sans signification mythico-rituelle (*Aman d laman*, l'eau c'est la confiance) ou au contraire surdéterminés symboliquement (*azka d azqa*, demain c'est le tombeau) constitue une autre technique de modulation. On voit, à cette occasion, comment la logique pratique du rite joue, à la façon de la poésie, de la dualité du son et du sens (comme, en d'autres cas, de la pluralité des sens du même son) : la concurrence de la relation selon l'assonance et de la relation selon le sens constitue une alternative, un carrefour entre deux voies concurrentielles qui pourront être empruntées sans contradictions à des moments différents, dans des contextes différents.
119. On peut noter, en passant, que la langue berbère exprime le féminin par un diminutif.

120. Ce « sens analogique » peut se manifester dans la relation d'enquête elle-même lorsque l'informateur associe des thèmes apparemment dépourvus de liens et soutenus par le même schème inconscient ; par exemple, dans tel cas concret, le schème du gonflement qui est au principe de la plupart des rites de fécondité soutient l'association entre les beignets que l'on fabrique en certaines occasions et telle plante saponaire utilisée par les maquignons pour faire gonfler les bœufs pour la vente. Tout semble indiquer que ce « sens analogique » fonctionne à la manière de ce que les linguistes nomment parfois le sens de la racine, à savoir comme le principe inconscient des mises en relation que l'appréhension savante ne peut opérer qu'en se donnant un *constructum* dépourvu de toute existence dans la *conscience* des sujets parlants. Plus généralement, il faudrait évoquer ici ce que les linguistes chomskyens appellent la « grammaticalité » ou l'« acceptabilité », reconnaissant que cette notion ne peut pas se définir par des critères simples, sémantiques ou statistiques par exemple, et que le seul critère en est l'*intuition*.
121. Cf. J. F. Le Ny, *Apprentissage et activités psychologiques*, Paris, PUF, 1967, p. 137.
122. Granet donne de très beaux exemples de ces constructions fantastiques à force de vouloir être impeccables qu'engendre l'effort pour résoudre les contradictions nées de l'ambition désespérée de donner une force intentionnellement systématique aux produits objectivement systématiques de la raison analogique. Ainsi la théorie des cinq éléments, élaboration savante (IIIe-IIe siècle avant J.-C.) du système mythique, qui décrit la succession de cinq éléments par production et met en correspondance les points cardinaux (auxquels on ajoute le centre), les saisons, les matières (eau, feu, bois, métal), les notes (M. Granet, *op. cit.*, p. 304-309).
123. E. Husserl, *Idées directives pour une phénoménologie*, Paris, Gallimard, 1950, p. 402-407.
124. Dans une sorte de commentaire de second principe saussurien (« le signifiant se déroule dans le temps et a les caractères qu'il emprunte au temps », F. de Saussure, *op. cit.*, p. 103), Cournot oppose les propriétés du discours

parlé ou écrit, « série essentiellement linéaire » qui, en raison de son « mode de construction, nous oblige à exprimer successivement, par une série linéaire de signes, des rapports que l'esprit perçoit ou qu'il devrait percevoir simultanément et dans un autre ordre » aux « tableaux synoptiques, arbres, atlas historiques, sortes de tables à double entrée, dans le tracé desquels on tire un parti plus ou moins heureux de l'étendue en surface, pour figurer des rapports et des liens systématiques difficiles à démêler dans l'enchaînement des discours » (Cournot, *op. cit.*, p. 364). Jacques Bertin a formulé systématiquement cette opposition, dont il a fait la base de sa sémiologie graphique (cf. J. Bertin, *Sémiologie graphique*, Paris, La Haye, Gauthier, Villars et Mouton éd., 1967).

125. Cette analyse de l'effet que produit l'enregistrement conduit au principe des effets que l'invention des techniques de *conservation de la parole* (l'écriture) a pu déterminer (cf. W. C. Greene, « The Spoken and the Written Word », *Harvard Studies in Classical Philology*, IX, 1951, p. 24-59 ; J. Goody & I. Watt, « The Consequences of Literacy », *Comparative Studies in Society and History*, V, 1962-63, p. 304-311). La polythétie qui permet d'échapper à la contradiction a elle-même pour condition l'absence d'enregistrement (*record*) du passé, c'est-à-dire l'*illiteracy* qui, en laissant la mémoire individuelle et collective libre de toute trace fixée, autorise les corrections permanentes nécessaires, pour échapper à l'incohérence. La synchronisation du passé et du présent (par exemple des versions successives d'un mythe ou d'un rituel) qu'autorise l'écriture rend possible l'appréhension synoptique et du même coup l'aperception des contradictions qui donnent à la réflexion lettrée son point de départ.

126. La logique du rite ou du mythe appartient à la classe des logiques naturelles que la philosophie du langage, la logique et la linguistique commencent à explorer, avec des présupposés et des méthodes très différents. C'est ainsi, par exemple, que George Lakoff, un des fondateurs de la « *generative semantics* », a dû construire une « *fuzzy logic* » pour rendre raison du langage ordinaire, avec ses « *fuzzy concepts* » et ses « *hedges* » tels que *par excel-*

lence, *sort of*, *pretty*, *much*, *rather*, *loosely speaking*, etc., qui modifient (*affect*) les valeurs de vérité (*truth values*) « *in a way they cannot be described adequately* » dans les limites de la logique classique.

127. C. Lévi-Strauss, « Introduction à l'œuvre de Marcel Mauss », in *Sociologie et Anthropologie*, Paris, PUF, 1950, p. XXXVIII.

128. *Ibid.*, p. XXXVI.

129. Les dictons qui exaltent la générosité, vertu suprême de l'homme honorable, coexistent avec des proverbes qui trahissent la tentation de l'esprit de calcul : « Le cadeau est un malheur », dit l'un d'eux, et un autre : « Le présent est une poule et la récompense un chameau » ; enfin, jouant sur le mot *lahna* qui signifie à la fois le cadeau et la paix et sur le mot *lahdia* qui signifie cadeau, on dit : « Ô vous qui nous apportez la paix (le cadeau), laissez-nous en paix », ou « laissez-nous en paix (*lahna*) avec votre cadeau (*lahdia*) », ou « le meilleur cadeau, c'est la paix ».

130. Le langage de la *forme*, entendue comme *structure d'un devenir*, au sens de la théorie musicale (*e. g.* forme suite ou forme sonate), conviendrait sans doute mieux que le langage de la structure logique, pour exprimer les séquences articulées logiquement, mais aussi chronologiquement, d'une œuvre musicale, d'une danse ou de toute pratique temporellement structurée. Il est significatif que R. Jackobson et C. Lévi-Strauss (*L'Homme*, t. II, n. 1, janv.-avril 1962, p. 5-21) ne puissent établir le passage de la structure à la forme et à l'expérience de la forme, c'est-à-dire au plaisir poétique et musical, qu'en invoquant la *fonction de déconcertement* (*frustrated expectation*) dont l'analyse objectiviste ne peut rendre raison dans la mesure où elle rassemble dans l'instant sous forme d'un ensemble de thèmes liés par des relations de transformation logique (*e. g.* le passage de la forme métaphorique, le savant, l'amoureux, le chat, à la forme métonymique, le chat) la structure essentiellement polythétique du discours poétique qui ne se livre *pratiquement* que dans le temps. En fait, les formes musicales (ou poétiques) comme structures temporelles ne peuvent être comprises qu'en tant qu'elles remplissent des *fonctions expressives* de types différents,

qu'il s'agisse des « formes insistantes » comme la forme rondo, fondées sur la réexposition du thème et organisées en stricte symétrie, ou des formes plus complexes, accordant une place plus grande aux « relations » comme la forme suite et surtout la forme sonate.

131. Voici le paradoxe sur le possible de Diodore Kronos (de l'École des Mégariques), tel qu'on peut le lire dans le commentaire d'Ammonius du *De interpretatione* d'Aristote (p. 131, l. 25 ss) : « Si tu vas moissonner, il n'est pas vrai que peut-être tu moissonneras et que peut-être tu ne moissonneras pas, mais tu moissonneras de toute façon ; et si tu ne vas pas moissonner, de la même manière il n'est pas vrai que peut-être tu moissonneras et que peut-être tu ne moissonneras pas, mais de toute façon tu ne moissonneras pas. Il s'ensuit à coup sûr, en toute nécessité, que ou bien tu moissonneras, ou bien tu ne moissonneras pas. Le "peut-être" ainsi se trouve supprimé, s'il ne trouve de place ni dans l'opposition de moissonner et de ne pas moissonner, l'un de ces deux cas se produisant nécessairement, ni selon la conséquence de l'une de ces deux suppositions. Or le "peut-être" était bien l'élément qui introduisait le possible. C'est donc le possible qui disparaît. » Cicéron dans le *De fato*, VI, 12, écrit : « Diodore [...] dit que cela seul est possible qui est vrai ou le deviendra ; et tout ce qui arrivera, il le déclare nécessaire, et tout ce qui n'arrivera pas, il le déclare impossible » ; IX, 17 : « ... rien n'arrive qui n'ait été nécessaire ; et tout ce qui est possible ou l'est déjà ou le sera ».

132. « Ne vous offensez pas de cette offre [...]. J'ai tellement conscience d'être un zéro à vos yeux, que vous pouvez accepter de ma part même de l'argent. Un cadeau de moi est sans conséquence », F. Dostoïevski, *Un joueur*, Paris, Gallimard, coll. « Les classiques russes », 1958, p. 47.

133. Cf. N. Chomsky, « General Properties of Language », in *Brain Mechanism Underlying Speech and Language*, 1, L. Darley (ed.), New York et Londres, Grune and Straton, 1967, p. 73-88.

134. Sur la croyance comme mauvaise foi individuelle entretenue et soutenue par la mauvaise foi collective, voir P. Bourdieu, « Genèse et structure du champ religieux », *loc. cit.*, p. 318.

135. Il suffit pour s'en convaincre d'évoquer la tradition grâce à laquelle la profession médicale entretient la relation de « confraternité » et qui, en excluant le versement d'honoraires entre médecins, contraint à rechercher, en chaque cas, à l'intention d'un confrère dont on ne connaît ni les goûts ni les besoins, un cadeau qui soit en outre ni trop au-dessus ni trop au-dessous du prix de la consultation, mais sans trop de précision évidemment parce que cela reviendrait à déclarer le prix de cette consultation et à dénoncer du même coup la fiction intéressée de la gratuité.
136. « Tu m'as sauvé de la vente », dit-on en pareil cas au bailleur de fonds qui, par une sorte de vente fictive (il donne de l'argent tout en laissant au propriétaire la jouissance de son bien), évite que la terre ne tombe aux mains d'un étranger.
137. M. Mauss, « Essai sur le don », in *Sociologie et Anthropologie*, Paris, PUF, 1950, p. 239. L'histoire du vocabulaire indo-européen telle que la restitue Émile Benveniste est, *eo ipso*, une histoire du processus de division et de séparation, bref du travail historique d'abstraction par lequel se constituent les notions fondamentales de l'économie et du droit de l'intérêt (cf. É. Benveniste, *Le Vocabulaire des institutions indo-européennes*, Paris, Éditions de Minuit, 1969).
138. Le caractère sacré du repas s'exprime dans les formules employées pour prêter serment : « Par la nourriture et le sel que voici » ou « Par la nourriture et le sel que nous avons partagés ». Le pacte scellé par la commensalité deviendrait malédiction pour qui le trahirait : « Je ne le maudis pas, la bouillie et le sel le maudissent. » Pour inviter son hôte à reprendre de la nourriture, on dit : « Il est inutile de jurer, c'est cette nourriture qui le fait (pour toi) » ; « elle te demandera des comptes, des compensations (si tu la laisses) ». Le repas commun est aussi une cérémonie de réconciliation qui entraîne l'abandon de la vengeance. De même l'offrande de nourriture à un saint protecteur ou à l'ancêtre du groupe revêt le sens d'un contrat d'alliance. La *thiwizi* ne se conçoit pas sans le repas final : aussi le plus souvent ne rassemble-t-elle en fait que les gens du même *adrum* ou de la même *thakharubth*.

139. K. Marx, *Le Capital*, II, deuxième section, chap. VII, « Temps de travail et temps de production », Paris, Gallimard, coll. « Bilbiothèque de la Pléiade », t. II, p. 655.
140. On condamne les individus dépourvus d'utilité pour leur famille et pour le groupe, ces « morts que Dieu a tirés des vivants », comme dit un verset du Coran souvent cité à leur propos et qui sont aussi incapables de « provoquer la pluie ou le beau temps ». Demeurer oisif, surtout pour qui appartient à une grande famille, c'est se dérober aux devoirs et aux tâches qui sont inséparables de l'appartenance au groupe. Aussi s'empresse-t-on de replacer dans le cycle des travaux et dans le circuit des échanges de services celui qui est demeuré à l'écart de l'activité agricole pendant un certain temps, l'ancien émigré ou le convalescent. En droit d'exiger de chacun qu'il se donne une occupation, si improductive soit-elle, le groupe se doit d'assurer à tous une occupation, même purement symbolique : le paysan qui procure aux oisifs l'occasion de travailler sur ses terres reçoit l'approbation de tous parce qu'il offre à ces individus marginaux la possibilité de s'intégrer dans le groupe en remplissant leur tâche d'homme.
141. Le prix du temps ne cessant de croître à mesure que croît la productivité (c'est-à-dire à la fois l'abondance des biens offerts à la consommation et le pouvoir d'achat, donc la consommation, qui prend aussi du temps), le temps devient la denrée la plus rare, tandis que diminue la rareté des biens : il peut même se faire que le gaspillage des biens soit la seule manière d'économiser un temps plus précieux que les produits qu'il permettrait d'économiser – par le travail d'entretien, de réparation, etc. (cf. G. S. Becker, « A Theory of the Allocation of Time », *The Economic Journal*, n° 299, vol. LXXV, sept. 1965, p. 493-517). Tel est sans doute le fondement objectif de l'opposition, souvent décrite, qui s'observe dans les attitudes à l'égard du temps (cf. Annexes).
142. On n'aurait pas de peine à montrer que les débats sur la « démocratie » berbère (et, plus généralement, archaïque) opposent, de la même façon, la naïveté du premier degré à la naïveté du second degré, la plus pernicieuse sans doute, parce que la satisfaction qu'inspire la fausse lucidité inter-

dit d'accéder à la connaissance adéquate qui dépasse en les conservant ces deux formes de naïveté ; la « démocratie gentilice » doit sa spécificité au fait qu'elle laisse à l'état implicite et indiscuté (*doxa*) les principes que la « démocratie » libérale peut et doit professer (orthodoxie) parce qu'ils ont cessé de régir, à l'état pratique, les conduites.

143. A celui qui « ne sait que consacrer à autrui le temps qu'il lui doit », on lance des reproches : « A peine arrivé, te voilà déjà parti » , « Tu nous quittes ? Nous nous sommes à peine assis... Nous n'avons pas parlé du tout ». Et l'analogie entre le rapport d'homme à homme et le rapport de l'homme à la terre conduit à condamner celui qui se hâte inconsidérément dans son travail et qui, pareil à l'hôte qui s'en va à peine venu, ne sait pas consacrer à la terre la peine et le temps, c'est-à-dire le respect qu'il lui doit.

144. R. Maunier, *Mélange de sociologie nord-africaine*, Paris, Alcan, 1930, p. 68.

145. On raconte que, à l'occasion des combats, les femmes (et les hommes âgés) de la famille encourageaient les hommes à « aller de l'avant » en ces termes : « tue ou meurs, mais ne laisse pas derrière toi des allusions » (*thasalqubth*).

Annexe

1. La domination de l'économie de marché détermine un renversement du pour au contre de la hiérarchie des valeurs qui s'exprime dans cette tradition, d'une part en imposant de réserver pour le marché les produits de première qualité, d'autre part en introduisant des habitudes de consommation bien faites pour justifier l'abandon de la tradition de la *thiji* et la recherche des revenus monétaires : pourquoi faire des réserves de figues alors que l'on ne mange plus de figues depuis que (et parce que) l'on boit du café ?

2. Les échanges se faisaient autrefois en nature selon des équivalence fixées par la tradition. « Dans le Tell, le nomade échangeait une mesure de dattes contre trois mesures d'orge, ou une demi-mesure de blé contre trois mesures de dattes » (A. Bernard et N. Lacroix, *L'Évolution du nomadisme en Algérie*, Alger, A. Jourdan, 1906, p. 207).

En 1939, l'équivalence d'échange s'établissait ainsi, selon Augustin Berque : un quintal de blé = un mouton = vingt litres d'huile = deux quintaux de raisins ou d'abricots = un quintal de figues = trois cents kilos de charbon = un quintal un tiers d'orge. Le paiement des *khammès* et des associés ou des prêts se faisait en nature, dans la plupart des villages de Kabylie, jusqu'à la Seconde Guerre mondiale. Le travail du forgeron était payé en céréales ; les poteries étaient encore échangées, jusqu'à une époque récente, contre leur contenance de figues ou de grains. Parfois, l'échange en nature s'est maintenu en se réinterprétant en fonction de la logique de l'échange monétaire : ainsi, le blé valant deux fois plus cher au printemps qu'au moment de la récolte, l'emprunteur doit rendre deux fois plus de grain qu'il n'en a reçu. Partout, il y a encore une cinquantaine d'années, les marchés donnaient lieu à des échanges directs de marchandises plutôt qu'à des échanges commerciaux nécessitant le recours au crédit ou l'emploi de la monnaie. Celle-ci, lorsqu'elle intervenait, jouait surtout le rôle d'étalon des échanges : c'est ainsi que la cotation de produits en numéraire a longtemps reproduit leur équivalence d'échange telle qu'elle était établie à l'époque où les transactions se faisaient par troc.

3. « Si je ne sais quelle quantité de blé je pourrai acheter avec elle, je sais cependant, remarque Simiand, que je pourrai en acheter dans le futur ; même si le blé n'est pas ce dont j'ai besoin, je sais que je pourrai me nourrir, me vêtir, faire quelque chose d'utile avec de l'or. » Et ailleurs : « C'est ce pouvoir d'anticipation ou de représentation, voire de réalisation anticipée d'une valeur future, qui est la fonction essentielle de la monnaie et, notamment, dans les sociétés progressives » (F. Simiand, « La Monnaie, réalité sociale », *Annales sociologiques*, série D, 1934, p. 80 et 81).

4. On sait aussi que l'inaptitude des ruraux au maniement de la monnaie et leur inadaptation aux règles juridiques ont contribué grandement à accélérer le mouvement de dépossession foncière. Ainsi, après avoir condamné la politique qui conduisait à dépouiller les Algériens de leurs parcours, Violette observait : « On abuse vraiment des expropriations [...]. En tout cas, encore faut-il que, lorsqu'il y a lieu

à expropriation, le dommage soit réparé en équité et spécialement que l'obligation pour l'administration de recaser les expropriés et spécialement les indigènes soit respectée [...]. L'indemnité en argent n'a pas de sens pour le *fellah*. Il le dépensera aussitôt, il ne pourra pas le capitaliser et utiliser le pauvre revenu qu'une opération de placement lui assurerait » (M. Violette, *L'Algérie vivra-t-elle ? Notes d'un ancien gouverneur général*, Paris, Alcan, 1931, p. 83-91). Devenus détenteurs d'un titre de propriété authentique et aisément aliénable à la suite de ruptures d'indivision favorisées par les lois du 26 juillet 1873 et du 23 avril 1897, nombre de petits propriétaires pressés par la misère furent tentés par l'attrait de l'argent et vendirent leur terre ; peu familiers avec l'usage de la monnaie, ils eurent tôt fait de dissiper leur petit capital et furent contraints de se louer comme ouvriers agricoles ou de fuir vers la ville.

5. Sans doute l'usure, dont les taux atteignaient 50 à 60 % en moyenne avant 1830 et 25 à 30 % en 1867 (A. Hanoteau, *Poésies populaires de la Kabylie*, Paris, Imprimerie impériale, 1867, n° 1, p. 193), s'inscrivait-elle normalement dans une structure économique qui, bien qu'elle fît aussi peu de place que possible à la circulation monétaire, était d'autant moins exempte de crises que la précarité des techniques disponibles ne permettait pas de maîtriser les aléas du climat. Mais ce crédit d'urgence, imposé par la nécessité et exclusivement destiné à la consommation, n'avait rien de commun avec le crédit destiné à l'investissement : on ne recourt à l'usurier qu'une fois épuisées toutes les ressources de l'entraide familiale, et celui qui, ayant les moyens de l'aider, livrerait un frère ou un cousin à l'usurier serait déshonoré. L'interdiction du prêt à intérêt n'est que l'envers de l'impératif de solidarité et les règles communautaires, parfois codifiées dans les coutumiers, imposaient que l'on prêtât assistance aux infirmes, aux veuves, aux orphelins et aux pauvres et que l'on aidât les victimes d'une calamité (par exemple, lorsqu'une bête blessée devait être abattue, la communauté indemnisait le propriétaire et la viande était partagée entre les familles).

6. C'est dire, contre toutes les illusions populistes, que les traditions de solidarité agnatique sont loin de préparer les

paysans à s'adapter à des organisations coopératives ou collectivistes et que les ouvriers agricoles de zones de grande colonisation, dépossédés de leurs terres et de leurs traditions, sont plus disponibles pour un tel type de structure que les petits propriétaires des régions relativement épargnées.

7. On conte l'histoire de ce vieux Kabyle qui, parvenu pour la première fois au sommet du col limitant l'horizon de son village, s'écria : « Oh Dieu ! comme ton monde est grand ! » Au-delà de l'horizon du présent commence le monde imaginaire qui ne peut être rattaché à l'univers de l'expérience et où règne, de ce fait, une tout autre logique. Ce qui peut paraître absurde ou impossible si on le situe dans le champ de l'expérience peut advenir en d'autres lieux éloignés dans l'espace ou dans le temps : il en est ainsi des miracles des saints, de Sidi Yahia qui fit lever un bœuf égorgé, de Sidi Kali qui se métamorphosa en lion, de Sidi Mouhoub qui partagea en deux une fontaine afin d'apaiser un différend entre clans ennemis, de Sidi Moussa qui fit jaillir l'huile d'un pilier. Les mêmes critères n'ont pas cours selon qu'il s'agit d'un événement qui s'est produit à l'intérieur de l'horizon familier ou d'un fait survenu dans le pays des légendes qui commence aux frontières mêmes du monde quotidien. Dans le premier cas, il n'est d'autre garantie que l'expérience perceptive ou, à défaut, l'autorité d'une personne connue et digne de foi. Dans l'autre cas, s'agissant d'un univers où par essence tout est possible, les exigences critiques sont beaucoup moins grandes et l'on accueille toutes les affirmations véhiculées par l'opinion commune.

8. Peut-être faut-il voir là une des racines des interdits concernant toutes les formes de dénombrement : on ne doit pas compter les hommes présents à une assemblée, on ne doit pas mesurer les grains réservés à la semence ; on ne compte pas le nombre d'œufs de la couvée, mais on compte le nombre de poulets à la naissance. Serait-ce parce que compter les œufs de la couvée ou mesurer les grains de la semence, ce serait présumer de l'avenir, et, par là, le compromettre ? Le *fellah* ne mesure sa récolte qu'avec des précautions extrêmes, « afin de ne pas comp-

ter la générosité de Dieu ». En certaines régions, il est interdit de prononcer un nom de nombre sur l'aire à battre. Ailleurs, on recourt à des nombres euphémistiques pour évaluer la récolte. On sait aussi que des mesures administratives telles que les opérations de recensement destinées à l'établissement d'un État civil précis ont rencontré à l'origine de vives résistances. On lit dans un poème de Qaddoûr ben Klîfa rapporté par J. Desparmet (*in* « Les Réactions nationalitaires en Algérie », *Bulletin de la Société de géographie d'Alger*, 1933 ; cf. aussi « La turcophilie en Algérie », *op. cit.*, 1916, p. 20) : « Tous les biens ont été pesés à la balance. Combien d'hectares ont été arpentés, marqués au mètre ! Chaque année, on nous dénombre sur le registre de recensement ! Ils ont ainsi inscrit tous les vivants, hommes et femmes ! » Ce même refus de l'esprit de précision et de calcul inspirait les surnoms attribués dans ces poésies aux Français : « la race industrieuse », « la race des philosophes » (des savants), « le peuple à la signature et au cachet » (J. Desparmet, « L'Œuvre de la France jugée par les indigènes, *op. cit.*, 1910).

9. « Il y a sept moments dans la journée », « Comporte-toi selon le moment », « Je ne sais pas si mon bonheur est en avant ou en arrière »,« Comme est le jour, le berger le paît » (*Akken yella wass, yeks-it umeksa*).

10. A proprement parler, il n'existe pas de terme pour exprimer le futur. On a recours à trois expressions : 1°/ *aka thasawanth*, d'ici en haut, ainsi que vers le haut ; 2°/ *agh rezzat*, vers l'avant ; 3°/ *qabel*, l'an prochain.

Index des thèmes et des noms

Index mis à jour par Éliane Dupuy.

Table

DEUXIÈME PARTIE

Esquisse d'une théorie de la pratique

Du même auteur

AUX MÊMES ÉDITIONS

Réponses
Pour une anthropologie réflexive
(en collab. avec Loïc J.D. Wacquant)
« Libre Examen », 1992

Les Règles de l'art
Genèse et structure du champ littéraire
« Libre Examen », 1992
et « Points Essais » n° 370, 1998

La Misère du monde
(en collaboration)
« Libre Examen », 1993
et « Points » n° P466, 1998

Libre-échange
(avec Hans Haacke)
(coédition avec les Presses du réel)
« Libre Examen », 1994

Raisons pratiques
Sur la théorie de l'action
1994 et « Points Essais » n° 331, 1996

Méditations pascaliennes
« Liber », 1997 et « Points Essais » n° 507, 2003

La Domination masculine
« Liber », 1998 et « Points Essais » n° 483, 2002

Les Structures sociales de l'économie
« Liber », 2000

Langage et Pouvoir symbolique
« Points Essais » n° 461, 2001

Le Bal des célibataires
Crise de la société paysanne en Béarn
« Points Essais » n° 477, 2002

Esquisses algériennes
(textes édités et présentés par Tassadit Yacine)
« Liber », 2008

CHEZ D'AUTRES ÉDITEURS

Sociologie de l'Algérie
PUF, 1958, 2e édition, 1961, 8e édition 2001

Esquisse d'une théorie de la pratique
précédée de
Trois Études d'ethnologie kabyle
Genève, Droz, 1972
Seuil, « Points Essais » n° 405, 2000
(nouvelle édition revue par l'auteur)

Algérie 60
Structures économiques et structures temporelles
Minuit, 1977

La Distinction
Critique sociale du jugement
Minuit, 1979

Le Sens pratique
Minuit, 1980

Questions de sociologie
Minuit, 1980

Leçon sur la leçon
Minuit, 1982

Ce que parler veut dire
L'économie des échanges linguistiques
Fayard, 1982

Homo academicus
Minuit, 1984, 1992

Choses dites
Minuit, 1987

L'Ontologie politique de Martin Heidegger
Minuit, 1988

La Noblesse d'État
Grandes écoles et esprit de corps
Minuit, 1989

Language and Symbolic Power
Polity Press, Cambridge, 1991

Sur la télévision
suivi de L'Emprise du journalisme
Raisons d'agir, 1996

Les Usages sociaux de la science
Pour une sociologie clinique du champ scientifique
INRA, 1997

Contre-Feux
Propos pour servir à la résistance
contre l'invasion néo-libérale
Raisons d'agir, 1998

Propos sur le champ politique
Presses universitaires de Lyon, 2000

Contre-Feux 2
Raisons d'agir, 2001

Science de la science et réflexivité
Cours au Collège de France 2000-2001
Raisons d'agir, 2001

Images d'Algérie
Une affinité élective
Actes Sud, 2003

Esquisse pour une auto-analyse
Raisons d'agir, 2004

EN COLLABORATION

Travail et travailleurs en Algérie
(avec A. Darbel, J.-P. Rivet et C. Seibel)
EHESS-Mouton, 1963

Le Déracinement
La crise de l'agriculture traditionnelle en Algérie
(avec A. Sayad)
Minuit, 1964, 1977

Les Étudiants et leurs études
(avec J.-C. Passeron et Michel Eliard)
EHESS-Mouton, 1964

Les Héritiers
Les étudiants et la culture
(avec J.-C. Passeron)
Minuit, 1964, 1966

Un art moyen
Essai sur les usages sociaux de la photographie
(avec L. Boltanski, R. Castel et J.-C. Chamboredon)
Minuit, 1965

Rapport pédagogique et communication
(avec J.-C. Passeron et M. de Saint-Martin)
EHESS-Mouton, 1968

L'Amour de l'art
Les Musées d'art européens et leur public
(avec A. Darbel et D. Schnapper)
Minuit, 1966, 1969

Le Métier de sociologue
(avec J.-C. Passeron et J.-C. Chamboredon)
Mouton/Bordas, 1968
5e édition, 2005

La Reproduction
Éléments pour une théorie
du système d'enseignement
(avec J.-C. Passeron)
Minuit, 1970, 1989

La Production de l'idéologie dominante
(avec Luc Boltanski)
Éditions Raisons d'agir/Demopolis, 2008

RÉALISATION : PAO ÉDITIONS DU SEUIL
IMPRESSION : NORMANDIE ROTO IMPRESSION S.A.S. À LONRAI
DÉPÔT LÉGAL : FÉVRIER 2000. N° 39266-4 (093988)
IMPRIMÉ EN FRANCE

Collection Points

SÉRIE ESSAIS

DERNIERS TITRES PARUS

400. La Force d'attraction, *par J.-B. Pontalis*
401. Lectures 2, *par Paul Ricœur*
402. Des différentes méthodes du traduire
par Friedrich D.E.Schleiermacher
403. Histoire de la philosophie au XXe siècle
par Christian Delacampagne
404. L'Harmonie des langues, *par Leibniz*
405. Esquisse d'une théorie de la pratique
par Pierre Bourdieu
406. Le XVIIe siècle des moralistes, *par Bérengère Parmentier*
407. Littérature et Engagement, de Pascal à Sartre
par Benoît Denis
408. Marx, une critique de la philosophie, *par Isabelle Garo*
409. Amour et Désespoir, *par Michel Terestchenko*
410. Les Pratiques de gestion des ressources humaines
par François Pichault et Jean Mizet
411. Précis de sémiotique générale, *par Jean-Marie Klinkenberg*
412. Écrits sur le personnalisme, *par Emmanuel Mounier*
413. Refaire la Renaissance, *par Emmanuel Mounier*
414. Droit constitutionnel, 2. Les démocraties
par Olivier Duhamel
415. Droit humanitaire, *par Mario Bettati*
416. La Violence et la Paix, *par Pierre Hassner*
417. Descartes, *par John Cottingham*
418. Kant, *par Ralph Walker*
419. Marx, *par Terry Eagleton*
420. Socrate, *par Anthony Gottlieb*
421. Platon, *par Bernard Williams*
422. Nietzsche, *par Ronald Hayman*
423. Les Cheveux du baron de Münchhausen
par Paul Watzlawick
424. Husserl et l'Énigme du monde, *par Emmanuel Housset*
425. Sur le caractère national des langues
par Wilhelm von Humboldt
426. La Cour pénale internationale, *par William Bourdon*
427. Justice et Démocratie, *par John Rawls*
428. Perversions, *par Daniel Sibony*
429. La Passion d'être un autre, *par Pierre Legendre*

430. Entre mythe et politique, *par Jean-Pierre Vernant*
431. Entre dire et faire, *par Daniel Sibony*
432. Heidegger. Introduction à une lecture, *par Christian Dubois*
433. Essai de poétique médiévale, *par Paul Zumthor*
434. Les Romanciers du réel, *par Jacques Dubois*
435. Locke, *par Michael Ayers*
436. Voltaire, *par John Gray*
437. Wittgenstein, *par P.M.S. Hacker*
438. Hegel, *par Raymond Plant*
439. Hume, *par Anthony Quinton*
440. Spinoza, *par Roger Scruton*
441. Le Monde morcelé, *par Cornelius Castoriadis*
442. Le Totalitarisme, *par Enzo Traverso*
443. Le Séminaire Livre II, *par Jacques Lacan*
444. Le Racisme, une haine identitaire, *par Daniel Sibony*
445. Qu'est-ce que la politique ?, *par Hannah Arendt*
447. Foi et Savoir, *par Jacques Derrida*
448. Anthropologie de la communication, *par Yves Winkin*
449. Questions de littérature générale, *par Emmanuel Fraisse et Bernard Mouralis*
450. Les Théories du pacte social, *par Jean Terrel*
451. Machiavel, *par Quentin Skinner*
452. Si tu m'aimes, ne m'aime pas, *par Mony Elkaïm*
453. C'est pour cela qu'on aime les libellules *par Marc-Alain Ouaknin*
454. Le Démon de la théorie, *par Antoine Compagnon*
455. L'Économie contre la société *par Bernard Perret, Guy Roustang*
456. Entretiens de Francis Ponge avec Philippe Sollers *par Philippe Sollers - Francis Ponge*
457. Théorie de la littérature, *par Tzvetan Todorov*
458. Gens de la Tamise, *par Christine Jordis*
459. Essais sur le Politique, *par Claude Lefort*
460. Événements III, *par Daniel Sibony*
461. Langage et Pouvoir symbolique, *par Pierre Bourdieu*
462. Le Théâtre romantique, *par Florence Naugrette*
463. Introduction à l'anthropologie structurale, *par Robert Deliège*
464. L'Intermédiaire, *par Philippe Sollers*
465. L'Espace vide, *par Peter Brook*
466. Étude sur Descartes, *par Jean-Marie Beyssade*
467. Poétique de l'ironie, *par Pierre Schoentjes*
468. Histoire et Vérité, *par Paul Ricoeur*
469. Une charte pour l'Europe *Introduite et commentée par Guy Braibant*
470. La Métaphore baroque, d'Aristote à Tesauro, *par Yves Hersant*

471. Kant, *par Ralph Walker*
472. Sade mon prochain, *par Pierre Klossowski*
473. Seuils, *par Gérard Genette*
474. Freud, *par Octave Mannoni*
475. Système sceptique et autres systèmes, *par David Hume*
476. L'Existence du mal, *par Alain Cugno*
477. Le Bal des célibataires, *par Pierre Bourdieu*
478. L'Héritage refusé, *par Patrick Champagne*
479. L'Enfant porté, *par Aldo Naouri*
480. L'Ange et le Cachalot, *par Simon Leys*
481. L'Aventure des manuscrits de la mer Morte
par Hershel Shanks (dir.)
482. Cultures et Mondialisation
par Philippe d'Iribarne (dir.)
483. La Domination masculine, *par Pierre Bourdieu*
484. Les Catégories, *par Aristote*
485. Pierre Bourdieu et la théorie du monde social, *par Louis Pinto*
486. Poésie et Renaissance, *par François Rigolot*
487. L'Existence de Dieu, *par Emanuela Scribano*
488. Histoire de la pensée chinoise, *par Anne Cheng*
489. Contre les professeurs, *par Sextus Empiricus*
490. La Construction sociale du corps, *par Christine Detrez*
491. Aristote, le philosophe et les savoirs
par Michel Crubellier et Pierre Pellegrin
492. Écrits sur le théâtre, *par Roland Barthes*
493. La Propension des choses, *par François Jullien*
494. La Mémoire, l'Histoire, l'Oubli, *par Paul Ricœur*
495. Un anthropologue sur Mars, *par Oliver Sacks*
496. Avec Shakespeare, *par Daniel Sibony*
497. Pouvoirs politiques en France, *par Olivier Duhamel*
498. Les Purifications, *par Empédocle*
499. Panorama des thérapies familiales
collectif sous la direction de Mony Elkaïm
500. Juger, *par Hannah Arendt*
501. La Vie commune, *par Tzvetan Todorov*
502. La Peur du vide, *par Olivier Mongin*
503. La Mobilisation infinie, *par Peter Sloterdijk*
504. La Faiblesse de croire, *par Michel de Certeau*
505. Le Rêve, la Transe et la Folie, *par Roger Bastide*
506. Penser la Bible, *par Paul Ricoeur et André LaCocque*
507. Méditations pascaliennes, *par Pierre Bourdieu*
508. La Méthode
5. L' humanité de l' humanité, *par Edgar Morin*
509. Élégie érotique romaine, *par Paul Veyne*
510. Sur l'interaction, *par Paul Watzlawick*

511. Fiction et Diction, *par Gérard Genette*
512. La Fabrique de la langue, *par Lise Gauvin*
513. Il était une fois l'ethnographie, *par Germaine Tillion*
514. Éloge de l'individu, *par Tzvetan Todorov*
515. Violences politiques, *par Philippe Braud*
516. Le Culte du néant, *par Roger-Pol Droit*
517. Pour un catastrophisme éclairé, *par Jean-Pierre Dupuy*
518. Pour entrer dans le XXIe siècle, *par Edgar Morin*
519. Points de suspension, *par Peter Brook*
520. Les Écrivains voyageurs au XXe siècle, *par Gérard Cogez*
521. L'Islam mondialisé, *par Olivier Roy*
522. La Mort opportune, *par Jacques Pohier*
523. Une tragédie française, *par Tzvetan Todorov*
524. La Part du Père, *par Geneviève Delaisi de Parseval*
525. L'ennemi américain, *par Philippe Roger*
526. Les pousse-au-jouir du Maréchal Pétain, *par Gérard Miller*
527. L'Oubli de l'Inde, *par Roger-Pol Droit*
528. La Maladie de l'Islam, *par Abdelwahab Meddeb*
529. Le Nu impossible, *par François Jullien*
530. Schumann. La Tombée du jour, *par Michel Schneider*
531. Le Corps et sa danse, *par Daniel Sibony*
532. Mange ta soupe et… tais-toi !, *par Michel Ghazal*
533. Jésus après Jésus, *par Gérard Mordillat et Jérôme Prieur*
534. Introduction à la pensée complexe, *par Edgar Morin*
535. Peter Brook. Vers un théâtre premier, *par Georges Banu*
536. L'Empire des signes, *par Roland Barthes*
537. L'Étranger ou L'Union dans la différence
par Michel de Certeau
538. L'Idéologie et l'Utopie, *par Paul Ricœur*
539. En guise de contribution à la grammaire
et à l'étymologie du mot « être », *par Martin Heidegger*
540. Devoirs et délices, *par Tzvetan Todorov*
541. Lectures 3, *par Paul Ricœur*
542. La Damnation d'Edgar P. Jacobs
par Benoît Mouchart et François Rivière
543. Nom de dieu, *par Daniel Sibony*
544. Les Poètes de la modernité. De Baudelaire à Apollinaire,
par Jean-Pierre Bertrand et Pascal Durand
545. Souffle-Esprit, *par François Cheng*
546. La Terreur et l'Empire, *par Pierre Hassner*
547. Amours plurielles. Doctrines médiévales du rapport
amoureux de Bernard de Clairvaux à Bocace
par Ruedi Imbach et Inigo Atucha
548. Fous comme des sages
par Roger-Pol Droit et Jean-Philippe de Tonnac

549. Souffrance en France, *par Christophe Dejours*
550. Petit Traité des grandes vertus, *par André Comte-Sponville*
551. Du mal/Du négatif, *par François Jullien*
552. La Force de conviction, *par Jean-Claude Guillebaud*
553. La Pensée de Karl Marx, *par Jean-Yves Calvez*
554. Géopolitique d'Israël, *par Frédérique Encel, François Thual*
555. La Méthode 6, *par Edgar Morin*
556. Hypnose mode d'emploi, *par Gérard Miller*
557. L'Humanité perdue, *par Alain Finkielkraut*
558. Une saison chez Lacan, *par Pierre Rey*
559. Les Seigneurs du crime, *par Jean Ziegler*
560. Les Nouveaux Maîtres du monde, *par Jean Ziegler*
561. L'Univers, les Dieux, les Hommes, *par Jean-Pierre Vernant*
562. Métaphysique des sexes, *par Sylviane Agacinski*
563. L'Utérus artificiel, *par Henri Atlan*
564. Un enfant chez le psychanalyste, *par Patrick Avrane*
565. La Montée de l'insignifiance, Les Carrefours du labyrinthe IV *par Cornelius Castoriadis*
566. L'Atlantide, *par Pierre Vidal-Naquet*
567. Une vie en plus, *par Joël de Rosnay, Jean-Louis Servan-Schreiber, François de Closets, Dominique Simonnet*
568. Le Goût de l'avenir, *par Jean-Claude Guillebaud*
569. La Misère du monde, *par Pierre Bourdieu*
570. Éthique à l'usage de mon fils, *par Fernando Savater*
571. Lorsque l'enfant paraît t. 1, *par Françoise Dolto*
572. Lorsque l'enfant paraît t. 2, *par Françoise Dolto*
573. Lorsque l'enfant paraît t. 3, *par Françoise Dolto*
574. Le Pays de la littérature, *par Pierre Lepape*
575. Nous ne sommes pas seuls au monde, *par Tobie Nathan*
576. Anthologie, *par Paul Ricœur édition établie par Michael Foessel et Fabien Lamouche*
577. Cantatrix Sopranica L. et autres écrits scientifiques *par Georges Perec*
578. Philosopher à Bagdad au xe siècle, *par Al Farabi*
579. Mémoires. 1. La brisure et l'attente (1930-1955) *par Pierre Vidal-Naquet*
580. Mémoires. 2. Le trouble et la lumière (1955-1998) *par Pierre Vidal-Naquet*
581. Discours du récit, *par Gérard Genette*
582. Le Peuple « psy », *par Daniel Sibony*
583. Ricœur 1, *par L'Herne*
584. Ricœur 2, *par L'Herne*
585. La Condition urbaine, *par Olivier Mongin*
586. Le Savoir-déporté, *par Anne-Lise Stern*

587. Quand les parents se séparent, *par Françoise Dolto*
588. La Tyrannie du plaisir, *par Jean-Claude Guillebaud*
589. La Refondation du monde, *par Jean-Claude Guillebaud*
590. Anthologie de la Bible, *par Philippe Sellier*
591. Quand la ville se défait, *par Jacques Donzelot*
592. La Dissociété, *par Jacques Généreux*
593. Philosophie du jugement politique, *par Vincent Descombes*
594. Vers une écologie de l'esprit 2, *par Gregory Bateson*
595. L'Anti-livre noir de la psychanalyse, *par Jacques-Alain Miller*
596. Chemins de sable, *par Chantal Thomas*
597. Anciens, Modernes, Sauvages, *par François Hartog*
598. La Contre-Démocratie, *par Pierre Rosanvallon*
599. Stupidity, *par Avital Ronell*
600. Fait et à faire. Les Carrefours du labyrinthe V
par Cornelius Castoriadis
601. Au dos de nos images, *par Luc Dardenne*
602. Une place pour le père, *par Aldo Naouri*
603. Pour une naissance sans violence, *par Frédéric Leboyer*
604. L'Adieu au siècle, *par Michel del Castillo*
605. La Nouvelle Question scolaire, *par Éric Maurin*
606. L'Étrangeté française, *par Philippe D'Iribarne*
607. La République mondiale des lettres, *par Pascale Casanova*
608. Le Rose et le Noir, *par Frédéric Martel*
609. Amour et justice, *par Paul Ricœur*
610. Jésus contre Jésus, *par Gérard Mordillat et Jérôme Prieur*
611. Comment les riches détruisent la planète
par Hervé Kempf
612. Pascal, *par Philippe Sellier*
613. Le Christ philosophe, *par Frédéric Lenoir*
614. Penser sa vie, *par Fernando Savater*
615. Politique des sexes, *par Sylviane Agacinski*
616. La Naissance d'une famille, *par T. Berry Brazelton*
617. Aborder la linguistique, *par Dominique Maingueneau*
618. Les Termes clés de l'analyse du discours
par Dominique Maingueneau
619. La grande image n'a pas de forme, *par François Jullien*
620. « Race » sans histoire, *par Maurice Olender*
621. Figures du pensable, *par Cornelius Castoriadis*
622. Philosophie de la volonté 1, *par Paul Ricœur*
623. Philosophie de la volonté 2, *par Paul Ricœur*
624. La Gourmandise, *par Patrick Avrane*
625. Comment je suis redevenu chrétien
par Jean-Claude Guillebaud
626. Homo juridicus, *par Alain Supiot*
627. Comparer l'incomparable, *par Marcel Détienne*